Aspekte

Mittelstufe Deutsch

Arbeitsbuch 1

von
Ute Koithan
Helen Schmitz
Tanja Sieber
Ralf Sonntag

0log
Werbung
Aufsatz
Seite 100
aufstellung

L

Langenscheidt

Berlin · München · Wien · Zürich · New York

Von
Ute Koithan, Helen Schmitz, Tanja Sieber, Ralf Sonntag

Redaktion: Carola Jeschke und Cornelia Rademacher
Gestaltungskonzept und Layout: Andrea Pfeifer
Umschlaggestaltung: Andrea Pfeifer; Foto Treppe: fotosearch; Foto Schnecke: getty images
Zeichnungen: Daniela Kohl
Satz und Litho: kaltnermedia GmbH, Bobingen

Verlag und Autoren danken Margarete Rodi für die Begutachtung sowie allen weiteren Kolleginnen und
Kollegen, die *Aspekte* erprobt und mit wertvollen Anregungen zur Entwicklung des Lehrwerks beigetragen
haben.

Aspekte Band 1 – Materialien

Lehrbuch 1	47471
Lehrbuch 1 mit DVD	47474
Arbeitsbuch 1	47472
Lehrerhandreichungen 1	47473
Audio CDs 1	47476
DVD 1	47475

Symbole in Aspekte

   Hören Sie auf der CD 1 zum Lehrbuch bitte Track 8.

Zu diesen Übungen finden Sie Lösungen im Anhang.

Druck und Bindung: Stürtz GmbH, Würzburg

Arbeitsbuch 1   978-3-468-47472-9

10063

Inhalt

Inhalt

Inhalt

Leute heute

Vor dem Start: Erinnern Sie sich? Diese Übungen bereiten Sie auf das Kapitel vor.

1a Über mich selbst berichten. Welche Wörter passen zu welchen Themen?

die Partnerin   die Lehre   geschieden
der Sport   die Fremdsprache   faulenzen
das Appartement   alleinerziehend
Teilzeit   arbeiten als ...   die Firma   lernen
der Ehemann   die Mietwohnung   bauen
der Partner   das Dorf   der Single   der Job
sammeln   das Haus   die Stadt   das Studium
die Schule   die Eltern   reisen   die Fabrik
die Nachbarn   der Betrieb   Vollzeit
der Garten   getrennt   der Verein   das Büro
die Musik   fernsehen   die Ehefrau
die Wohngemeinschaft (WG)   die Freunde
das Musikinstrument   die Arbeitsstelle
das Kind   verheiratet   ausgehen   lesen

Arbeit/Ausbildung	Familie	Wohnen	Freizeit
die Lehre	b die Partnerin	das Appartement	1. der Sport
1. die Fremdsprache	geschieden	die Mietwohnung	2. faulenzen
Teilzeit	alleinerziehend	1. das Dorf	sammeln
arbeiten als	der Ehemann	den Single	reisen
die Firma	der Partner	das Haus	3. die Musik
lernen	2 die Eltern	2. die Stadt	fernsehen
der Job	die Ehefrau	3. der Garten	4. die Freunde
2. das Studium	das Kind	4. die Wohngemeinschaft (WG)	das Musikinstrument
die Schule	3. verheiratet	die Fabrik	lesen
der Betrieb	4 der Verein	die Nachbarn	ausgehen
3 Vollzeit		bauen	getrennt
das Büro			
4. die Arbeitsstelle			

b Ergänzen Sie vier Wörter zu jedem Thema.

c Schreiben Sie zu jedem Thema einen Satz über sich selbst.

_____

_____

_____

_____

6

2a **Auf den ersten Blick: Sehen Sie sich die Personen auf dem Bild an und ordnen Sie ihnen spontan Eigenschaften aus der Liste zu.**

Charme	Ruhe	Unsicherheit	Humor	Disziplin	Ehrlichkeit	Selbstbewusstsein
Fleiß	Kreativität	Zuverlässigkeit	Genauigkeit	Arroganz	Offenheit
Geduld	Freundlichkeit	Zufriedenheit

Nr. 1 _Unsicherheit_ Nr. 4 _Ruhe_

Nr. 2 _Freundlichkeit_ Nr. 5 _Zufriedenheit_

Nr. 3 _Selbstbewusstsein_ Nr. 6 _Arroganz_

b **Wie heißen die Adjektive zu den Eigenschaften? Ergänzen Sie die Liste.**

1. der Charme _charmant_ 9. die Kreativität _____

2. die Ruhe _____ 10. die Zuverlässigkeit _____

3. die Unsicherheit _____ 11. die Genauigkeit _____

4. der Humor _____ 12. die Arroganz _____

5. die Disziplin _____ 13. die Offenheit _____

6. die Ehrlichkeit _____ 14. die Geduld _____

7. das Selbstbewusstsein _____ 15. die Freundlichkeit _____

8. der Fleiß _____ 16. die Zufriedenheit _____

c **Sammeln Sie weitere Nomen und Adjektive wie in Übung 2b.**

Gelebte Träume

1a Lesetechniken anwenden – Lesen Sie den Text und sammeln Sie Informationen zu den Fragen:
   A Was zeichnet einen Lebenstraum aus?
   B Welche Eigenschaften braucht man, um einen Lebenstraum zu verwirklichen?

> **TIPP** **Vor dem Lesen**
> Haben Sie die Fragen verstanden? Formulieren Sie die Fragen A und B in eigenen Worten.
> **Beim Lesen**
> Unterstreichen Sie alle Informationen, die für die Fragen A und B wichtig sind.

Träume werden Wirklichkeit

1 Hannes und Grit Thomsen von „Realdream" helfen, Träume zu verwirklichen. Dabei geht es aber nicht um Träume wie *Einmal im Leben einen Ferrari fahren*. „Das sind eher 5 Wünsche", sagt Grit Thomsen, „sie sind einmalig und nicht dauerhaft. Lebensträume haben eine ganz andere Dimension. Sie wirken sich auf den gesamten Lebensstil, auf Beruf und Familie, sogar auf die Persönlichkeit des 10 Menschen aus." Ein Beispiel: Jemand träumt von einem ruhigen Leben als Bauer in den Bergen, die Person lebt aber in der Großstadt und arbeitet in einem Großraumbüro. Um den Traum zu verwirklichen, müsste alles Bisherige 15 und Bekannte zurückgelassen werden. „Zu Beginn ist am wichtigsten, danach zu fragen, woher der Lebenstraum kommt. Ist es wirklich mein Traum oder kopiere ich einen Traum von anderen oder aus den Medien?", so die Bera-20 terin. Schritt 1 heißt also: Wie sieht mein eigener Traum genau aus? Schritt 2: Was muss ich dafür ändern und will ich das? Schritt 3: Wie stelle ich mir die konkrete Umsetzung vor? „Wir realisieren die Träume nicht. Wir unter-25 stützen Personen dabei," sagt das Ehepaar Thomsen. Wer den eigenen Traum verwirklichen will, muss zuerst einmal überzeugt sein, das Richtige zu tun. Dann braucht man eine gute Portion Mut und Selbstbewusstsein, um 30 den Traum Schritt für Schritt umzusetzen. Das soziale Umfeld sollte auf jeden Fall integriert werden. Familie und Freunde sind oft die größte Hilfe. Und man muss mit Niederlagen leben können. Nicht jeder Schritt klappt sofort. Man 35 muss sehr realistisch denken, um einen Traum zu verwirklichen. Hartnäckigkeit, aber auch die Leidenschaft für den eigenen Traum sind sehr hilfreich für die Umsetzung. Viele Lebensträume hat das Ehepaar Thomsen begleitet: 40 von der Auswanderung nach Kanada bis hin zum Schreiben eines Krimis. Viel wichtiger ist ihnen aber, Menschen in der Beratung vor Illusionen und späteren Enttäuschungen zu bewahren.

> **TIPP** **Nach dem Lesen**
> Überprüfen Sie die Informationen, die Sie gefunden haben, mit den Aussagen in Aufgabe 1b.

 b Lesen Sie die Aussagen 1 bis 5. Was wird im Text gesagt?

	r	f
1. Es gibt einmalige und langfristige Lebensträume.	☒	☐
2. Wer seinen Lebenstraum umsetzen will, muss viele Lebensbereiche ändern.	☐	☒
3. Die Berater sagen den Personen, was das Richtige für sie ist.	☐	☒
4. Wer ehrgeizig und leidenschaftlich ist, kann seinen Traum verwirklichen.	☒	☐
5. Wer seinen Traum umsetzen will, braucht oft die Unterstützung von Familie und Freunden.	☒	☐

2a Aus der Traum. Was ist passiert? Ordnen Sie zu.

D 1. _c_ Im Mai ist das Ehepaar Leiske zu seiner Weltreise mit dem Schiff aufgebrochen, aber ...

a ... wollten seine Kinder unbedingt wieder zurück in die Stadt.

2. _a_ Thomas ist mit seiner Familie in sein Traumhaus in den Bergen gezogen. Leider ...

b ... den Kunden gefiel ihr Angebot nicht.

3. _b_ Vor zwei Jahren eröffnete Frau Sauer eine eigene Boutique, aber ...

c ... konnten sie sich auf kein Land einigen.

4. _d_ Peer und Silvia wollten nach Afrika auswandern. Trotz langer Diskussionen ...

d ... der Ehemann wurde seekrank und sie mussten die Tour abbrechen.

b Was haben die Personen falsch gemacht? Ergänzen Sie.

1. Herr und Frau Leiske berichten: „Wir __haben__ nicht daran __gedacht__ (denken), dass man seekrank werden kann. Wir __haben__ nicht __getest__ (testen), ob wir eine lange Schiffsreise vertragen. Bevor wir die Reise __gebucht__ __hatten__ (buchen), __kannten__ (kennen) wir Schiffe nur aus dem Fernsehen."

2. Thomas schreibt: Wir __waren__ (sein) so begeistert von dem Haus, dass wir nicht lange genug __gedacht nach__ __haben__ (nachdenken). Erst nachdem wir __haben__ __umgezogen waren__ (umziehen), __merkten__ (merken) wir, was uns alles _____ (fehlen). Wir _____ (können) nicht schnell einmal ins Kino gehen oder Freunde treffen. Das _____ besonders den Kindern _____ (schwerfallen).

3.

| bekommen | machen | ~~träumen~~ | merken | mieten | haben | einkaufen | finden |

Frau Sauers Freundin erzählt: „Sie __hat__ schon immer von einem eigenen Geschäft __geträumt__ . Sie _____ einen Kredit von der Bank _____ , einen Laden _____ und Kleidung _____ , die sie wunderschön _____ . Aber nachdem sie immer weniger Umsatz _____ _____ , _____ sie, dass die Kunden einen anderen Geschmack _____ ."

4. Peer und Silvia __wollten im Ausland leben. Sie__ _____

_____

_____

_____

c Welche geplatzten Träume kennen Sie? Warum hat es nicht geklappt? Machen Sie Notizen und erzählen Sie im Kurs.

In aller Freundschaft

1   Bitte recht *freund*-lich! In diesen Vokabeln kommt die Silbe *freund* vor. Welche Ausdrücke kennen Sie schon? Übersetzen Sie die Wörter in Ihre Sprache.

1. die **Freund**schaft _____   6. **freund**lich _____
2. die **Freund**lichkeit _____   7. der/die **Freund**/in _____
3. die Gast**freund**schaft _____   8. der Sports**freund** _____
4. be**freund**et sein _____   9. haut**freund**lich _____
5. das **Freund**schaftsspiel _____ 10. an**freund**en _____

2a In der Wort-Schlange finden Sie Umschreibungen für Eigenschaften, die für einen Freund / eine Freundin wichtig sein können. Wie lauten die Umschreibungen und das passende Adjektiv?

> meinbesterfreundkanngeheimnissefürsich
> behalten/ersagtmirdiewahrheiteinegute
> freundinteiltgernemitanderentomwillseine
> zieleerreichensonjaundmariongehenoft
> zusammeninsfitnessstudiosilviaoundpatrick
> sindinihrerfreizeitsehraktivduakzeptierst
> auchanderemeinungenmeinefreundinerzählt
> sehrlustigegeschichtenmeinältesterfreund
> weißsehrvieledinge

1. *Mein bester Freund kann Geheimnisse für sich behalten. → Er ist verschwiegen.*
2. _____
3. _____
4. _____
5. _____
6. _____
7. _____
8. _____
9. _____

b   Wie heißt das Gegenteil? Benutzen Sie auch das Wörterbuch.

1. modern   *unmodern, altmodisch*   5. natürlich _____
2. charmant _____   6. sozial _____
3. treu _____   7. freundlich _____
4. ehrlich _____   8. mutig _____

3a Lesen Sie das Gedicht und bringen Sie die Bilder in die richtige Reihenfolge.

Wilhelm Busch: Die Freunde

1 Zwei Knaben, Fritz und Ferdinand,
Die gingen immer Hand in Hand,
Und selbst in einer Herzensfrage
Trat ihre Einigkeit zutage.
5 Sie liebten beide Nachbars Käthchen,
Ein blondgelocktes kleines Mädchen.
Einst sagte die verschmitzte Dirne[1]:
„Wer holt mir eine Sommerbirne,
Recht saftig aber nicht zu klein?
10 Hernach soll er der Beste sein."
Der Fritz nahm seinen Freund beiseit
Und sprach: „Das machen wir zu zweit;
Da drüben wohnt der alte Schramm,
Der hat den schönsten Birnenstamm;
15 Du steigst hinauf und schüttelst sacht[2],
Ich lese auf[3] und gebe acht."
Gesagt, getan. Sie sind am Ziel.
Schon als die erste Birne fiel,

Macht' Fritz damit sich aus dem Staube[4],
20 Denn eben schlich aus dunkler Laube[5],
In fester Faust ein spanisch Rohr[6],
Der aufmerksame Schramm hervor.
Auch Ferdinand sah ihn beizeiten
Und tät am Stamm heruntergleiten
25 In Ängstlichkeit und großer Hast,
Doch eh' er unten Fuß gefasst[7],
Begrüßt ihn Schramm bereits mit Streichen[8],
Als wollt' er einen Stein erweichen.
Der Ferdinand voll Schmerz und Hitze,
30 Entfloh und suchte seinen Fritze.
Wie angewurzelt[9] bleibt er stehn.
Ach, hätt' er es doch nie gesehn:
Die Käthe hat den Fritz geküsst,
Worauf sie eine Birne isst. –
35 Seit dies geschah, ist Ferdinand
Mit Fritz nicht mehr so gut bekannt.

---

[1]kleines Mädchen, [2]vorsichtig, [3]hebe auf, [4]weglaufen, [5]kleines Gartenhaus, [6]Stock, [7]sicher stehen, [8]Schläge, [9]erstarrt/steif

b Warum ist Ferdinand am Ende mit Fritz nicht mehr „so gut bekannt"?

c Nennen Sie weitere Gründe, warum Freundschaften zerbrechen können.

d Wie pflegen Sie Ihre Freundschaften? Schreiben Sie einen kurzen Text.

> Meine beste Freundin kenne ich schon sehr lange. In den letzten Jahren haben wir uns nicht so oft gesehen, weil wir in unterschiedlichen Städten wohnen. Aber wir telefonieren jede Woche mindestens einmal länger miteinander. So erfahren wir …

1a Unterstreichen Sie im Text die Artikelwörter und markieren Sie die Adjektive.

Mutiger Junge rettet große Familie

1 **Verl** – Die besondere Wachsamkeit und das schnelle Reaktionsvermögen eines dreizehnjährigen Jungen hat am Wochenende einer Familie aus Verl das Leben gerettet. Der glückliche Retter
5 war in der Nacht aufgewacht und hatte dichten Rauch in dem alten Haus seiner Familie bemerkt. Er weckte sofort seinen Vater und informierte gleich danach die Feuerwehr. Als der Brand ausbrach, befanden sich zehn Menschen im Haus.
10 Alle konnten gerettet werden. Vier von ihnen mussten mit einer leichten Rauchvergiftung in ein Krankenhaus gebracht werden.

Bei dem nächtlichen Großalarm waren insgesamt 90 Feuerwehrleute vor Ort. Der Einsatzleiter
15 sprach von einem schwierigen Einsatz. Die Rauchentwicklung war so stark, dass die Feuerwehrleute nur mit einer speziellen Schutzausrüstung ins Haus gehen konnten. Die komplizierten Löscharbeiten dauerten über vier Stunden. Die Polizei
20 sucht jetzt nach der Brandursache.

 b Erstellen Sie eine Übersicht mit den im Text markierten Adjektiven. Notieren Sie auch das Genus des Substantivs und den Kasus.

Typ 1: bestimmter Artikel + Adjektiv + Substantiv	Typ 2: unbestimmter Artikel + Adjektiv + Substantiv	Typ 3: Nullartikel + Adjektiv + Substantiv
die besondere Wachsamkeit (feminin, Nominativ), …	eines dreizehnjährigen Jungen (maskulin, Genitiv), …	mutiger Junge (maskulin, Nominativ), …

 c Ergänzen Sie die fehlenden Endungen.

Typ 1: bestimmter Artikel + Adjektiv + Substantiv				Typ 2: unbestimmter Artikel + Adjektiv + Substantiv				Typ 3: Nullartikel + Adjektiv + Substantiv			
Singular			Pl.	Singular			Pl.	Singular			Pl.
m	n	f		m	n	f		m	n	f	

	m	n	f	Pl.		m	n	f	Pl.		m	n	f	Pl.
Nom.	e	e	e	en	Nom.	er	es	e	e	Nom.	er	es	e	e
Akk.	en	e	e	en	Akk.	en	es	e	e	Akk.	en	es	e	e
Dat.	en	en	en	en	Dat.	em	en	em	en	Dat.	em	em	er	en
Gen.	en	en	en	en	Gen.	en	en	en	er	Gen.	en	en	er	er

d Markieren Sie in allen drei Tabellen die jeweils gleichen Endungen mit einer Farbe.

> **TIPP** **Grammatik mit Beispielsätzen lernen**
> Merken Sie sich Endungen am besten immer mit Beispielsätzen.
> *Der gute Mann, das gute Kind, die gute Frau so öde sind!*
> *Den frechen Mann, das freche Kind, die freche Frau, ich besser find!*
> Finden Sie selbst Beispielsätze – gerne auch verrückte – zu anderen Formen der Adjektiv-Deklination.

2 **Retter gesucht. Ergänzen Sie die Adjektiv-Endungen, wo nötig.**

7,

1. Jung_e_ Familie sucht hilfsbereit___ und erfahren_de_ Kinderbetreuung.

2. Mein neu_es_ PC und ich, wir verstehen uns nicht. Wer hilft einem älter_en_ Herrn?

3. *Wer rettet meine gut_e_ und spannend_e_ Bücher vor dem Altpapiercontainer? Ich gehe ins Ausland und weiß nicht wohin mit meinen geliebt___ Büchern.*

4. *Einkaufshelfer gesucht! Ich habe mir das Bein gebrochen und brauche Unterstützung. Wer ist zuverlässig___ und geht für mich zweimal in der Woche die nötigst___ Lebensmittel und andere wichtig___ Dinge einkaufen?*

3 **Eine Heldengeschichte. Ergänzen Sie die Adjektive und achten Sie auf die Endungen.**

Ihr glaubt ja nicht, was wir im Urlaub erlebt haben. Wir waren am Strand und hatten einen

(1) __wunderschönen__ (wunderschön) Tag. Aber als wir zu unserem Bungalow zurückgekommen

sind, wartete eine (2) __schöne__ (schön) Überraschung auf uns. Wir hatten

(3) __unerwünschten__ (unerwünscht) Besuch: eine (4) __riesige__ (riesig),

(5) __schwarze__ (schwarz), Spinne mit (6) __langen__ (lang),

(7) __behaarten__ (behaart) Beinen. Meine Frau hat natürlich

sofort (8) __übertriebene__ (übertrieben) Panik be-

kommen. Ich hingegen habe die Nerven behalten und mir einen

(9) __alten__ (alt) Besen genommen, der im Badezimmer

stand. Das hättet ihr sehen müssen: Auf dem Bett eine

(10) __panische__ (panisch) Frau, auf dem Boden eine

(11) __riesige__ (riesig), (12) __hässliche__ (hässlich)

Spinne und mittendrin ich!

4 **Was ist hier passiert? Schreiben Sie eine Heldengeschichte.**

grüne Luftmatratze	schnelles Motorboot	vorbeirasen	hohe Wellen	schlechter Schwimmer
große Panik	aufmerksamer Mann	ins Wasser springen	Rettungsring	mutiger Retter ...

Vom Glücklichsein

1a Lesen Sie den Ankündigungstext und notieren Sie, auf welche Fragen in dem Gespräch eine Antwort gefunden werden soll.

> **Eine kleine Anleitung zum Glücklichsein**
> Interview mit Frau Prof. Dr. Dr. Angela Schorr
> Die Frage nach dem Glück ist mehrere tausend Jahre alt. Seit einigen Jahrzehnten beschäftigen sich Forscher systematisch damit. Was also ist Glück? Woher kommt Glück? Kann man es lernen? „Mona Lisa"[1] sprach darüber mit Angela Schorr, Emotionsforscherin an der Universität Siegen.

[1] Magazinsendung des ZDF

b Welche Antworten auf die Fragen erwarten Sie? Machen Sie Notizen.

Was ist Glück? – ein schönes Gefühl, etwas Tolles, ein Ziel im Leben; ...

 TIPP **Lese-Erwartung aufbauen**
Überlegen Sie sich nach dem Lesen einer Ankündigung oder einer Überschrift:
– Welche Themen und Informationen erwarten Sie in dem folgenden Text?
– Was möchten Sie zum Thema wissen?
– Was ist für Sie zu diesem Thema wichtig, was würden Sie in einem Gespräch dazu sagen?

2a Markieren Sie in jedem Abschnitt des Interviews die für Sie wichtigsten Informationen.

 b Machen Sie neben jedem Abschnitt kurze Notizen.

Glück = große
Zufriedenheit oder
besondere Erfahrung

_____
_____
_____
_____

1 **ZDF:**
Zuerst einmal: Was ist denn Glück?
Prof. Dr. Dr. Angela Schorr:
Für Glück gibt es verschiedene
5 Definitionen. Die Glückserfahrun-
gen, die wir aber alle haben, sind entweder Glück als große Zufriedenheit
oder Glück als eine ganz besondere
Erfahrung, als einen starken
10 Glücksmoment, praktisch eine
Spitzen-Erfahrung.
ZDF:
Flow ist das magische Wort für Glück. Wie kann man Flow definieren?
Angela Schorr:
15 Flow ist eigentlich das, was wir im Rahmen einer Spitzen-Erfahrung
haben. Dieses Konzept wurde von dem Amerikaner Mihaly Csikszent-
mihalyi entwickelt. Es geht darum, dass, wenn wir besonders glücklich
sind, alles fließt, auf Englisch „Flow". Das tritt auf, wenn man eine
Sache vollkommen engagiert tut. Wenn man weiß, man hat alle Fähig-
20 keiten. Wenn man weiß, alles ist in Ordnung. Ein Beispiel aus dem
Alltag: Ich leiste etwas, erfülle eine Aufgabe und diese Aufgabe geht
mir ganz besonders gut von der Hand, fast von selbst, und ich bin voll
konzentriert.
(...)

Emotionsforscherin
Prof. Dr. Dr. Angela Schorr

25 **ZDF:**

Woher kommt das Glück? Wird es uns in die Wiege gelegt?

Angela Schorr:

Glück ist auch erlernt. Man kann bestimmte Glücksstrategien und ein bestimmtes Management betreiben. Das Wichtigste ist eine Analyse der

30 eigenen Situation. Wie ist meine Lebenssituation? Wo bin ich überall unzufrieden? Wo kann ich etwas dagegen tun? Man muss die Bereiche finden, wo man etwas verändern kann. Und dann muss man sich darauf konzentrieren und sozusagen versuchen, die vielen normalen Glücks-momente des Alltags zu sehen. Das Hauptmoment bei Glück ist komi-

35 scherweise die Kontrolle. Man sagt immer, glückliche Menschen seien leichtsinnig, aber das ist Quatsch. Sie sind vorsichtig in allen Lebens-bereichen, ob sie eine Versicherung abschließen oder eine Wohnung mieten – so, als wollten sie ihr Glück hüten.

ZDF:

40 Für unser Glück müssen wir also etwas tun?

Angela Schorr:

In einer Beziehung wissen die meisten Menschen, dass man um das Glück kämpfen muss. So muss man auch für alle anderen Glückssituationen im Leben etwas tun. Zum Beispiel, dass man mehr Freunde trifft, Beziehun-

45 gen mehr pflegt, mehr Hobbys nachgeht, um sich zu entspannen und sich glücklich zu fühlen. Man muss die Glücksmomente aufsuchen, immer mit der Überzeugung: Ich kann etwas für mein eigenes Glück tun. Es braucht nicht alles negativ zu sein.

ZDF:

50 Und kann man sich an das Glück so gewöhnen, dass es zu einer Selbst-verständlichkeit wird?

Angela Schorr:

Die Spitzen-Erfahrungen, die wir haben, können wir psychisch nicht auf-rechterhalten, sondern sie müssen sich ein wenig abbauen. Aber es ist

55 völlig übertrieben zu glauben, dass ein Mensch, der sehr glücklich ist, dann in einer großen Schwankung sozusagen unglücklich wird. Das stimmt alles nicht. In Wirklichkeit dauert es sehr lange, von einem hohen Glückslevel auf ein mittleres und nicht auf ein niedriges Niveau herunter-zukommen. Im Grunde genommen bleibt einem das Glück durchaus treu.

c Schreiben Sie zu jedem Abschnitt eine kurze Zusammenfassung in ein bis zwei Sätzen.

Unter Glück versteht man eine sehr große Zufriedenheit oder eine besonders schöne Erfahrung. Wenn wir glücklich sind, fließt alles, daher kommt der Begriff ...

TIPP **Einen Text zusammenfassen**
   – Gehen Sie Abschnitt für Abschnitt vor.
   – Markieren Sie die für Sie wichtigsten Informationen in jedem Abschnitt.
   – Notieren Sie zu jedem Abschnitt die wichtigsten Worte.
   – Fassen Sie dann jeden Abschnitt in eigenen Worten zusammen.

---

3 Lesen Sie nun das Interview noch einmal und vergleichen Sie Ihre Notizen aus Übung 1b mit den Aussagen von Frau Prof. Dr. Angela Schorr.

4a Wozu gratuliert man hier? Ergänzen Sie das Rätsel.
   (Umlaute = ein Buchstabe)

   1. Der Tag, an dem jemand auf die Welt gekommen ist.   ___ ___ ___ ___ ___ ___ ___ ___ ___

   2. Zwei Menschen sagen „ja" zu einander.   ___ ___ ___ ___ ___ ___ ___

   3. Ein Kind kommt auf die Welt.   ___ ___ ___ ___ ___ ___

   4. Ein Geschäft oder eine Firma hat den ersten Tag offen.   ___ ___ ___ ___ ___ ___ ___

   5. Bekommt man, wenn man eine Fahrprüfung
      bestanden hat.   ___ ___ ___ ___ ___ ___ ___ ___ ___ ___ ___

b Herzlichen Glückwunsch! Notieren Sie die Situationen aus 4a auf Kärtchen. Welche weiteren Situationen fallen Ihnen ein, in denen Sie jemandem gratulieren? Schreiben Sie weitere Kärtchen.

Geburtstag

c Sammeln Sie im Kurs die verschiedenen Kärtchen und finden Sie einen Partner / eine Partnerin. Ziehen Sie eine Karte und erzählen Sie Ihrem Partner / Ihrer Partnerin die Situation, er/sie gratuliert Ihnen.

> *Hallo, ich bin so müde heute. Gestern hatte ich Geburtstag und plötzlich haben mich ein paar Freunde überraschend besucht. Es war dann ein sehr schöner Abend, aber es ist zu spät geworden.*

> *Oh, du hattest gestern Geburtstag? Das wusste ich nicht. Herzlichen Glückwunsch nachträglich! Da würde ich dich heute gerne zum Mittagessen einladen. Hast du Zeit?*

5 Hören Sie nochmals den Anfang des Interviews mit dem Glücksforscher Professor Weinberger
   LB 1.8 von Aufgabe 5a im Lehrbuch und ergänzen Sie die Schlüsselwörter im Text.

   Reporter: Herr Weinberger, Sie sind seit vielen Jahren in der _____ als

               _____ tätig und befassen sich seit längerem mit der Frage, wie

               man _____ wird. Wieso beschäftigen Sie sich mit dieser Frage?

   Weinberger: Im Rahmen meiner beruflichen Tätigkeit lerne ich viele _____

               kennen, die in persönlichen Lebensfragen _____ von mir erwar-

               ten. Themen dieser _____ sind zunehmend zwischenmenschliche

               _____ und die immer wiederkehrenden Fragen, wie man glück-

               licher wird und was man tun muss, um _____ zu sein.

So schätze ich mich nach Kapitel 1 ein: Ich kann ...	+	0	–	Modul/ Aufgabe
... in einem Radiobeitrag zum Thema „Freundschaft" allgemeine und persönliche Aussagen verstehen.				M2, A3
... einen Programmhinweis verstehen.				M3, A2a
... die wichtigsten Informationen in einem Interview mit einem Forscher zum Thema „Glück" verstehen.				M4, A5
... einen Zeitungstext zum Thema „Träume" nach bestimmten Informationen durchsuchen und verstehen.				M1, A3a
... in Kurzmeldungen detaillierte Informationen zu Helden im Alltag verstehen.				M3, A2b
... die wesentlichen Informationen aus einem Text über eine Familie mit fünf Kindern verstehen.				M4, 3b, c
... Träume, die ich mir schon erfüllt habe, und Träume, die ich noch habe, in einem Gespräch darstellen.				M1, A5
... meine Meinung zum Thema „Freundschaft" äußern und begründen.				M2, A1, A4
... über meine Erfahrungen zum Thema „Freundschaft" berichten.				M2, A3b
... sagen und begründen, was ich unter Glück verstehe.				M4, A2
... zum Thema „Glück" meine Meinung sagen, jemandem widersprechen oder zustimmen.				M4, A6
... darlegen, warum ich jemanden für einen Helden / eine Heldin halte und diese Person vorstellen.				M3, A5
... einen Text über eine Familie mithilfe von Stichworten zusammenfassen.				M4, A3b, c, d
... in einer E-Mail zur Geburt eines Kindes gratulieren und meine Freude ausdrücken.				M4, A4a, b, c

Das habe ich zusätzlich zum Buch auf Deutsch gemacht: (Projekte, Internet, Filme, Texte, ...)		
	Datum:	Aktivität:

Wohnwelten

Vor dem Start: Erinnern Sie sich? Diese Übungen bereiten Sie auf das Kapitel vor.

1 Lesen Sie die E-Mail und ergänzen Sie die fehlenden Wörter.

Aufzug	Bad	Balkon	Dusche	Tiefgarage	Küche	Mietvertrag	Parkplatz
Quadratmeter	Schlafzimmer	Stadtmitte	Stock	Wohnblock	Wohnung	Zimmer	

Liebe Paula,

endlich habe ich eine neue (1) _Wohnung_. Vor zwei Wochen habe ich den

(2) _Mietvertrag_ unterschrieben. Diese Wohnung ist wirklich perfekt für mich.

Sie liegt sehr zentral, direkt in der (3) _Stadtmitte_. Das Haus, ein (4) _Wohnblock_

aus den 60er-Jahren, ist von außen nichts Besonderes, aber meine zwei (5) _Zimmer_

sind sehr gemütlich. Ich werde mich hier bestimmt wohlfühlen. Ich habe ein Wohn- und ein

(6) _Schlafzimmer_, eine (7) _Küche_ und ein kleines (8) _Bad_

mit (9) _Dusche_. Ich wohne im sechsten (10) _Stock_, aber natürlich gibt es

hier einen (11) _Aufzug_. Paula, Du glaubst es nicht: Ich habe nun tatsächlich

einen (12) _Balkon_. Er ist sogar ziemlich groß: 6,5 (13) _Quadratmeter_.

Im Sommer werde ich da jeden Tag frühstücken. Aber das Beste ist: Ich muss nun nie

wieder einen (14) _Parkplatz_ suchen, denn ich habe einen Stellplatz in der

(15) _Tiefgarage_ gemietet. Du musst mich so bald wie möglich besuchen!

Viele Grüße, Marietta

2 Lesen Sie den Dialog und formulieren Sie die passenden Fragen.

○ Hallo Jörg. Mensch, wir haben uns ja ewig nicht gesehen. Was gibt's Neues?

● Hallo Carla. Ach, so einiges. Ich bin gerade umgezogen.

○ Echt, das ist ja toll. Erzähl mal. (1) _Wo bist du umgezogen_?

● Die Lage ist optimal – direkt am Stadtrand. Es ist ruhiger als im Zentrum. Trotzdem ist man mit dem Bus schnell in der Innenstadt. Er hält direkt vor meiner Haustür.

○ (2) _Wie groß ist deine neue Wohnung_?

● Die Wohnung hat 52 Quadratmeter, wirkt aber viel geräumiger, weil sie gut geschnitten ist.

○ Hört sich toll an. (3) _Wie kostet es_?

● Ziemlich hoch. Ich zahle jetzt fast 400 €.

○ (4) _Ist die Nebenkosten inclusiv oder nein_?

● Die Nebenkosten sind dann auch noch mal knapp 80 €. Komm doch einfach mal vorbei. ...

3a Welche Beschreibung passt zu welchem Nomen?

_f_ die Miete
_e_ die Kaution
_a_ die Nebenkosten
_b_ die Maklergebühr
_d_ die Wohnungsanzeige
_c_ die Ablöse

a Kosten, die zusätzlich zur Miete entstehen, z.B. für Müllabfuhr, Wasser

b Geld, das man für die Vermittlung einer Wohnung bezahlt

c Geld, das man z.B. für eine Einbauküche zahlt, die man vom vorherigen Mieter übernimmt

d kurzer Text, den man in der Zeitung drucken lässt, weil man eine Wohnung anbieten will oder sucht

e Geldbetrag, den man als Sicherheit hinterlegen muss, wenn man eine Wohnung mietet

f Geld, das man jeden Monat zahlt, um in einer Wohnung / in einem Haus wohnen zu können

b Welches Verb passt zu welchem Nomen? Notieren Sie. Es gibt mehrere Möglichkeiten.

1f   2c 3e 4a 5d   6g   7b   8h   9i   10j

1. Hausordnung	6. Mietvertrag	a renovieren	f einhalten
2. Umzug	7. Wohnung	b gründen	g aufgeben
3. Nebenkosten	8. Anzeige	c organisieren	h erhöhen
4. Wohngemeinschaft	9. Maklerin/Makler	d überweisen	i beauftragen
5. Miete	10. Kaution	e bezahlen	j unterschreiben

4 Ergänzen Sie die passenden Verben. Die Buchstaben in den grauen Kästchen ergeben das

Lösungswort: Haben Sie Ihre _____ schon gefunden?
(Umlaute = ein Buchstabe)

waagrecht:
1. für Wärme sorgen
2. einen (Miet-)Vertrag beenden
3. nicht kaufen, aber für die Nutzung bezahlen
4. an der Haustür läuten
5. die Wohnung für immer verlassen
6. sauber machen
7. Ordnung machen

senkrecht:
8. schön machen, gestalten, schmücken
9. in einer Wohnung oder einem Haus leben
10. das Auto an einem Platz abstellen
11. in eine Wohnung gehen, um darin zu leben
12. jemandem eine Wohnung anbieten, aber nicht zum Kauf
13. durch Möbel und andere Dinge wohnlich machen
14. alte Dinge erneuern, reparieren

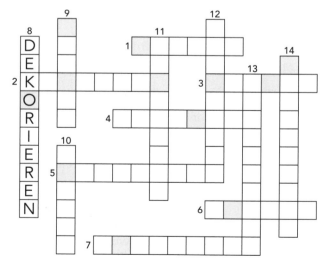

Baumhaus = Traumhaus?

1a Lesen Sie den Zeitungstext und unterstreichen Sie die Hauptinformationen: *Was? Wann? Wo?*

> **TIPP** **W-Fragen**
> W-Fragen helfen, den Inhalt eines Textes besser zu verstehen: *Wer* tut etwas? *Was* geschieht? *Wann* geschieht es? *Wo* und *warum* passiert es? Manchmal können nicht alle W-Fragen beantwortet werden, oft braucht man weitere W-Fragen (*Wie?*, *Wie viel?* ...).

Ein Hotel mal anders

1 Gäste mit Höhenangst verbringen in diesem Hotel bestimmt keine ruhige Nacht, denn das Bett für den geruhsamen Schlaf schwebt in Zehntendorf nördlich von Görlitz (Sachsen) bis
5 zu zehn Meter über dem Erdboden. Trotzdem ist die Nachfrage nach Übernachtungen in Deutschlands erstem Baumhaushotel bereits sehr groß. Im Sommer 2005 wurde das luftige Hotel im grünen Dach eines großen Baumes eröffnet.
10 Die Besucher des Hotels steigen über eine hölzerne Treppe in eine Art Wohnung. Zwischen den fünf gemütlichen Zimmern, die auf dicken Stämmen gebaut und in mühevoller Kleinarbeit eingerichtet wurden, gibt es schmale Brücken.
15 Alles ist hier aus Holz, alles riecht nach Holz. In der Mitte der Hotelanlage befindet sich eine Art Terrasse, auf der sich die Bewohner des Hotels treffen können und auf der das Gepäck abgestellt wird. Denn in den kleinen Zimmern ist dafür nur
20 wenig Platz, dafür haben einige aber einen Balkon.

Obwohl die Zimmer nur sehr klein sind, reicht der Platz für eine kleine Nottoilette. Elektrisches Licht gibt es in den Zimmern. Die Bewohner schlafen in gemütlichen Betten und in luftiger
25 Höhe gibt es sogar eine Dusche, die sich die Gäste aber teilen müssen. Ganz billig ist der Spaß allerdings nicht: Eine Übernachtung kostet zwischen 160 und 220 €.

b Lesen Sie den Text noch einmal. Sind die folgenden Aussagen richtig oder falsch?

	r	f
1. In diesem Hotel kann man nicht ruhig schlafen.	☒	☐
2. Das Hotel befindet sich nicht auf dem Erdboden.	☐	☒
3. Viele Menschen wollen in diesem Hotel übernachten.	☒	☐
4. In die Zimmer kommt man mit einem Fahrstuhl.	☐	☒
5. Das Gepäck wird direkt auf die Zimmer gebracht.	☒	☐
6. Das Zimmer ist mit Dusche und Toilette.	☐	☒
7. Die Übernachtung ist sehr preiswert.	☒	☐

2a Klären Sie die Bedeutung der zusammengesetzten Substantive, indem Sie die Wörter in Grund- und Bestimmungswort zerlegen. Ordnen Sie das Bestimmungswort ein.

		Bestimmungswort		Grundwort
das Baumhaus	=	der Baum	+	das Haus

zusammengesetztes Substantiv	Bestimmungswort			Grundwort
	Substantiv	Verb	Adjektiv	
das Baumhaus	*der Baum*	–	–	*das Haus*
das Spielzeug	*das Spiel*	*spielen*	–	*das Zeug*
die Klimaanlage				
die Wohnfläche				
die Großstadt				
die Schlafmöglichkeit				
der Internetanschluss				

b Finden Sie im Text „Ein Hotel mal anders" weitere Beispiele für zusammengesetzte Substantive.

3 *Deshalb* oder *trotzdem*? Ergänzen Sie die Konnektoren.

1. Ich suche eine neue Wohnung, __deshalb__ lese ich die Anzeigen in der Zeitung.

2. Die Mieten im Stadtzentrum sind hoch, __trotzdem__ wohne ich gern dort.

3. Petra zieht mit ihrem Freund zusammen, __deshalb__ können sie sich eine größere Wohnung leisten.

4. Der Vermieter hat die Miete erhöht, __deshalb__ gehe ich zum Mieterschutzbund.

5. Ein Baumhaus ist sehr teuer, __trotzdem__ kaufen sich viele Menschen eines.

6. Johannes möchte sein Wohnzimmer renovieren, __deshalb__ fährt er zum Baumarkt.

4 Ergänzen Sie die Konnektoren. Einige können mehrmals vorkommen.

da/weil	denn	deshalb	obwohl	sodass	so … dass	trotzdem

1. Ich suche eine neue Wohnung. __Deshalb__ habe ich den Makler angerufen.

2. Gestern habe ich mit meinem Vermieter telefoniert, __denn__ meine Heizung kaputt ist.

3. Die Wohnung ist ziemlich dunkel, __trotzdem__ gefällt sie mir.

4. In diesem Stadtviertel wohnen wenige Familien, __weil__ die Mieten sind sehr hoch.

5. Gestern hat es __so__ viel geregnet, __dass__ jetzt der Keller unter Wasser steht.

6. __Obwohl__ die Familie vier Kinder hat, wohnt sie in einer kleinen Wohnung.

7. Bei uns stehen zwei Zimmer leer, __deshalb__ suchen wir einen Untermieter.

8. Ich habe Sophie zum Essen eingeladen, __sodass__ sie hat mir beim Umzug geholfen.

9. Ihr Mitbewohner ist ausgezogen, __da__ sie jetzt allein in der Wohnung lebt.

10. Das Haus ist sehr hellhörig, __deshalb__ hören wir unsere Nachbarn immer streiten.

Baumhaus = Traumhaus?

5 Herr und Frau K. verbringen viel Zeit am Fenster und sehen, was so alles passiert. Formulieren Sie die Sätze um.

1. Herr Müller kommt spät nach Hause, weil er länger arbeiten musste. (denn) *denn musste*
2. Im ersten Stock rechts brennt Licht, obwohl die Wohnung leer steht. (trotzdem) *trotzdem steht*
3. Die junge Studentin macht bald Examen. Trotzdem geht sie jeden Abend aus. (obwohl) *ausgeht* *obwohl*
4. Herr Schöps ist erkältet, deshalb kann er nicht zur Arbeit gehen. (so ... dass) *so arbeitslos dass er*
5. Frau Leger hat sich ein neues Sofa gekauft, obwohl sie arbeitslos ist. (trotzdem) *trotzdem ist*
6. Die Dachwohnung wird renoviert, weil es dort einen Wasserschaden gab. (denn) *denn es gab*
7. Die Miete ist so gestiegen, dass Familie Maler ausziehen will. (deswegen) *deswegen will*
8. Herr Huber hat sich über die WG im dritten Stock beschwert, denn dort ist es abends oft laut. (weil) *weil*

1. Herr Müller kommt spät nach Hause, denn er musste länger arbeiten.

2 Die Wohnung im ersten Stock rechts steht leer trotzdem brennt dort Licht.

6 Setzen Sie die passenden Wörter in die Lücken ein.

| deswegen | obwohl | so ... dass | weil | deshalb | so ... dass |

Viele Menschen träumen von einem Haus mit Garten. Allerdings ist das in der Stadt oft (1) _so_ teuer, _dass_ es sich viele nicht leisten können. (2) _Deswegen_ gibt es in Deutschland über eine Million Kleingärten, die gehegt und gepflegt werden. (3) _weil_ sie so wenigstens zeitweise dem Grau der Wohnblocks entfliehen können, kaufen oder mieten sich viele Menschen einen Kleingarten. Auch immer mehr jüngere Menschen schaffen sich so einen Garten an, (4) _obwohl_ so ein Schrebergarten nach wie vor als ein bisschen altmodisch angesehen wird. In manchen Großstädten sind die Miniparzellen mittlerweile (5) _so_ beliebt, _dass_ es lange Wartelisten gibt. Viele Menschen suchen in der Natur einen Ausgleich zu ihrem stressigen Leben, (6) _deshalb_ sind in den Städten auch die Park- und Grünanlagen sehr wichtig. Hier kann jeder Erholung finden, der weder einen eigenen Garten noch einen Kleingarten besitzt.

7 Ergänzen Sie die Sätze.
1. Ich suche ein Zimmer in einer Wohngemeinschaft, weil ... *es nicht so viel kostet.*
2. In dieser Gegend sind die Mieten so teuer, dass ... *nur ältere Menschen dahin leben.*
3. Obwohl Herr Köller ... , hat er einen Kredit für den Hauskauf aufgenommen. *Arm ist,*
4. Familie Schneider muss aus der Wohnung ausziehen, denn ... *könnte ich es renovieren.*
5. Die Möbel sind schon ziemlich kaputt, trotzdem ... *können wir das Holz benutzen.*
6. Bei Elina findet heute eine Einweihungsparty statt, darum ... *kann man tanzen*
7. Da Claudia ... , wohnt sie noch bei ihren Eltern. *hat keine Wohnung*
8. In dem Studentenwohnheim ist momentan kein Zimmer frei, sodass ... *die StudentInnen andere Platz finden.*

22

1a Lesen Sie den Text und entscheiden Sie, welche Aussagen richtig und welche falsch sind.

Hilfe zur Selbsthilfe – Die Zeitung BISS

1   In allen deutschen Großstädten gibt es heute Zeitungsprojekte, die Menschen in Not helfen sollen. Eine dieser Zeitungen ist BISS und wird in München verkauft. BISS steht für „**B**ürger und
5   **B**ürgerinnen **I**n **S**ozialen **S**chwierigkeiten". Es ist das erste und älteste Straßenmagazin bundesweit. Am 17. Oktober 1993 wurde die Zeitung BISS zum ersten Mal verkauft und erscheint heute mit elf Ausgaben pro Jahr und einer Auflagenhöhe
10   von 40.000 Stück. Man sieht die Verkäufer auf großen Plätzen und an U-Bahnhöfen. Das Projekt ist eine Hilfe zur Selbsthilfe für viele wohnungs- lose und arbeitslose Menschen. Rund 600 woh- nungslose und alleinstehende Menschen leben in
15   München das ganze Jahr auf der Straße – mal trifft es den einen, mal den anderen, doch die Summe bleibt immer gleich. Die Wege in die Not sind vielfältig. Ein Weg zurück in die Gesellschaft kann über die Zeitung BISS führen. Denn BISS
20   hilft den Obdachlosen bei der Wohnungs- und Arbeitssuche, bei Gesundheitsfürsorge, Schulden- und Suchtproblemen. Für viele Bedürftige ist BISS erste Anlaufstelle und letzte Rettung. Aktuell kostet die Zeitung 1,50 €, davon gehen 80 Cent
25   an den Verkäufer. Die meisten von ihnen haben keinen Beruf erlernt und nur geringe Chancen auf dem regulären Arbeitsmarkt. Wer nachweisen kann, dass er arm oder mittellos ist, erhält einen Verkäuferausweis, so z.B. Sozialhilfebezieher,
30   Arbeitslose und Kleinrentner. Jedem Verkäufer wird ein bestimmter Platz und eine feste Uhrzeit zugewiesen – das wird auch kontrolliert. Und es gibt noch mehr Regeln, die eingehalten werden müssen: Alkohol und Drogen sind während des
35   Verkaufs untersagt, und wer krank ist, muss sich abmelden.
    Momentan arbeiten 100 Verkäuferinnen und Verkäufer bei BISS. 15 von ihnen sind inzwischen fest angestellt und damit endlich wieder sozialver-
40   sichert. Für diese Verkäufer ist Wiedereingliede- rung kein abstrakter Begriff mehr: Sie haben ihre Wohnung und gehen tagsüber BISS verkau- fen und manche fahren sogar schon mal ein paar Tage in Urlaub.

		r	f
1.	Man kann die Zeitung BISS in allen deutschen Großstädten kaufen.	☐	☐
2.	BISS kauft man in einem Geschäft oder an einem Kiosk.	☐	☐
3.	Mit diesem Zeitungsprojekt wird Obdachlosen geholfen.	☐	☐
4.	Die Verkäufer können entscheiden, wo und wann sie die Zeitungen verkaufen wollen.	☐	☐
5.	Wer BISS verkaufen möchte, muss sich an bestimmte Regeln halten.	☐	☐
6.	Alle BISS-Verkäufer sind fest angestellt und haben wieder eine Wohnung.	☐	☐

b Worauf beziehen sich die Zahlen im Text?

17.10.1993: _BISS erschien zum ersten Mal._   1,50 €: _____

11: _____   80 Cent: _____

40.000: _____   100: _____

600: _____   15: _____

2 „Hilfe zur Selbsthilfe" – Was bedeutet das? Kennen Sie andere Beispiele?

Eine Wohnung zum Wohlfühlen

🔑 **1** Was kann man alles mit einer Wohnung machen? Verbinden Sie.

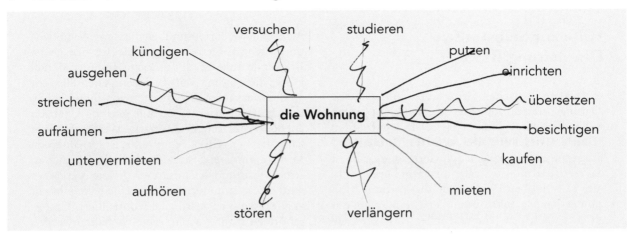

🔑 **2** Ergänzen Sie ein passendes Adjektiv im Komparativ.

1. Welche Haltestelle ist von hier aus _näher_ ? U- oder S-Bahn?
2. Ich wohne im Dachgeschoss. Im Sommer ist es hier (höher) *heißer* als draußen.
3. Die hellen Vorhänge gefallen mir viel _besser_ als die dunklen.
4. Der Tisch gefällt mir, aber er ist zu klein. Haben Sie auch einen _größeren_ ?
5. Nimm diesen Schrank. Der ist _besser/größer_ als der andere. Da passt _mehr_ rein.
6. Ich liebe diese Gegend. Es ist hier einfach _schöner_ ? more loving/dearer? als in anderen Vierteln.

🔑 **3** Daniel ist auf Wohnungssuche. Sein Freund Markus versucht ihm zu helfen. Ergänzen Sie die Adjektive im Komparativ oder Superlativ.

○ Es ist immer das Gleiche: Die (1) _schönsten_ (schön) Wohnungen sind auch die
(2) _teuersten_ (teuer). Die hier gefällt mir mit Abstand (3) am _besten_ (gut). Sie
kostet natürlich auch (4) am _meisten_ ✱ (viel). 750 €! Das kann ich mir wirklich nicht leisten!

● Ja, aber schau dir die (5) _billigsten/billigeren_ (billig) Wohnungen doch mal genau an: Sie sind
entweder klein oder dunkel oder liegen noch (6) _ungünstiger_ (ungünstig) als deine jetzige
Wohnung. Da brauchst du ja noch (7) _länger_ (lang) zur Arbeit als jetzt. Nimm zum
Beispiel die hier: Das ist zwar die (8) _billigste_ (billig) Wohnung von allen, sie hat aber
auch das (9) _kleinste_ (klein) Bad und die (10) _dunkelsten_ (dunkel) Räume.

○ Das stimmt. Dafür hat sie aber die (11) _größte_ (groß) Küche.

4 Rund um das Thema „Wohnen". Stellen Sie Vergleiche an und schreiben Sie jeweils einen
Satz mit *als* und einen Satz mit *wie*.

1. Berlin / Tokio
2. Küche / Wohnzimmer
3. Balkon / Garten
4. in der Stadt / auf dem Land
5. WG / Ein-Zimmer-Appartement
6. Studentenwohnheim / bei den Eltern

In Berlin wohnen nicht so viele Menschen wie in Tokio.
Die Mieten in Tokio sind höher als in Berlin.

✱ *meistens = most of the time*

5 Lesen Sie das Interview mit dem TV-Moderator Jörg Pilawa. Beantworten Sie die Fragen und vervollständigen Sie die Sätze auch selbst. Tauschen Sie sich danach im Kurs aus.

„Sag mir, wie du wohnst, dann weiß ich besser, wer du bist."

Sie möchten sich entspannen. Wohin in Ihrer Wohnung gehen Sie?
In die klitzekleine Sauna in unserem Haus.

_____

_____

Meine Küche ist ...
... Zentrum für die Familie. Dort essen wir zusammen mit den Kindern dreimal am Tag.

_____

_____

_____

Gemütlichkeit bedeutet für mich ...
... wenig Licht, guter Rotwein, Kaminfeuer, meine Frau.

_____

_____

Wenn ich die Haustür aufschließe ...
... hoffe ich, dass meine Kinder mir entgegen-laufen und erzählen, wie sie den Tag verbracht haben.

_____

_____

_____

Was darf in Ihrem Kühlschrank niemals fehlen?
Frische Milch, guter Käse und Schwarzbrot.

_____

_____

Welches ist Ihr Lieblingsmöbelstück und warum?
Ein Ledersessel mit Fußbank. Alle finden ihn sehr hässlich, aber ich finde ihn sehr gemütlich.

_____

_____

Mit wem könnten Sie sich vorstellen, eine WG zu gründen?
Wer würde es mit uns aushalten? Mit drei Kindern ist immer etwas los. Ich habe zwei gute Freunde aus der Schulzeit. Mit denen könnte es gut gehen.

_____

_____

Welche Ihrer Macken wären für einen WG-Partner nur schwer zu akzeptieren?
Ich kann unordentlich und fast schlampig sein, wenn ich viel arbeite. Und penibel und pingelig, wenn ich Zeit habe.

_____

_____

Wenn Geld keine Rolle spielen würde, wie und wo würden Sie gerne wohnen?
Auf Amrum. Die Insel ist für mich das schönste Fleckchen Erde. Hier finde ich Naturgewalt pur, Luft, Wasser, Dünen, Strand und Ruhe.

_____

_____

Hotel Mama

Gut! aber vieles fehlt... Seite 22 #7 #4
Seite 21 #6 + 7
Seite 20 1a + b
Seite 19 #4
Seite 18 1a + b
Seite 18 3a, b
Seite 18 #2

🔑 1 **Welches Wort passt? Ergänzen Sie den Text.**

Meine Kinder leben immer noch zu Hause! Eine Mutter berichtet.

Meine beiden Kinder wohnen noch (1) ___zu Hause___, obwohl sie schon über zwanzig sind.

Eigentlich ist das kein Problem, denn wir haben genügend (2) ___Platz___. Allerdings denke

ich, dass sie auch langsam mal lernen sollten, auf (3) ___eigenen___ Beinen zu stehen und

(4) ~~Belastung~~ **Verantwortung** zu übernehmen. Ich selbst bin schon mit 16 Jahren (5) ___ausgezogen___, weil

ich eine Ausbildung in einer anderen Stadt gemacht habe. Das war aber wirklich zu früh.

Meine Tochter arbeitet bereits seit drei Jahren in ihrem Beruf. Sie könnte sich eine eigene

Wohnung also auch leisten, aber hier bei uns ist es einfach (6) ___bequemer___ für sie und diesen

(7) ___Luxus___ will sie nicht aufgeben. Mein Sohn ist der Meinung, dass er bei uns wohnen

kann, solange er studiert. Aber andere Studenten wohnen doch auch in einem Studentenwohn-

heim oder in einer (8) ___Wohngemeinschaft___. Mit „Hotel Mama" ist jetzt Schluss!

1. in der Nähe alleine zu Hause	3. selbstständigen anderen eigenen	5. ausgezogen eingezogen eingerichtet	7. Platz Luxus Überfluss
2. viel Raum Platz Wohnungen	4. Verantwortung Ideen Belastung	6. bequemer interessanter kleiner	8. Villa Wohngemeinschaft Penthauswohnung

LB 1.11

2 **Lesen Sie zuerst die Aussagen und hören Sie dann noch einmal im Hörtext von Aufgabe 3 im Lehrbuch, was Claudia, Simon und Felix sagen. Wer sagt was? Kreuzen Sie an.**

1.

Aussage	Felix	Claudia	Simon
1. Ich bin mit 18 von zu Hause ausgezogen.	X		
2. Ich habe zu Hause gewohnt, bis ich meine Freundin Christina kennengelernt habe.			X
3. Ich könnte mir nicht alles leisten, wenn ich eine eigene Wohnung hätte.		X	
4. Es ist wirklich praktisch, wenn alles immer schon fertig ist.		X	
5. Es ist nicht immer einfach, alleine zu leben, aber es klappt doch ganz gut.	X		

3a Lesen Sie die Texte und ordnen Sie die Überschriften zu.

| Die Mietwohnung | Das Studentenwohnheim | Die Wohngemeinschaft |

Viele Studenten ziehen von zu Hause aus und suchen sich eine Wohnung oder ein Zimmer. Dabei gibt es verschiedene Möglichkeiten:

1. _____

Hier findet man schnell Anschluss, die Zimmer sind recht günstig und man kann die Kosten von Anfang an gut abschätzen. Es gibt zahlreiche Heime in den Universitätsstädten Österreichs, die z.T. über sehr unterschiedliche Standards und Ausstattung verfügen. Während einige fast an ein gutes Hotel erinnern, bieten andere nur das Nötigste – dementsprechend variieren auch die Preise. Die Kosten liegen zwischen 180 und 250 € monatlich – immer abhängig von der jeweiligen Ausstattung. Bei einigen Heimen muss zu Beginn auch eine Kaution hinterlegt werden.

2. _____

Diese Wohnform ist bei Studenten sehr beliebt. Man ist nicht völlig isoliert, trotzdem hat man im Gegensatz zum Studentenheim wirklich sein eigenes Heim. Dafür ist es im Vergleich zu einem Studentenheim natürlich schwieriger, ein Zimmer zu finden. Man sollte sich am besten bei den Aushängen an der Uni umschauen und in den Zeitungen nachsehen.

3. _____

Eine eigene Wohnung ist der Traum vieler Studenten; allerdings muss man hier z.T. mit hohen Kosten rechnen: Neben der normalen Miete fallen Betriebskosten an; zusätzlich sind meist Ablöse oder Kaution zu bezahlen. Wenn man die Wohnung über einen Makler findet, erhöhen sich die Kosten um einiges: Meistens muss man dann noch bis zu drei Monatsmieten an den Makler bezahlen. Daher empfiehlt es sich, in den Tageszeitungen nach Inseraten zu suchen – hier muss man aber meistens schnell handeln.

b Notieren Sie die wichtigsten Informationen aus den Texten.

Studentenwohnheim	Wohngemeinschaft	Mietwohnung
schnell Anschluss finden verschiedene Standards		

4a Sie wollen einem Brieffreund / einer Brieffreundin in einer E-Mail von Ihrem Umzug berichten. Bringen Sie folgende Stichpunkte in eine sinnvolle Reihenfolge.

_____ die Kisten packen

_____ den Mietvertrag unterschreiben

_____ interessante Anzeigen markieren

_1_ Wohnungsanzeigen lesen

_____ sich für eine Wohnung entscheiden

_____ die alte Wohnung streichen

_____ eine Einweihungsparty geben

_____ die Kaution bezahlen

_____ zusammen mit Freunden alle Möbel und Kisten in die neue Wohnung bringen

_____ anrufen und Besichtigungstermine vereinbaren

_____ die Wohnungen besichtigen

b Schreiben Sie nun Ihre E-Mail.

> **TIPP** **Einen Brief / eine E-Mail schreiben**
> Bevor Sie einen Brief oder eine E-Mail beginnen, überlegen Sie sich, was und in welcher Reihenfolge Sie schreiben wollen. Machen Sie sich Notizen und beginnen Sie erst dann mit dem Schreiben des Textes.

5 Spielen Sie zu zweit Dialoge. Was können die Personen tun, um ihr Problem zu lösen? Nehmen Sie auch die Redemittel im Lehrbuch zu Hilfe.w

1. Elisabeth wohnt in einer sehr kleinen Wohnung zusammen mit drei anderen Studentinnen. Sie möchte gerne umziehen, aber sie hat nicht viel Geld.

2. Gerhard ist 18 geworden und hat sein Abitur gemacht. Er könnte noch bei seinen Eltern wohnen bleiben, will aber so bald wie möglich ausziehen. Er möchte aber nicht allein leben.

3. Markus wohnte mit seiner Freundin in einer großen Wohnung. Seine Freundin muss für ein Jahr nach Österreich, um ein Firmenpraktikum zu machen. Er kann die Wohnung nicht allein bezahlen.

In diesem Fall würde ich ...
An deiner Stelle ...
Warum versucht du nicht ...
Was hältst du von ...
Hast du nie daran gedacht ...
...

Untermiete
Studentenwohnheim
Wohngemeinschaft
kleines Apartment
Wohnungstausch
...

einfacher
günstiger
praktischer
am sinnvollsten
...

So schätze ich mich nach Kapitel 2 ein: Ich kann ...	+	0	–	Modul/ Aufgabe
... in einem Radiointerview wichtige Informationen zum Thema „Obdachlosigkeit" verstehen und vergleichen.				M2, A4
... die wichtigsten Informationen in kurzen Aussagen verstehen.				M4, A3
... in einem längeren Text nach Gründen und Folgen suchen.				M1, A2
... anhand von W-Fragen die wichtigsten Informationen in einem Text finden.				M4, A2a
... aus einem Text Argumente für das Wohnen bei den Eltern sammeln.				M4, A2c
... die wichtigsten Informationen aus einem privaten Brief erfassen.				M4, A4a
... Begriffe im Zusammenhang mit einem Thema erklären.				M2, A3
... meine jetzige Wohnsituation mit meiner früheren Wohnsituation vergleichen.				M3, A2
... meine Wünsche und Bedürfnisse zum Thema „Wohnen" äußern und begründen.				M3, A3
... eine Grafik beschreiben und mit einer Umfrage vergleichen.				M3, A4
... meine Meinung sagen und Vorschläge machen, wenn es darum geht, ein Problem zu lösen oder praktische Entscheidungen zu treffen.				M4, A5
... in einem Brief meine Meinung äußern und Ratschläge geben.				M4, A4b, c

Das habe ich zusätzlich zum Buch auf Deutsch gemacht: (Projekte, Internet, Filme, Texte, ...)		
	Datum:	Aktivität:

Wie geht's denn so?_____

Vor dem Start: Erinnern Sie sich? Diese Übungen bereiten Sie auf das Kapitel vor.

🔑 **1a** Wie heißen die Körperteile? Notieren Sie die Substantive mit Artikel.

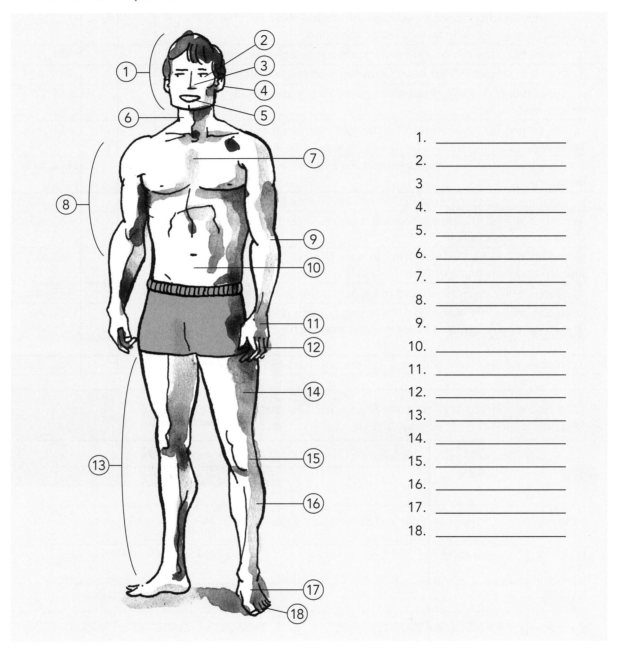

1. _____
2. _____
3 _____
4. _____
5. _____
6. _____
7. _____
8. _____
9. _____
10. _____
11. _____
12. _____
13. _____
14. _____
15. _____
16. _____
17. _____
18. _____

b Welche anderen Körperteile und Organe kennen Sie noch? Ergänzen Sie die Liste.

🔑 **2** Wie können Sie ausdrücken, dass Sie Schmerzen haben? Ergänzen Sie die Sätze.

1. Ich habe Hals_____.
2. Ich habe _____ im Bein.
3. Mir _____ die Finger _____.

4. Mir _____ der Rücken _____.
5. Ich habe _____ in der Brust.
6. Ich habe Bauch_____.

3 Was macht der Arzt, was der Patient? Sortieren Sie.

> ein Rezept abholen   den Blutdruck messen   nach dem Befinden fragen
>
> eine Spritze bekommen   ein Medikament einnehmen   sich auf die Waage stellen
>
> die Diagnose stellen   den Oberkörper frei machen   einen Termin vereinbaren
>
> seine Probleme beschreiben   sich eine Überweisung geben lassen
>
> ein Medikament verschreiben   ein Rezept ausstellen   einen Zahn ziehen

4 Schreiben Sie die Nummern der Substantive in die Bilder.

1. die Kapsel
2. die Salbe
3. der Verband
4. der Saft
5. die Tablette
6. die Tropfen
7. die Spritze
8. das Pflaster

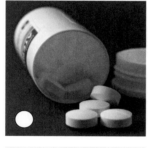  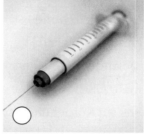 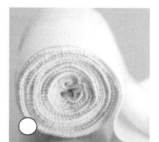

 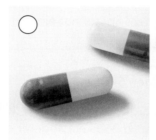 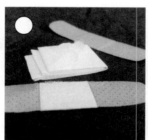 

5 Was bedeuten folgende Wörter? Geben Sie eine kurze Erklärung. Das Wörterbuch hilft.

> ~~Packungsbeilage~~   Nebenwirkungen   Wechselwirkungen   Anwendungsgebiet
>
> Warnhinweise   Dosierungsanleitung   Überdosierung   Vorsichtsmaßnahmen

Packung: eine Hülle, ein Behälter, eine Schachtel

Beilage: ein Zettel mit wichtigen Informationen

Packungsbeilage: ein Zettel mit wichtigen Informationen, der in einer Schachtel mit Medikamenten liegt

Lach mal wieder

1 Sehen Sie im Wörterbuch unter dem Stichwort *lachen* nach und ergänzen Sie das Wortfeld.

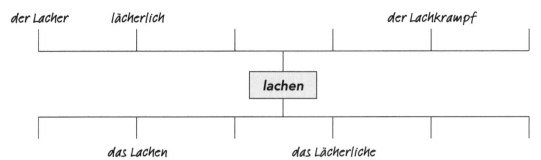

der Lacher   *lächerlich*   *der Lachkrampf*

lachen

das Lachen   *das Lächerliche*

2 Ergänzen Sie die Zusammenfassung des Textes „Lachen ist gesund" aus dem Lehrbuch.

Dass Lachen für die (1) _____ gut ist, ist allgemein bekannt. Doch lachen Erwachsene

viel (2) _____ als Kinder. Der Grund ist, dass das alltägliche Leben eher

(3) _____ ist. Deshalb treffen sich immer mehr Menschen in (4) _____.

Beim Lachen werden im Körper viele (5) _____ in Bewegung gesetzt. Weil man tiefer

(6) _____, gelangt mehr Sauerstoff in den (7) _____. Dabei schüttet das

(8) _____ mehr Glückshormone aus. Die Gelotologie ist die (9) _____, die

die Wirkung des Lachens auf Körper und Psyche untersucht. Den Ursprung hat diese Wissenschaft

in den (10) _____. Damals hat ein amerikanischer (11) _____ versucht, mit

Lachen seine (12) _____ zu vertreiben. Später hat ein (13) _____ Arzt das

Lach-Yoga entwickelt. Heute gibt es inzwischen (14) _____ Lachclubs weltweit.

3 Was bedeuten diese Redewendungen? Ordnen Sie zu.

1. _____ Da gibt es nichts zu lachen.   a Es herrscht strahlender Sonnenschein.

2. _____ Du hast/kannst gut lachen!   b Was ein anderer erzählt hat, ist falsch.

3. _____ Wer zuletzt lacht, lacht am besten.   c Du wirst auch bald Probleme haben.

4. _____ Die Sonne lacht.   d Das muss man ernst nehmen.

5. _____ Dass ich nicht lache!   e Du bist in einer besseren Situation als ich.

6. _____ Dir wird das Lachen noch vergehen!   f Es ist wichtig, wer am Ende Erfolg hat.

4 Kennen Sie diese Verben? Erklären Sie sie Ihren Mitschülern pantomimisch.

gähnen   weinen

niesen   grinsen

seufzen   husten

5 Ergänzen Sie die Präfixe in den Sätzen.

| an- | aus- | ein- | mit- | unter- | ver- | ver- |

1. Lachen ist gesund und _____treibt die Schmerzen.
2. Beim Lachen atmet man tiefer _____.
3. Dabei schüttet das Gehirn Glückshormone _____.
4. Die Gelotologie _____sucht die Wirkung des Lachens auf Körper und Psyche.
5. Immer mehr Menschen _____suchen eine Lachtherapie.
6. Diese Lachtherapie kann man medizinisch sinnvoll _____wenden.
7. Jeder kann beim Lach-Yoga _____machen.

6 Ergänzen Sie die Verben im Partizip Perfekt.

| abholen | absetzen | bestellen | durchlesen | ~~einnehmen~~ | vergessen | verschreiben |

1. Ich habe meine Tabletten regelmäßig _eingenommen_____.
2. Ich habe die Tabletten wegen der Nebenwirkungen _____.
3. Der Arzt hat mir ein neues Medikament _____.
4. Die Apothekerin hat das neue Medikament _____.
5. Gestern habe ich es in der Apotheke _____.
6. Zu Hause habe ich gleich die Packungsbeilage _____.
7. Ich habe _____, auch noch Kopfschmerztabletten zu kaufen.

7 Was sagt der Arzt? Bilden Sie Imperativsätze.

1. sich hinlegen   _Legen Sie sich bitte hin!_____
2. den Oberkörper frei machen   _____
3. den Mund aufmachen   _____
4. die Luft anhalten   _____
5. die Salbe einmassieren   _____
6. den Verband erneuern   _____
7. die Tabletten auflösen   _____
8. das Rezept nicht vergessen

Lach mal wieder

8 Formulieren Sie die Sätze aus. Achten Sie auf den Infinitiv mit *zu*.

1. *(sich mehr bewegen)*

   Der Arzt hat ihm geraten, _sich mehr zu bewegen._

2. *(mit dem Rauchen aufhören)*

   Ich habe vor, _____

3. *(sich gesund ernähren)*

   Für viele Menschen ist es wichtig, _____

4. *(weiterarbeiten)*

   Der Arzt hat mir verboten, _____

5. *(bei jedem Arztbesuch die Chipkarte mitbringen)*

   Es ist erforderlich, _____

6. *(sich für eine gesunde Lebensweise entscheiden)*

   Immer mehr Menschen scheinen _____

9 Bilden Sie von den Verben so viele trennbare und untrennbare Verben wie möglich. Kennzeichnen Sie die trennbaren Verben.

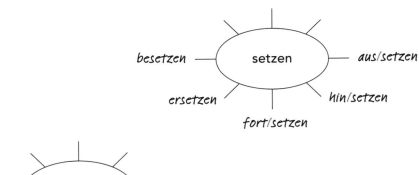

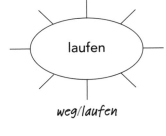

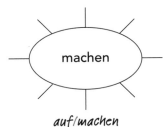

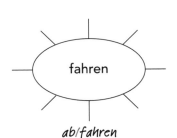

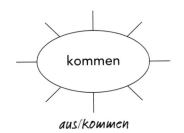

1a Lesen Sie den Text und markieren Sie Informationen zu den Stichpunkten:

1. Merkmale von Fast Food
2. Kritik an Fast Food

Fast Food – Besser als sein Ruf?

1 ☐ Einem Gerücht zufolge soll der Apfel, den Eva Adam reichte, das erste Fast Food der Geschichte sein. Vielleicht hat der schnelle Imbiss deshalb bis heute einen schlechten
5 Ruf. Wer 1378 in der Wurstküche an der berühmten Regensburger Donaubrücke etwas zu Essen bestellte, zählte zu den ersten Fast-Food-Kunden Deutschlands. Die Wurstküche existiert dort noch heute und gilt als
10 eine der ältesten Imbissbuden der Welt.

☐ Fast Food hat sich überall dort etabliert, wo Arbeiter und Reisende fern vom heimischen Herd auf schnelle und kostengünstige Verpflegung angewiesen sind. Erst
15 in jüngster Vergangenheit ist Fast Food ein Massenphänomen geworden und hat in vielen Familien das gemeinsame Mittagessen in den Hintergrund gedrängt. Auch der klassische Drei-Mahlzeiten-Takt aus Frühstück,
20 Mittagessen und Abendbrot spielt bei vielen Menschen keine große Rolle mehr. Schule und Beruf diktieren andere Rhythmen.

☐ Klassische Fast-Food-Gerichte zeichnen sich durch schnelle Zubereitung und
25 schnellen Verzehr aus. Ohne Besteck und Teller wandert die Speise von der Hand in den Mund. Dazu ist die klassische Bratwurst besonders geeignet: vom Grill auf den Pappteller, ein Klacks Senf, dazu ein Toastdreieck
30 – fertig. Die Currywurst, Bratwurst-Stückchen, die in viel Ketchup mit Currypulver schwimmen, ist in Deutschland sehr beliebt. Berühmt sind auch die internationalen Vertreter, wie der Hotdog und der Hamburger
35 aus Amerika, der Döner Kebab der türkischen Imbisse oder die italienische Pizza.

☐ Fast Food ist weltweit erfolgreich, trotzdem häuft sich die Kritik. Der Umweltschutz läuft gegen die gigantischen Kartof-
40 felfelder für die Tonnen von Pommes frites ebenso Sturm wie gegen die Massen von Fleischvieh. Für ihre Weiden wird kostbarer Regenwald geopfert. Zu schnelles Essen schadet außerdem der Gesundheit. Zum ei-
45 nen braucht der Körper ca. 20 Minuten, bis er überhaupt merkt, dass er satt ist. Zum anderen enthalten viele angebotene Speisen zu viel Fett und Salz, dafür zu wenig Vitamine, Ballast- und Mineralstoffe.

50 ☐ Trotzdem wäre es falsch, jede Art von schnell zubereitetem Essen abzulehnen. Der neueste Trend sind leichtere Snacks wie Sushi, das Edel-Fast-Food aus Japan. Es besteht aus geformten Häppchen aus Reis, rohem Fisch,
55 ergänzt mit Gurken oder Avocados.

Auch leckere, mit frischen Zutaten kombinierte italienische Panini oder lecker gefüllte Teigtaschen, die Wraps, sind leicht und gesund. Und genau genommen zählen ja
60 auch gesunde Zwischendurch-Snacks wie ein Obstsalat ebenfalls zum Fast Food.

b Welche Satzteile passen zusammen? Ordnen Sie zu.

1. ___ In jüngster Zeit werden mehr ...
2. ___ Zu viel Fast Food kann ...
3. ___ Fast Food ist ...
4. ___ Fast-Food-Gerichte haben ...
5. ___ Seit einiger Zeit bestimmen oft ...

a ... eine sehr lange Tradition.
b ... Ausbildung und Arbeit die Essenszeiten.
c ... gesunde und leichte Imbisse angeboten.
d ... international.
e ... die Natur und den Organismus belasten.

c Welche Aussage aus Übung 1b passt zu welchem Abschnitt? Tragen Sie die Nummern in die Kästchen im Text ein.

Fast Food – Slow Food

2a Brigitte hat in einer E-Mail eine Anfrage an Slow Food Deutschland geschrieben. Bringen Sie die Abschnitte in die korrekte Reihenfolge.

___ A Ich lebe aber in Schwerin (Mecklenburg-Vorpommern) und möchte gerne mehr über Slow Food in meinem Bundesland wissen.

___ B Sehr geehrte Damen und Herren,

___ C Meine Postanschrift lautet:
Brigitte Hausmann
Schlossgartenstr. 24
01234 Schwerin

_5_ D Folgende Fragen interessieren mich ganz besonders:
Welche Veranstaltungen bietet Slow Food in meiner Region an?
Gibt es einen regionalen Verein in Mecklenburg-Vorpommern?
Welche Restaurants gibt es in meiner Nähe, die bei Slow Food Mitglied sind?

___ E Ich freue mich auf eine Nachricht von Ihnen.
Mit freundlichen Grüßen
Brigitte Hausmann

___ F Ich habe durch einen Freund von Ihrem Verein erfahren. Er besitzt ein Restaurant und ist Mitglied in Ihrem Verein. Er hat mir schon einiges berichtet, konnte mir aber nur Informationen zu seiner Region in Hessen geben.

___ G Es wäre sehr freundlich, wenn Sie mir Informationsmaterial zuschicken würden.

_2_ H ich schreibe Sie heute an, weil ich mich für Ihren Verein interessiere und Informationen zu Veranstaltungen haben möchte.

b Redemittel für eine Anfrage – Ergänzen Sie die Sätze.

sich informieren über	sich bedanken für	aufmerksam machen auf	~~erfahren von~~
sich freuen über	sich wenden an	(etwas) wissen von	sich freuen auf

1. Ich habe durch das Internet _von_ Ihnen _erfahren_ .

2. Meine Freunde haben mich _____ Ihre Organisation _____ _____ .

3. Ich _____ mich heute _____ Sie, weil ich einige Fragen zu Ihrer Institution habe.

4. Ich würde mich sehr dar_____ _____ , wenn Sie mir Informationen zusenden könnten.

5. Ich möchte mich genauer _____ eine Mitgliedschaft bei Ihnen _____ .

6. Ich _____ bisher nur wenig _____ Ihnen und hätte gerne Informationsmaterial.

7. Ich _____ mich herzlich _____ Ihre Mühe.

8. Ich _____ mich sehr _____ eine Antwort von Ihnen.

c Schreiben Sie nun selbst eine Anfrage an einen Verein, eine Organisation oder Institution Ihrer Wahl und bitten Sie um Informationsmaterial zu einem Thema.

Eine süße Versuchung ...

1a Süße Kalorienbomben – Lesen Sie die Rezepte und ordnen Sie die Fotos zu.

A
1 Ei, 3 Essl. Milch, 1 Prise Salz, 1 Essl. Mehl,
3 Essl. weiche Butter, 2 Essl. Ahornsirup
Mit dem Mixer Ei, Milch, Salz und Mehl glatt-
rühren. In der Pfanne 1 Teelöffel Butter erhitzen.
2 Esslöffel Teig hineingeben und dünn zerlaufen
lassen. Von einer Seite goldbraun braten. Dann
wenden und auch von der anderen Seite braten.
Dann auf den Teller legen, mit Butter bestreichen
und mit Ahornsirup übergießen.

B
300g gemischte Beeren, 2–3 Essl. Sauerkirschen,
1 kleine Orange, 2 Teel. Speisestärke, ½ Teel. Zimt,
1 Essl. Zucker, 1 Becher Vanillejoghurt
Beeren und Kirschen in einen Topf geben und bei schwa-
cher Hitze weichkochen. Orange waschen und 3 Stück-
chen von der Schale abschneiden. Den Saft auspressen.
In einem Glas 4 Esslöffel Orangensaft mit der Speisestärke verrühren, bis sich die Speisestärke aufgelöst hat.
Orangenschale, Zimt und Zucker zu den Beeren geben
und gut umrühren. Die Mischung kochen lassen. Speisestärke dazugießen und weiterrühren. So lange kochen,
bis der Saft wieder klar ist. Die Orangenschale heraus-
nehmen. Die Masse in eine Glasschale geben und im
Kühlschrank kalt werden lassen. Vor dem Servieren mit
dem Joghurt dekorieren.

C
2 kleine Bananen, 1 Essl. Mandeln, 1 Essl.
Butter, 1 Essl. Zitronensaft, 1 Essl. Honig
Bananen schälen. Die Mandeln grob hacken. In der
Pfanne Butter erhitzen. Die Bananen hinzugeben.
Die Bananen von beiden Seiten goldgelb backen.
Den Zitronensaft über die Bananen gießen.
Bananen auf den Teller legen und den Honig über
die Bananen gießen. Mandeln darüber geben.

D
200 ml Kaffee, 1 Kugel Vanilleeis, Schlagsahne,
2 Eiswürfel
Kaffee kochen und kaltstellen. Dann Kaffee und Eiswürfel im Mixer mixen bis das Eis zerkleinert ist. In ein
hohes Glas geben und die Kugel Vanilleeis daraufgeben.
Zum Schluss mit steif geschlagener Sahne garnieren.

Lösung: _____

 **1**
 **2**
 **3**
 **4**

b Schreiben Sie die Tabelle ins Heft und ergänzen Sie passende Wörter aus den Rezepten.

Mengenangaben	Zutaten/ Lebensmittel	Zubereitung	Geräte
der Teelöffel	das Ei	rühren	der Mixer

TIPP **Wörter in Gruppen lernen**
Wörter, die zu einer Themengruppe gehören, kann man gut zusammen lernen und sich so schneller wieder an sie erinnern.

c Welche Süßspeise, welches Dessert mögen Sie gern? Schreiben Sie das Rezept.

Eine süße Versuchung …

2a Ergänzen Sie die Artikel zu den Nomen in der Liste. Notieren Sie dann die Pluralformen.

Singular	Plural		Singular	Plural
1. _der_ Löffel	die _Löffel_	8. _____ Kühlschrank	die _____
2. _____ Ei	die _____	9. _____ Glas	die _____
3. _____ Saft	die _____	10. _____ Mischung	die _____
4. _____ Joghurt	die _____	11. _____ Mixer	die _____
5. _____ Teller	die _____	12. _____ Orange	die _____
6. _____ Schale	die _____	13. _____ Pfanne	die _____
7. _____ Stück	die _____	14. _____ Topf	die _____

b Welche Nomen aus 2a passen zu welchem Typ bei der Pluralbildung? Ordnen Sie zu.

Typ	Singular – Plural
I: -(´)Ø	
II: -(e)n	*die Orange – die Orangen /*
III: -(´)e	
IV: -(´)er	
V: -s	

3 Lesen Sie den Dialog und ergänzen Sie die Endungen.

○ Schatz, möchtest du ein Dessert? Vielleicht einen Pudding mit heißen (1) _____

   (die Himbeere)?

● Nicht für mich. In solchen (2) _____ *(das Restaurant)* schmeckt mir das nicht.

○ Na, ich nehme die Waffeln mit zwei (3) _____ *(die Kugel)* Eis.

● Bloß nicht. Deine Waffeln sind doch viel besser.

○ Danke. Dann nehme ich lieber den Obstsalat mit (4) _____ *(die Nuss)*. Das ist gut.

● Na ja, man weiß ja nie, wie frisch das Obst in diesen (5) _____ *(der Salat)* ist.

○ Meine Güte, an allen (6) _____ *(das Dessert)* hast du etwas auszusetzen.

   Also nimmst du keinen Nachtisch?

● Nein danke, ich bin satt.

1 Welche Sätze beschreiben einen Frühaufsteher, welche einen Nachtmensch? Kreuzen Sie an.

	Frühaufsteher	Nachtmensch
1. kommt an Montagen besonders schwer aus den Federn		
2. geht abends lieber ins Bett als ins Konzert		
3. joggt gern um sechs Uhr morgens		
4. schläft am Sonntag viel länger als an Arbeitstagen		
5. wird am späten Abend unternehmungslustig		

 2 Lesen Sie den Text und beantworten Sie die Fragen.

1. Welcher Typ ist Steffi Mühlbeyer? Wie äußert sich das?
2. Wie erklärt Professor Roenneberg, dass viele Menschen länger schlafen wollen?
3. Was haben englische Forscher herausgefunden?
4. Wie wirkt frühes Aufstehen auf Morgenmuffel?
5. Warum sind Schulkinder gefährdet?

Morgenmuffel und Frühaufsteher

1 Früh aus den Federn zu kriechen ist für Hörfunkredakteurin Steffi Mühlbeyer der blanke Horror. Sie gehört zur Fraktion der Morgenmuffel und ist normalerweise vor neun Uhr nicht zu ge-
5 brauchen. Als Abendtyp kommt sie erst morgens spät in die Gänge, weil ihre innere Uhr langsamer läuft als die von Frühaufstehern. Steffi Mühlbeyer: „Ich bin ein absoluter Nachtmensch. Normalerweise gehe ich nicht vor zwei ins Bett, aber durch
10 den Beruf muss ich so früh aufstehen. Ich stehe schon eine Stunde früher auf, als ich eigentlich muss, damit ich es auf die Reihe bekomme, dass ich halbwegs normale Sätze sprechen kann, aber eigentlich entspricht es überhaupt nicht meiner
15 Natur." Prof. Till Roenneberg, Zeit-Biologe, Uni München: „Unser Tagesablauf wird letztendlich von zwei Uhren bestimmt: Der äußeren Uhr, das ist der Wecker, und der inneren Uhr. Die innere Uhr sagt uns, wann wir am besten schlafen kön-
20 nen. Der Großteil der Bevölkerung hat eine innere Uhr, die langsamer läuft als die äußere Uhr. Die meisten Menschen würden lieber länger schlafen als bis sechs oder sieben Uhr." Englische Forscher haben nun herausgefunden, dass es in
25 den Genen begründet liegt, ob jemand das Signal zum Aufwachen früher oder später bekommt. Menschen wie Steffi werden demnach gegen ihre Natur viel zu früh aus dem Schlaf gerissen. Auch ihr Magen schläft eigentlich noch. Und wenn
30 Körper und Geist noch nicht voll da sind, fehlt es an Aufmerksamkeit und Reaktionsvermögen – die Unfallgefahr steigt. Die Gruppe der Morgenmuffel ist deutlich größer als die der Frühaufsteher. Jeden Tag werden also Millionen über
35 müdeter Menschen zu früh an den Start geschickt – und das hat Konsequenzen für ihre Leistungsfähigkeit. Prof. Till Roenneberg: „Es ist so, dass es eine Zeit gibt nach dem Aufstehen, in der man noch nicht so gut drauf ist, und zwar nicht nur
40 psychisch, sondern auch geistig, d.h., man kann noch nicht so optimal funktionieren wie einige Stunden später." Auch die meisten Kinder sind keine Frühaufsteher und kommen morgens nur schwer auf Trab. Viele Unfälle passieren, weil
45 Schüler zu früh raus müssen. Noch halb verschlafen sind sie unaufmerksam und auch zur ersten Schulstunde sind viele noch nicht richtig wach. Keine guten Voraussetzungen für ordentliche schulische Leistungen.

> **TIPP** **Hauptinformationen eines Textes zusammenfassen**
> Mithilfe einer Textkarte kann man die Hauptinformationen eines Textes übersichtlich zusammenfassen. Man formuliert die wichtigsten Fragen zum Text (Wer?, Was?, Wie?, ...) und notiert die Antworten. Der Inhalt ist nun strukturiert dargestellt und es genügt ein kurzer Blick auf die Textkarte, um zu wissen, worum es in dem Text geht. So lässt sich der Text leichter zusammenfassen.

3a Unterstreichen Sie im Text „Morgenmuffel und Frühaufsteher" auf Seite 39 die Hauptinformationen.

b Formulieren Sie zu Ihren unterstrichenen Hauptinformationen passende Fragen. Schreiben Sie die Antworten zu Ihren Fragen in Stichworten darunter.

1. _Welches Problem hat Steffi Mühlbeyer?_ _____
   will morgens nicht aufstehen _____

2. _Was für ein Typ ist Steffi?_ _____
   Abendtyp oder Nachtmensch _____

3. _Was ist die Ursache dafür?_ _____
   _____

4. _____
   steht eine Stunde früher auf als notwendig _____

5. _____
   _____

6. ...

d Fassen Sie die Hauptinformationen mithilfe Ihrer Fragen und Notizen zusammen.

4 Hören Sie das Gespräch mit Frau Dr. Baumann von Aufgabe 3a im Lehrbuch noch einmal.
LB 1.18 Sind die Aussagen richtig oder falsch?

	r	f
1. Wer nach seiner inneren Uhr lebt, lebt stressfrei und gesund.	☐	☐
2. Frau Dr. Baumann hält Vorlesungen über den Biorhythmus.	☐	☐
3. Der Körper kann am frühen Morgen schon Höchstleistungen absolvieren.	☐	☐
4. Bei Kopfschmerzen helfen Obst und Tee.	☐	☐
5. Am leistungsfähigsten ist man gegen elf Uhr.	☐	☐
6. Ab zwölf Uhr arbeitet das Kurzzeitgedächtnis am besten.	☐	☐
7. Nach dem Essen sollte man spazieren gehen.	☐	☐
8. Das zweite Leistungshoch sollte man für kommunikative Aufgaben nutzen.	☐	☐
9. Lernen kann man gegen 16 Uhr am besten.	☐	☐
10. Sport treiben sollte man bis kurz vor dem Schlafengehen.	☐	☐

So schätze ich mich nach Kapitel 3 ein: Ich kann ...	+	0	–	Modul/ Aufgabe
... einen Witz verstehen.				M1, A6a
... in einem Gespräch Informationen zur Slow-Food-Bewegung verstehen.				M2, A2
... detaillierte Informationen in einem Radiobeitrag zum Thema „Biorhythmus" verstehen.				M4, A3a, b
... einen Sachtext zum Thema „Lachyoga" verstehen.				M1, A2
... unterschiedliche Themenaspekte in einem Sachtext zum Thema „Schokolade" verstehen.				M3, A2
... Ergebnisse aus einem Gespräch in einer Gruppe zusammenfassen und vorstellen.				M2, A1c
... meine Vorlieben bei Süßigkeiten nennen und sagen, wann in meiner Heimat Süßes verschenkt wird.				M3, A1, A3
... meinen Tagesablauf beschreiben.				M4, A1b
... die Hauptinformationen aus einem Text zum Thema „Biorhythmus" zusammenfassen.				M4, A2
... Lösungsmöglichkeiten für Stresssituationen erarbeiten und vorstellen.				M4, A4b
... Tipps geben, wie man sich am besten entspannt.				M4, A5
... eine offizielle Anfrage an eine Organisation/Institution schreiben.				M2, A3
... einen Forumsbeitrag zum Thema „Stress" schreiben und meine eigenen Erfahrungen berücksichtigen.				M4, A6

Das habe ich zusätzlich zum Buch auf Deutsch gemacht: (Projekte, Internet, Filme, Texte, ...)		
	Datum:	Aktivität:

Freizeit und Unterhaltung

Vor dem Start: Erinnern Sie sich? Diese Übungen bereiten Sie auf das Kapitel vor.

1 Sortieren Sie die Wörter in die entsprechende Gruppe ein.

der Würfel   das Gemälde   das Instrument   joggen   die Bühne   die Schwimmhalle
das Kartenspiel   die Oper   die Rolle   die Galerie   der Chor   die Band   mischen
Rad fahren   die Malerei   der Regisseur   die Erzählung   trainieren   raten
das Gedicht   die Ausstellung   die Disco   die Spielregel   Ski fahren
die Zeichnung   der Hit   das Museum   das Publikum   das Tor   das Brettspiel

Spiele	Fitness und Sport	Musik	Literatur und Theater	Bildende Kunst
der Würfel				

2 Was kann man alles spielen? In diesem Suchrätsel sind zwölf Substantive versteckt. Notieren Sie sie unter dem Rätsel.

V	A	O	X	L	R	N	N	M	J	K	H	B	G	Z	B	K	J	M	E	M
G	Q	O	E	Y	R	N	K	S	C	H	A	C	H	C	U	L	T	P	V	A
F	B	I	N	S	T	R	U	M	E	N	T	C	I	D	A	N	R	O	V	C
E	R	L	J	D	S	Y	V	O	L	L	E	Y	B	A	L	L	N	C	T	K
M	E	N	S	C	H	Ä	R	G	E	R	E	D	I	C	H	N	I	C	H	T
M	M	F	I	C	P	E	T	I	S	C	H	T	E	N	N	I	S	Y	C	L
B	A	S	K	E	T	B	A	L	L	H	W	F	U	S	S	B	A	L	L	T
H	R	G	C	A	I	U	H	G	M	T	R	O	M	P	E	T	E	G	I	B
M	F	W	P	G	I	T	A	R	R	E	T	Y	I	O	G	E	I	G	E	C
Q	K	Y	C	Y	Q	K	A	R	T	E	N	J	D	M	F	Z	D	A	I	O
X	N	K	W	V	R	S	Z	I	K	L	A	V	I	E	R	M	K	S	E	K

Mensch ärgere dich nicht   _____   _____

_____   _____   _____

_____   _____   _____

3 Wohin gehen/fahren Sie, wenn Sie ... ? Bilden Sie Sätze.

1. spazieren gehen wollen?
2. klettern wollen?
3. lesen wollen?
4. einen Film sehen wollen?
5. tanzen wollen?
6. Freunde treffen wollen?
7. schwimmen wollen?
8. chatten wollen?
9. angeln wollen?
10. Sport treiben wollen?
11. Tennis spielen wollen?
12. sich entspannen wollen?

Park · Sauna · Kino · Bibliothek · See · Disco · Fitnessstudio · Internetcafé · Freibad · Gebirge · Biergarten · Kneipe · Tennisplatz · Sportplatz · ... · Videothek

1. *Wenn ich spazieren gehen will, gehe ich* <u>*in den Park*</u> *oder* <u>*an den See*</u>*.*

4a Wie oft machen Sie was? Markieren Sie. Ergänzen Sie eventuell fehlende Freizeitaktivitäten.

Freizeitaktivitäten	niemals	einmal im Monat	mehrmals im Monat	mehrmals in der Woche
1. Videos oder DVDs ansehen				
2. fernsehen				
3. sich mit Freunden treffen				
4. spazieren gehen				
5. im Garten arbeiten				
6. Kurse besuchen				
7. ins Theater oder in die Oper gehen				
8. musizieren				
9. Bücher lesen				
10. ins Schwimmbad/Freibad gehen				
11. basteln				
12. in eine Bar oder ein Restaurant gehen				
13. ins Kino gehen				
14. eine Ausstellung besuchen				
15. Sport treiben				
16. ...				
17. ...				

b Tauschen Sie Ihr Buch mit dem Ihres Partners / Ihrer Partnerin. Berichten Sie, was er/sie in seiner/ihrer Freizeit macht. Die Ausdrücke helfen Ihnen.

macht sich nichts aus – hat nicht viel übrig für – mag gar nicht/manchmal/gern/besonders gern – hat eine Vorliebe für

Spiel ohne Grenzen

1 Lesen Sie die Ausdrücke und ordnen Sie sie ein.

das Spielbrett	das Kartenspiel	die Spielfigur	eine Karte ziehen	das Dominospiel

zwei Felder vorrücken   das Versteckspiel   die Spielkarte   eine Runde aussetzen

das Damespiel   der Würfel   das Skatspiel   das Geschicklichkeitsspiel   würfeln   das Brettspiel

Spielmaterialien	Spielaktivitäten	Spielarten
das Spielbrett	eine Karte ziehen	das Kartenspiel

2 Was bedeuten diese Wörter aus dem Text „Warum spielt der Mensch?"? Finden Sie die entsprechende Erklärung.

1. ___ das Puzzle
2. ___ der Spieltrieb
3. ___ die Motorik
4. ___ das Sozialverhalten
5. ___ die Geselligkeit
6. ___ der Wettbewerb
7. ___ die Schlacht
8. ___ der Feldherr
9. ___ die Grenze
10. ___ die Nachfrage

a die Bewegungen eines Menschen
b das Beisammensein mehrerer Menschen zu ihrem Vergnügen
c die Person, die früher Kriege plante und durchführte
d ein Spiel, bei dem man viele Teile zu Bildern zusammensetzt
e ein schwerer Kampf des Militärs im Krieg
f eine Linie, die Gebiete voneinander trennt
g der Wunsch der Konsumenten, bestimmte Produkte zu kaufen
h das Verhalten der Menschen in einer Gruppe
i der starke Wunsch zu spielen
j die Teilnehmer vergleichen ihre Leistungen auf einem Gebiet

3 Formulieren Sie indirekte Fragesätze.

1. Welche Spiele magst du?

   Mich würde interessieren, _____.

2. Was spielen deine Kinder gern?

   Sag mir bitte, _____.

3. Macht ihr oft zu Hause einen Spieleabend?

   Erzähl mal, _____.

4. Spielt ihr zu Hause auch Schach?

   Ich möchte gern wissen, _____.

5. Wie lange sollten Kinder am Tag höchstens Computer spielen?

   Ich weiß nicht genau, _____.

6. Mit wie viel Jahren sollen Kinder einen Computer bekommen?

   Mich interessiert sehr, _____.

4 Formulieren Sie die Fragen höflicher, indem Sie einen indirekten Fragesatz bilden. Benutzen Sie einen einleitenden Satz aus dem Kasten.

> Könnten Sie mir bitte sagen, …
>
> Haben Sie eine Ahnung, …
>
> Wissen Sie vielleicht, …
>
> Können Sie mir erklären, …

1. Wo befinden sich die Brettspiele?
2. Was kostet das Dominospiel?
3. Hat dieses Spiel eine Spielanleitung?
4. Wie funktioniert dieses Spiel?
5. Kann man dieses Spiel ausprobieren?
6. Was lernt man bei diesem Spiel?

5 Welche Satzteile passen? Schreiben Sie Finalsätze mit *um … zu*.

> Ich treffe meine Freunde.   Ich sehe mir die Nachrichten an.
>
> Ich bleibe fit.   ~~Ich surfe im Internet.~~   Ich erhole mich dort.

1. Ich habe mir einen Computer gekauft, _um im Internet zu surfen._
2. Nach meiner Arbeit jogge ich, _____
3. Im Urlaub fahre ich an die Ostsee, _____
4. Abends schalte ich den Fernseher ein, _____
5. Am Wochenende gehe ich in die Disco, _____

6 Ergänzen Sie die Sätze frei.

1. Die Eltern kaufen den Kindern einen Computer,

   damit _____.

2. Die Eltern schenken den Kindern ein Brettspiel,

   damit _____.

3. Die Eltern schicken ihre Kinder in die Musikschule,

   damit _____.

4. Die Eltern arbeiten am Wochenende nicht,

   damit _____.

7 Bilden Sie, wenn möglich, Sätze mit *um … zu*. Ist das nicht möglich, formulieren Sie die Sätze mit *damit*.

1. Meine Lehrerin erklärt mir die Grammatik noch einmal. Ich verstehe meine Hausaufgaben.
2. Ich lese jeden Tag eine deutsche Zeitung. Ich erweitere meinen Wortschatz.
3. Ich gebe meinem Freund Lerntipps. Er kann besser Wörter lernen.
4. Meine deutschen Freunde korrigieren mich. Ich lerne viel schneller Deutsch.
5. Ich höre jeden Tag Radio. Ich kann mein Hörverstehen verbessern.

Endlich Freizeit! _____

1a Lesen Sie den Text. Welcher Abschnitt antwortet auf welche Fragen?

a Wie gestalten viele Menschen ihre Freizeit? ___

b Wie entsteht Freizeitstress? ___

c Was verstehen die Menschen heute unter Freizeit? ___

d Wie wird Freizeit definiert? ___

e Was kann man gegen Freizeitstress tun? ___

Ist Freizeit noch freie Zeit?

1 **1** Freizeit meint im Kern eine Zeit größtmöglicher individueller Freiheit. Sie ist der Handlungsraum, über den man nach den eigenen persönlichen Wünschen verfügen kann. Diese Zeit
5 wird von der Arbeitszeit abgegrenzt. Damit steht die Freizeit der bezahlten Berufszeit oder der Zeit gegenüber, die durch andere Personen oder Pflichten bestimmt wird. Der Begriff Freizeit gilt im engeren Sinne für Arbeitnehmer, im weiteren
10 Sinne aber für alle Menschen.
2 Das Verständnis von Freizeit hat sich im Laufe der Zeit stark verändert. War noch vor einigen Jahrzehnten Freizeit die Zeit, die vor allem der Regeneration von der Arbeit diente, so
15 ist Freizeit heute nicht mehr nur Erholungszeit. Für die Mehrheit der Bevölkerung hat die Freizeit einen eigenständigen Wert bekommen. 70% der Menschen meinen, dass Freizeit in erster Linie eine Zeit ist, in der sie tun und lassen
20 können, was ihnen Spaß macht. Im Vergleich zur Arbeitszeit ist Freizeit eine Zeit, in der man für etwas frei ist. Dabei denken die meisten an ihren Spaß, sodass diese Zeitspanne mit einem positiven Lebensgefühl, mit Wohlbefinden und Le-
25 bensqualität verbunden ist.
3 Um dieses Gefühl auch zu erleben und darüber berichten zu können, werden die Menschen aktiv und gestalten ihre freie Zeit. Viele haben den Wunsch, alles, was in der Woche im Privat-
30 leben zu kurz kam, am Wochenende nachzuholen. Die Freizeit wird organisiert: Nach der Arbeit zweimal pro Woche zum Fitness-Studio, einmal mit Freunden ins Kino. Am Samstag einen Ausflug mit den Kindern, Sonntag gemeinsam
35 kochen und Familienbesuche erledigen. Und vielleicht bleibt noch Zeit für eine Ausstellung oder ein Konzert.
4 Neben Haushalt und Familie und dem eigenen Wunsch nach Ruhe und Erholung sind
40 alle diese Vorstellungen kaum miteinander zu vereinbaren. Und so gerät die Erholung häufig in den Hintergrund, die Freizeit wird bei vielen schnell zum Stress.
5 Experten raten: Nehmen Sie sich Ihre eige-
45 ne Zeit in der Freizeit. Machen Sie alleine Spaziergänge oder gönnen Sie sich eine Stunde für ein gemütliches Bad. In Ihrem privaten Kalender sollte es dann drei Termine geben: die gemeinsamen Termine zu zweit oder in einer Gruppe, die
50 Termine für Sie selbst und die Termine für nichts. Die letzten Termine sind dann wirklich frei und Sie können sie füllen, womit Sie wollen. Oder Sie gehen mal wieder der fast nicht mehr existenten Freizeitbeschäftigung „aus dem Fenster sehen"
55 nach.

b Verbinden Sie die folgenden Satzteile mithilfe des Textes.

1. ___ Freizeit ist eine Zeit, ...

2. ___ Bei vielen Menschen wird die Freizeit ...

3. ___ Gegen Freizeitstress hilft, ...

4. ___ Heute ist die Freizeit ...

5. ___ Viele Menschen wollen am Wochenende nachholen, ...

a ... nicht nur zur Erholung da.

b ... in der die Menschen frei entscheiden, was sie machen möchten.

c ... mit zu vielen Aktivitäten gefüllt.

d ... was sie an den Arbeitstagen nicht tun konnten.

e ... sich Zeit für das Nichtstun zu nehmen.

2a Füllen Sie den Plan für die nächste Woche aus. Tragen Sie alle Ihre Aktivitäten zu Arbeit und Freizeit ein.

	Mo	Di	Mi	Do	Fr	Sa	So
vor 8							
8 –10							
10 – 12							
12 – 14							
14 – 16							
16 – 18							
18 – 20							
20 – 22							

b Die Experten im Text von Übung 1 raten, auch Termine mit „Nichts" einzutragen. Zählen Sie die Stunden, in die Sie „Nichts" eintragen können. Sind es genug Stunden?

LB 1.22

c Hören Sie die Aussagen von Lara Kirsch von Aufgabe 2b im Lehrbuch noch einmal. Wie nutzt sie ihre Freizeit? Was könnte sie zusätzlich Sinnvolles tun? Schreiben Sie drei Vorschläge.

3a Sehen Sie sich das Wörternetz an und ergänzen Sie die Begriffe, wo sie passen.

ins Theater gehen   Fußball spielen   Oma im Altersheim besuchen   Sport

Videospiele spielen   einen Kaffeeklatsch machen   ins Fitness-Studio gehen

Freunde und Familie   mit einer Freundin telefonieren   Musik hören   Kindergeburtstag feiern

in der Kneipe Freunde treffen   ein Konzert besuchen   mit den Kindern basteln   chatten

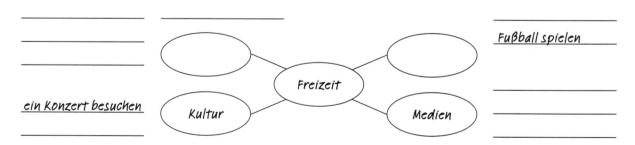

_____   _____

Fußball spielen

ein Konzert besuchen

Freizeit

Kultur

Medien

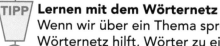

TIPP **Lernen mit dem Wörternetz**
Wenn wir über ein Thema sprechen, brauchen wir viele verschiedene Begriffe. Das Wörternetz hilft, Wörter zu einem Thema zu strukturieren.

b Erstellen Sie ein Wörternetz mit weiteren Themen und Ausdrücken.

Abenteuer im Paradies _____

1a Lesen Sie die drei Textanfänge zu einer Abenteuergeschichte. Welcher gefällt Ihnen am besten?

> **A** Sie erwachten von einem Geräusch. Martha sprang blitzschnell aus dem Bett. Aber leider zu spät. „Dieser blöde Affe hat schon wieder was geklaut. Ich drehe ihm den Hals um, wenn ich ihn erwische." Markus knurrte nur unter seiner Decke „Mach das Licht aus, es kommen nur noch mehr Moskitos rein." – „Ich habe gerade mal eine Stunde geschlafen", maulte Martha, „und um fünf Uhr geht die Safari los." – „Dann sei doch endlich ruhig und schlaf." Markus gähnte und schon im nächsten Moment schnarchte er wieder leise und zufrieden. „Na prima!", dachte Martha ...

> **B** Es waren harte Zeiten in England. Wer Arbeit hatte, musste schwer schuften, um für die Familie Brot und das Dach über dem Kopf zahlen zu können. Wer keine Arbeit hatte, der konnte nicht ehrlich bleiben, wenn er nicht verhungern wollte. Ich gehörte zu der letzten Gruppe und trotzdem weinte meine Mutter, als ich diese elende Stadt verließ, um auf der „Black Panther" anzuheuern und als Matrose zur See zu fahren. Überall würde es besser sein als hier. Doch schon bald ...

> **C** *Donnerstag: Ich mag Donnerstage nicht besonders. Warum, das ist eine lange Geschichte, die ich hier nicht erzählen will. Ich erzähle lieber von Lotti, einem Mädchen mit langen roten Zöpfen, das ich ihr Leben lang kannte. Sie und ihre Eltern waren Nachbarn im selben Mietshaus. Jeden Tag haben Lotti und ich zusammen im Hof gespielt. Das heißt: Sie hat gespielt und ich habe ihr zugesehen. Denn ich konnte nur im Hof sitzen, sie konnte laufen und springen. Und ich habe Lotti dafür gehasst. Dann zogen Lottis Eltern fort aus unserem Haus, unserer Straße, unserer Stadt. Doch schon bald sollten wir uns wiedersehen ...*

b Schreiben Sie für den Textanfang, der Ihnen am besten gefallen hat, einen weiteren Absatz. Tauschen Sie Ihre Geschichten im Kurs und schreiben Sie einen weiteren Absatz. Tauschen Sie wieder ... Lesen Sie am Ende gemeinsam alle Geschichten im Kurs.

2 Diese Wörter passen zu einem Abenteuer. Ergänzen Sie die fehlenden Wörter. Sammeln Sie vier weitere Paare. Sie können auch das Wörterbuch verwenden.

Substantive	Adjektive	Substantive	Adjektive
die Spannung		die Hitze	
die Exotik	*exotisch*		glücklich
die Einsamkeit		die Überraschung	
	ängstlich		mutig
	heldenhaft	die Gefahr	

3 Nominativ, Akkusativ oder Dativ? Welchen Kasus hat die Ergänzung im Satz?

	N	A	D
1. Interessante Auslandsreisen gefallen mir.			x
2. Meine Oma hat uns Kinder mit ihren Geschichten aus Afrika begeistert.			
3. Wir haben sie hundertmal das Gleiche gefragt.			
4. Welche Länder hast du besucht?			
5. Hast du Antilopen und Löwen gesehen?			
6. Bist du interessanten Menschen begegnet?			
7. Irgendwann musste ich diesen Kontinent auch besuchen.			
8. Und ich bin ein echter Afrika-Fan geworden.			
9. Jedes Jahr besuche ich ein anderes afrikanisches Land.			
10. Und so erlebe ich jetzt diese Geschichten selbst.			

4 Wählen Sie die korrekte Ergänzung aus. Stehen die Verben mit Akkusativ oder Dativ?

Es gibt Menschen, (1) denen/die gefällt ihr normales Leben nicht mehr. Sie suchen (2) dem/das Abenteuer. Auf dem Sofa lesen sie (3) ihre/ihren Reisebücher über exotische Länder. Sie fragen (4) andere/anderen Abenteurer nach ihren Erfahrungen, die (5) ihre/ihren Fragen gerne beantworten. Dann fassen sie (6) den/dem Entschluss, für längere Zeit ins unbekannte Ausland zu reisen. Sie beantragen (7) ihr/ihrem Visum, buchen (8) einen/einem Flug und los geht's. Oft beneiden (9) die/den Freunde ihre mutigen Globetrotter. In dem Land angekommen, sieht das Abenteuer oft ganz anders aus, als erwartet. Was nützt (10) die/den Reisenden ihr gutes Englisch, wenn in den Bergen von Peru nur Spanisch gesprochen wird? Es gibt hier auch kein Reisebüro, das (11) sie/ihnen unterstützt, wenn sie (12) eine/einer Unterkunft brauchen. Aber oft begegnen (13) die/den Abenteurern nette Menschen, die (14) ihnen/sie helfen. (15) Diese/Diesen Menschen können wir nur danken, denn ohne sie wären schon viele verloren gewesen. Nach Tagen ohne Komfort verlassen viele Urlauber (16) ihre/ihren Traumziele früher als geplant und suchen (17) ihnen/sich ein schönes Hotel am Strand. Wieder zu Hause erzählen sie von ihren Erlebnissen, zeigen ihre Dias und alle Bekannten hören (18) sie/ihnen fasziniert zu. Was für ein Traumurlaub!

5 Übungen selber machen. Schreiben Sie fünf Karten wie im Beispiel. Tauschen Sie dann im Kurs.

(ich)
Der Film gefällt
_____ sehr.

Der Film gefällt mir sehr.

gefallen + Dativ

du + erinnern + Buch?

sich erinnern + an + Akk.

Erinnerst du dich an das Buch?

Er bringt _____ (du)
_____ (der)
Rucksack am Samstag.

bringen + Dat. + Akk.

Er bringt dir den Rucksack am Samstag.

Freizeit in Zürich

🔑 **1a Lesen Sie den Brief. Welches Wort passt in die Lücke?**

Liebe Sara

Es freut mich sehr, dass Du endlich Zeit hast, mich in Zürich zu besuchen. Ich habe auch schon ganz viele Ideen, (1) _____ wir am Freitag noch machen können. Ich hole Dich am Nachmittag um halb fünf am Bahnhof ab und dann fahren wir kurz zu mir und Du kannst deine Sachen abstellen, meine Wohnung ansehen und (2) _____ ein bisschen ausruhen. Am Abend hätte ich Lust, ins Kino zu gehen (am liebsten in den Film „Sommer vorm Balkon" – ich schicke Dir eine Filmbeschreibung mit), oder wir gehen (3) _____ Theater. Im Schauspielhaus gibt es zurzeit „Der Parasit" von Friedrich Schiller oder (dann am Samstagabend) „Heimatflimmern", eine musikalische Alpenreise (die beiden Beschreibungen und Kritiken zu dem Stücken findest Du auch anbei).
(4) _____ ich auch noch Lust hätte, das wäre eine Lesung. In der „Herzbaracke" gibt es eine Lesung aus Martin Suters Buch „Richtig leben mit Geri Weibel". Ich finde die Geschichten sehr lustig. Geri Weibel ist ein Mensch, (5) _____ immer alles richtig machen will und vor allem grosse Angst hat, etwas zu tun, was „out" ist ... Ich schicke Dir einen Text mit, dann kannst Du ja mal sehen, ob Dir die Geschichte gefällt und ob Du dazu Lust hast. Die „Herzbaracke" ist übrigens sehr schön gelegen, (6) _____ der Nähe vom Bellevueplatz, richtig im See. Oder wir machen etwas ganz anderes und gehen ins „Bazillus". (7) _____ ist ein Live-Club mit viel Jazz- und Funk-Musik. Da ist oft der Eintritt frei und (8) _____ spielen verschiedene Musiker spontan zusammen. Aber vielleicht möchtest Du lieber nichts machen und wir bleiben bei mir zu Hause. Dann koche ich uns was (9) _____ und wir können in Ruhe plaudern. Du siehst, uns wird bestimmt nicht langweilig ... Gib mir doch kurz Bescheid, worauf Du Lust hast, damit ich die Karten besorgen kann (falls Du ins Theater oder zur Lesung gehen willst). Und am Samstag mache ich dann mit Dir eine Stadtbesichtigungstour durch Zürich.

Ich freue mich sehr auf Dich. Ganz (10) _____ Grüsse
Gabi

1. dass	3. im	5. dem	7. Der	9. Besser
ob	in den	der	Das	Gut
was	ins	den	Die	Gute
das	in die	dessen	Den	Gutes

2. Dir	4. Woran	6. an	8. am meisten	10. lieben
Dich	Womit	zu	meist	liebe
Sich	Wobei	von	meisten	lieb
Mich	Worauf	in	meistens	lieber

b Schreiben Sie einen Antwortbrief an Gabi.

Schreiben Sie etwas zu folgenden Punkten:
– Dank für den Brief und die vielen Vorschläge
– welchen Vorschlag Sie interessant finden und warum
– was Sie davon halten, zu Hause zu bleiben
– wie wichtig für Sie eine Stadtbesichtigung ist und warum

2a Welche Adjektive aus dem Kasten beschreiben einen Film positiv, welche negativ?

~~interessant~~	langweilig	spannend	ergreifend	einzigartig	überwältigend
eintönig	sehenswert	monoton	vielversprechend	prächtig	
originalgetreu	handlungsarm	bemerkenswert	unterhaltsam	geschmacklos	
unvergessen	~~unrealistisch~~	fesselnd	umwerfend	humorlos	erfolgreich

positiv	negativ
interessant	unrealistisch

b Lesen Sie die Filmkritik über einen Kinohit und markieren Sie die Textstellen, die eine Wertung zum Ausdruck bringen.

Das Parfum

1 Es ist eine der hochkarätigsten und vielversprechendsten Mischungen des Kinojahres 2006: Der einflussreiche und bekannte deutsche Produzent und Drehbuchautor
5 Bernd Eichinger arbeitete mit einem der prominentesten, deutschen Regissseure zusammen – mit Tom Tykwer. Zusammen setzten sie Patrick Süskinds Roman „Das Parfum – Die Geschichte eines Mörders" in filmische
10 Bilder um und damit den erfolgreichsten in deutscher Sprache verfassten Roman seit Erich Maria Remarques Antikriegsgeschichte „Im Westen nichts Neues". Das Ergebnis des populären Trios ist eine Literaturverfilmung,
15 die in ihrem Erscheinungsbild brillant wirkt, der Originalvorlage in weiten Teilen treu geblieben ist, aber dennoch eine generelle Schwierigkeit aufzeigt: dass nämlich die filmische Verarbeitung von Bestsellern immer
20 eine Interpretation des Originals ist und dass dabei oft einiges an Inhalt verloren geht. Dennoch ist die Detailverliebtheit, die der Film zutage bringt, überwältigend. Penibel wurde darauf geachtet, ein möglichst getreu-
25 es Bild vom Paris des 18. Jahrhunderts zu entwerfen, in dem es keine Kanalisation gab und außerordentlich unhygienische Zustände herrschten. „Das Parfum", zweifelsohne einer der heiß ersehntesten Kinohöhepunkte
30 dieses Jahres, präsentiert sich mit einer prächtigen Optik aus schönen und schmutzigen Bildern zugleich und bereitet damit die Grundlage für die Umsetzung eines großartigen Romans.

Freizeit in Zürich _____

3 Lösen Sie das Kreuzworträtsel. Das senkrechte Wort ergibt einen Beruf. Welchen? (Umlaute = ein Buchstabe)

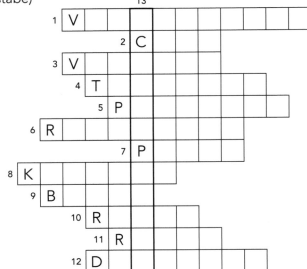

1. die Aufführung eines Theaterstücks
2. eine Gruppe von Personen, die gemeinsam singen
3. der Stoff vor der Bühne eines Theaters, der sich hebt und sich senkt
4. ein Trauerspiel
5. die Menschen, die im Theater zuschauen
6. eine Person, die den Schauspielern sagt, wie sie spielen müssen
7. die kurze Zeit, in der man das Theaterstück unterbricht
8. ein lustiges Theaterstück
9. die Fläche im Theater, auf der die Schauspieler spielen
10. die Figur, die ein Schauspieler im Theater spielt
11. der Gang, in dem sich mein Sitzplatz befindet
12. die Person, die ein Orchester leitet

13. Das Lösungswort ergibt eine Berufsbezeichnung aus dem Bereich „Film, Fernsehen und Theater".

4 Vergleichen Sie die beiden Texte „Der Parasit" und „Heimatflimmern". In welchem Text steht was? Markieren Sie.

	„Der Parasit"	„Heimatflimmern"
1. In dem Stück geht es um die Alpen.		
2. Das Stück ist ein Musiktheaterstück.		
3. Das Stück ist humorvoll und witzig.		
4. Das Stück bietet eine breite musikalische Palette.		
5. Das Stück zeichnet sich durch gute Schauspieler aus.		
6. Die Hauptperson in dem Stück lebt auf Kosten anderer.		

Selbsteinschätzung _____ 4

So schätze ich mich nach Kapitel 4 ein: Ich kann ...	+	0	–	Modul/ Aufgabe
... in einem Radiobeitrag wichtige Informationen zum Thema „Medien" in der Freizeit verstehen.				M2, A2a, b
... die Handlung einer Kurzgeschichte verstehen, die vorgelesen wird.				M4, A5b
... in einem Interview zum Thema „Spielen" die wesentlichen Informationen verstehen.				M1, A2
... einer Statistik wichtige Informationen entnehmen.				M2, A1a
... eine kurze Abenteuergeschichte verstehen.				M3, A1a, b
... Kritiken zu Filmen und Theaterstücken verstehen.				M4, A3b, A4b
... über Informationen aus einer Statistik zum Thema „Freizeitbeschäftigungen" sprechen.				M2, A1a
... über Veränderungen in meinem Freizeitverhalten sprechen.				M2, A1b
... mich zu einer Freizeitaktivität verabreden.				M2, A1c
... andere Personen zu einem Theaterbesuch überreden.				M4, A4b
... wesentliche Aussagen aus einem Interview notieren.				M2, A2c
... eine kurze Abenteuergeschichte weiterschreiben.				M3, A1c, A3a
... Notizen zu Informationen aus einem persönlichen Brief machen.				M4, A1a
... eine kurze Filmbesprechung schreiben.				M4, A3d
... einen persönlichen Brief mit Vorschlägen für gemeinsame Freizeitveranstaltungen schreiben.				M4, A6b

Das habe ich zusätzlich zum Buch auf Deutsch gemacht: (Projekte, Internet, Filme, Texte, ...)

	Datum:	Aktivität:

Alles will gelernt sein_____

Vor dem Start: Erinnern Sie sich? Diese Übungen bereiten Sie auf das Kapitel vor.

1 Was sollte man Ihrer Meinung nach unbedingt lernen? Was ist Ihrer Meinung nach weniger wichtig? Kreuzen Sie an und begründen Sie. Ergänzen Sie die Liste.

Was man alles lernen kann ...	nicht wichtig	wichtig	sehr wichtig
1. Schach spielen			
2. gute Manieren			
3. im Internet surfen			
4. Auto fahren			
5. kochen			
6. Selbstständigkeit			
7. Ski fahren			
8. eine Fremdsprache			
9. Rad fahren			
10. einen Beruf			
11. tauchen			
12. stricken			
13. ...			
14. ...			
15. ...			
16. ...			

Skifahren ist für mich nicht wichtig, weil es in meinem Land keinen Schnee gibt.

2 Wo kann man lernen? Lösen Sie das Rätsel.
(Umlaute = ein Buchstabe)

1. eine Institution, in der man tanzen lernen kann
2. eine Institution, in der man das Reiten lernen kann
3. eine Institution, in der sich Erwachsene weiterbilden können
4. eine Institution, in der man Auto oder Motorrad fahren lernt
5. eine Institution, in der man ein Instrument lernen kann
6. eine Schule, in der die Kinder vormittags und nachmittags Unterricht haben

3 Bilden Sie zusammengesetzte Wörter zum Thema *Schule*. Wie viele Wörter finden Sie? Schreiben Sie die Wörter mit Artikel auf.

Unterricht	Stunde	Vertretung
Klasse	Kunst	Sport
Mathematik	Abitur	Schule

Hof	Arbeit	Zimmer	Unterricht
Plan	Direktor/-in		Prüfung
Raum	Buch	Fach	Stoff
Erziehung	Halle		Lehrer/-in

das Unterrichtsfach, _____

_____

_____

_____

_____

_____

4 Im Sprachkurs. Ergänzen Sie die Verben. Für manche Ausdrücke gibt es mehrere Lösungen.

wiederholen	antworten	schreiben	vergessen	bekommen
machen	üben	halten	bestehen	aufschreiben	vorbereiten

1. die neuen Wörter _____*aufschreiben*_____
2. die Hausaufgaben _____
3. einen Kurzvortrag _____
4. auf die Fragen des Lehrers _____
5. einen Dialog _____
6. eine Prüfung _____
7. einen Kurs _____
8. ein gutes Zeugnis _____
9. einen Test _____
10. im Diktat viele Fehler _____

5 Wie heißen die Wörter? Notieren Sie die Wörter mit bestimmtem Artikel.

1. _____
2. _____
3. _____
4. _____
5. _____
6. _____
7. _____

1a Lesen Sie den Text und beantworten Sie die Fragen.

1. Welche Studentengruppen gibt es an der Universität Zürich?
2. Warum studiert die 43-jährige Luzia Koller?
3. Was denken die jungen Studenten über die Mittvierziger und die Senioren an der Uni?
4. Welche Meinung haben die Professoren über die älteren Studenten?

Die Uni als Treffpunkt der Generationen

Längst nicht mehr nur ein Ort der Jungen: An der Uni sorgen 40-Jährige auf dem zweiten Bildungsweg sowie pensionierte Senioren für ein buntes Generationen-Potpourri.

25 Jahre alt ist ein Student an der Universität Zürich im Mittel. Dieses Durchschnittsalter wird allerdings durch Grüppchen, die man nicht automatisch mit der Universität in Verbindung bringt, in die Höhe getrieben: Mittvierziger, die auf dem zweiten Bildungsweg mit einem klaren Berufsziel studieren, und Senioren, die es nach der Pensionierung in die Hörsäle zieht.

Die 43-jährige Luzia Koller zum Beispiel studiert seit letztem Herbst Rechtswissenschaften an der Uni Zürich. Die Bankfachfrau wollte nach 18 Jahren Finanzwelt etwas anderes machen, holte die Matura nach und schrieb sich in Rechtswissenschaften ein. Ihr Traum ist es, später als Juristin in einer Beratungsfunktion zu arbeiten. Etwa 50 wird sie dann sein und jede Menge jüngere Konkurrenz haben. Doch abschrecken lässt sie sich davon nicht.

Bei Professoren sind Studenten in Luzia Kollers Alter beliebt. Sie wissen genau, was sie wollen, und sind extrem zielstrebig. Von jüngeren Studenten werden sie häufig bewundert. Doch zum Teil prallen recht unterschiedliche Bedürfnisse aufeinander: hier die frischen Schulabgänger, die oft eher zufällig beginnen, ein Fach zu studieren, und die Freiheiten des Studentenlebens genießen wollen. Dort die reiferen Mittvierziger, die für das Studium Entbehrungen in Kauf nehmen und effizient lernen wollen. Nicht weniger ernsthaft studieren Senioren.

Auch diese Senioren empfinden viele junge Studenten als Bereicherung in Seminaren. „Ich finde es spannend, was sie mit ihrer Lebenserfahrung beisteuern können", sagt Sabine, 24, angehende Psychologin. Doch es gibt auch kritische Stimmen: „Es ist anstrengend, wenn sie, die meist alles besser gelesen haben, bei jeder Gelegenheit ihr Wissen demonstrieren", findet ein 24-jähriger Student der Literaturwissenschaften.

Senioren studieren zwar rein aus persönlichem Interesse und verfolgen nicht mehr das Ziel, einen Beruf auszuüben. Trotzdem beanspruchen sie die knappe Betreuungszeit der Professoren. „Und sie haben Zeit, die besten Plätze im Hörsaal zu belegen, während wir auf der Treppe sitzen müssen", ärgert sich ein 23-jähriger Jurastudent.

Befragte Lehrende an der Uni Zürich äußern sich äußerst wohlwollend über ihre betagte Klientel. „Es ist mir noch nie in den Sinn gekommen, dass sie jemandem den Platz wegnehmen könnten", sagt Heinz Gutscher, Professor für Sozialpsychologie. Es sei hingegen spannend zu sehen, mit wie viel Respekt jüngere Studenten auf ältere hörten. Auch ihre Arbeitstechniken seien oft besser als die der Jungen.

b Wie ist das in Ihrem Land? Studieren dort auch Senioren an der Uni? Wie bilden sich ältere Menschen weiter? Beschreiben Sie die Situation und nehmen Sie Stellung.

2 Infinitiv mit oder ohne *zu*? Ergänzen Sie den Dialog.

● Hast du Lust, nachher einen Kaffee mit mir (1) _____ trinken?

○ Das geht leider nicht. Nach dem Unterricht gehe ich noch (2) _____ schwimmen. Und dann muss ich Hausaufgaben (3) _____ machen.

● Schade. Hast du vielleicht morgen Zeit, mit mir die Grammatik (4) _____ wiederholen?

○ Ja super, dann können wir uns auf den Test am Freitag (5) vor_____bereiten. Es macht einfach mehr Spaß, zusammen (6) _____ lernen. Ich werde Janis Bescheid (7) _____ sagen, dann kann er auch (8) _____ kommen.

● Gute Idee. Ich hatte auch schon vor, ihn (9) an_____rufen. Wann sollen wir uns (10) _____ treffen?

3 Wie kann man sich am besten auf eine Prüfung vorbereiten? Geben Sie Tipps.

Es ist notwendig, ...   Versuchen Sie, ...   Man sollte am besten ...

Nehmen Sie sich Zeit, ...   Vergessen Sie nicht, ...   Es ist wichtig, ...

Es ist empfehlenswert, ...   Ich rate allen Prüflingen, ...   Man muss ...   ...

rechtzeitig mit dem Lernen anfangen   einen Zeitplan erstellen

Pausen beim Lernen einbauen   den Lernstoff in sinnvolle Abschnitte einteilen

Karteikarten mit den wichtigsten Informationen anlegen

einen ruhigen und ungestörten Arbeitsplatz haben

sich gründlich über die Prüfung informieren

den Lernstoff in regelmäßigen Abständen wiederholen   mit anderen zusammen lernen   ...

Es ist notwendig, rechtzeitig mit dem Lernen anzufangen.

4 Ergänzen Sie die Sätze frei.

1. Leider habe ich keine Zeit, ...
2. Ich darf nicht vergessen, ...
3. Es ist wirklich schön, ...
4. Ich habe beschlossen, ...
5. Es macht Spaß, ...

Leider habe ich keine Zeit, die Hausaufgaben zu machen.

5 Lebenslanges Lernen. Was möchten Sie unbedingt noch lernen? Wie stellen Sie sich Ihr lebenslanges Lernen vor? Schreiben Sie einen kurzen Text.

Besser lernen mit Computern?

1 Wie heißen die Teile des Computers? Schreiben Sie die Wörter mit Artikel.

1. _____
2. _____
3. _____
4. _____
5. _____

2 Sortieren Sie die Verben in die Tabelle ein.

kopieren ~~ausschalten~~ chatten neue Leute kennenlernen speichern

programmieren beantworten etwas kaufen bekommen bedienen schreiben

Informationen suchen löschen einschalten senden weiterleiten surfen lesen

den Computer ...	im Internet ...	eine E-Mail ...
ausschalten		

3 Lesen Sie die Texte im Lehrbuch auf Seite 76 noch einmal. Wer sagt das? Kreuzen Sie an.

	Dr. Schomburg	Dr. Jacobi
1. Kinder brauchen Computerkenntnisse.		
2. Kinder spielen lieber am Computer, anstatt zu lernen.		
3. Kinder ohne Computer sind in der Schule erfolgreicher.		
4. Viele Kinder besitzen Lernprogramme.		
5. Computerkenntnisse sind für das Berufsleben wichtig.		
6. Soziale Kompetenz ist wichtiger als Computerwissen.		
7. Die Schule soll zusätzliche Computerkurse anbieten.		
8. Nicht alle Familien können sich einen Computer kaufen.		

4   Redemittel zur Argumentation. Formulieren Sie das Gegenteil wie im Beispiel.

1. Einer der wichtigsten Gründe für den Computer ist ...

   Einer der wichtigsten Gründe gegen den Computer ist ...

2. Viele Lehrer halten es für richtig, dass ...

   _____

3. Ein weiteres Argument dagegen ist, dass ...

   _____

4. Befürworter einer solchen Lösung meinen, dass ...

   _____

5. Viele Eltern befürworten es, dass ...

   _____

 5   Lesen Sie den Auszug aus einem Brief und korrigieren Sie die unterstrichenen Fehler.

TIPP **Einen Text korrigieren**
Korrigieren Sie Ihren Text, indem Sie ihn mehrmals aufmerksam durchlesen und dabei
jeweils auf bestimmte Fehlerschwerpunkte achten, z.B:
1. Ist das Verb richtig konjugiert?
2. Steht das Verb an der richtigen Position?
3. Stimmen die Endungen (Adjektive, Substantive)?
4. Sind alle Wörter richtig geschrieben?

... Ich finde, dass einige Gründe dafür (1) <u>spricht</u>, aber   sprechen

auch einige dagegen. Der (2) <u>wichtigsten</u> Grund, der da-

gegen spricht, ist, dass mein (3) <u>Kint</u> allein am Bildschirm

sitzt. Meiner Meinung nach das (4) <u>ist</u> ein (5) <u>große</u> Fehler.

Das Lernen in der Gruppe ist sehr wichtig. Außerdem frage

ich mich, was (6) <u>mann</u> machen soll, wenn es zu Hause

(7) <u>kein</u> Computer gibt. Denn viele Eltern nicht so viel Geld

(8) <u>haben</u>, um einen Computer zu kaufen. Dann ist das

(9) <u>üben</u> am Computer nicht möglich. Computer sind

(10) <u>nützliche</u>, aber es gibt auch andere (11) <u>gut</u> Möglich-

keiten, wie (12) <u>kann</u> man besser lernen. ...

Können kann man lernen

🔑 **1a** Lesen Sie folgenden Text und setzen Sie die Wörter aus dem Kasten ein.

> Strategien   Prüfung   Atemübung   Möglichkeit   Situation   Mut   Pannen

Angst vor der Prüfung? Strategien für den Notfall

Nicht nur der Stoff für die (1) _____ lässt sich pauken, sondern auch
(2) _____ für den Ernstfall. Psychologen raten zu langfristigen Maßnahmen
wie Entspannungstechniken. Die muss man eine Weile üben, aber dann sind sie sehr
wirksam. Schülern, die oft in Hektik geraten und in Tests unter ihrem Niveau bleiben,
wird das „Mentale Training" empfohlen. Damit kann man sich geistig auf die
(3) _____ einstimmen und ihr den Schrecken nehmen.
Bei der „Erfolgsfantasie" stellt man sich vor, wie man die Prüfung ohne Schwierigkeiten
besteht und macht sich dadurch (4) _____.
In der „Bewältigungsfantasie" spielt man durch, was in der Prüfung schiefgehen könnte –
und wie man mit diesen (5) _____ am besten umgeht. Diese Methode eignet
sich vor allem für Schüler, die Angst haben, völlig zu versagen.
Als SOS-Maßnahme in der Prüfung rät der Psychologe zu einer einfachen
(6) _____: Eine Hand auf den Bauch legen und bewusst langsam und tief
ein- und ausatmen. Auch eine (7) _____: Akupunkturpunkte aktivieren. Unter
der Nase oder unter der Unterlippe sanft klopfen oder reiben, das beruhigt. Oder auf
beiden Seiten der Nase unter den Augen reiben. Das beruhigt und wirkt nachdenklich.

b Erklären Sie die Ratschläge, die im Text gegeben werden, mit eigenen Worten. Könnten
Ihnen diese Tipps helfen? Kennen Sie noch andere Methoden?

2 Sehen Sie sich das Bild an und schreiben Sie eine Geschichte. Verwenden Sie die
Satzanfänge.

Der Montag hatte so gut angefangen, bis ...
Es war einfach unglaublich, aber ...
Dann allerdings ...
Zum Glück ...
Am Ende ...

3 Ergänzen Sie das Modalverb.

1. ● Stimmt es, dass Leon krank ist und im Bett bleiben __soll/muss__?

   ○ Ja. Schade, dass er jetzt nicht zur Kursparty kommen _____.

2. ● Wir gehen jetzt noch ins Kino. Hast du Lust? _____ du auch mitkommen?

   ○ Geht leider nicht. Ich habe in einer halben Stunde einen wichtigen Termin und _____ mich beeilen.

3. ● Ich habe noch gar nicht gelernt. Ich _____ mich unbedingt noch vorbereiten.

   ○ Wieso? Der Test ist doch erst am Montag. Da _____ wir noch eine Menge lernen.

   ● Ja, aber ich _____ das ganze Wochenende arbeiten.

4. ● _____ man eigentlich während der Prüfung ein Grammatikbuch benutzen?

   ○ Nee, wir _____ aber im Wörterbuch unbekannte Wörter nachschauen, glaube ich.

5. ● Was hast du eigentlich vor, wenn dieser Kurs vorbei ist?

   ○ Ich _____ einen Sprachkurs in Berlin machen.

6. ● Ich _____ dir von Sven ausrichten, dass er heute nicht zum Unterricht kommen _____. Und er lässt fragen, ob du ihm vielleicht die Übungsblätter mitbringen _____?

   ○ Klar _____ ich das. Ich bringe sie ihm später vorbei.

4a Sagen Sie es einfacher mithilfe der Modalverben.

1. Ich bin nicht imstande, mich bei diesem Lärm zu konzentrieren.

2. Es ist nicht erlaubt, während des Unterrichts zu essen.

3. Marie beabsichtigt, in einem halben Jahr die B2-Prüfung zu machen.

4. In einem Sprachkurs hat man die Möglichkeit, viel Deutsch zu sprechen.

5. Wenn ich hier bleiben will, bin ich gezwungen, ein neues Visum zu beantragen.

1. Ich kann mich bei diesem Lärm nicht konzentrieren.

b Sagen Sie es anders. Ordnen Sie zu und schreiben Sie Sätze wie im Beispiel.

keine Lust haben	die Gelegenheit haben	die Absicht haben
in der Lage sein	~~es ist nicht gestattet~~	

1. Man darf während der Prüfung nicht mit seinem Nachbarn sprechen.

2. Kannst du diesen schwierigen Text in deine Muttersprache übersetzen?

3. Ich mag diesen Film jetzt nicht sehen.

4. Wir konnten noch nicht mit Gianni über das Problem reden.

5. Ich will mir einen deutschen Brieffreund suchen, damit ich Briefe auf Deutsch schreiben kann.

1. Es ist nicht gestattet, während der Prüfung mit seinem Nachbarn zu sprechen.

1a Lesen Sie den Text über das Logikrätsel Sudoku. Ordnen Sie die Überschriften den entsprechenden Absätzen zu.

a Anzahl der Lösungsmöglichkeiten _____

b Aufbau des Rätsels _____

c Herkunft des Sudoku _____

d Sudoku – Was ist das? _____

e der Lösungsweg für ein Sudoku _____

Sudoku – Zahlen erobern die Welt

1 Überall – in Bussen, auf Parkbänken oder in den Wartezimmern von Arztpraxen – sieht man Menschen, die versuchen, Sudokus zu lösen. Geschätzte 100 Millionen Rätselfreunde auf der ganzen Welt sind dem japanischen Logikrätsel verfallen. Es gibt sogar schon internationale Meisterschaften.

1 Sudoku ist eine Rätselart, die nicht mathematisch, sondern allein durch Logik gelöst werden kann. Deswegen kann man sie mit Zahlen, Buchstaben oder auch Formen spielen, wobei die Spielform mit Zahlen am häufigsten ist.

2 Der Ursprung des Sudoku ist in den Rätselspielen des Schweizer Mathematikers Leonhard Euler zu sehen, der solche unter dem Namen „Carré latin" (Lateinisches Quadrat) bereits im 18. Jahrhundert verfasste. Seinen Durchbruch hatte das Zahlenrätsel erst etwa 1984, als die japanische Zeitschrift „Nikoli" damit begann, Sudoku-Rätsel regelmäßig abzudrucken.

3 Ein Sudoku besteht im Normalfall aus einem Quadrat mit 9x9 Kästchen. Je 3x3 Kästchen sind zu einem Feld zusammengefasst. Einige der Felder sind mit Zahlen zwischen 1 und 9 gefüllt. Je mehr Zahlen bereits eingetragen sind, desto leichter lässt sich ein Sudoku lösen.

4 Gelöst ist das Rätsel, wenn in jeder Zeile, jeder Spalte und jedem der neun Felder alle Zahlen von 1 bis 9 je einmal vorkommen. Es gibt unbegrenzt viele mögliche Sudokus. Aber zu jedem Sudoku, das durch die zu Beginn vorgegebenen Zahlen definiert ist, gibt es nur eine einzige richtige Lösung.

5 Man beginnt ein Sudoku zu lösen, indem man versucht, in einem 3x3-Feld eine noch nicht eingetragene Zahl zu bestimmen. Das schafft man, indem man auch die waagerechte und senkrechte Zeile, in der diese Zahl steht, betrachtet und sich fragt, welche Zahlen von 1 bis 9 in diesen Reihen noch fehlen. Meistens sind es zwei oder drei Zahlen, die in Frage kommen. Diese sollte man sich unbedingt notieren. Man nennt diese in Frage kommenden Zahlen *Kandidaten*. Anschließend geht man zu einem nächsten Feld und bestimmt dort die Kandidaten und notiert sich diese. Wenn man so weitermacht, bemerkt man immer häufiger, dass nur einer der bereits notierten Kandidaten in einem bestimmten Feld stehen darf.

b Lesen Sie die Spielregeln des Logikrätsels. Entscheiden Sie, ob die abgebildeten Zahlenreihen richtig oder falsch sind.

Spielregeln

Die Aufgabe besteht darin, die noch leeren Felder des Rätsels mit den Zahlen 1 bis 9 auszufüllen. Dabei darf jede Zahl in jeder Zeile, in jeder Spalte und in jedem 3x3-Feld nur ein einziges Mal vorkommen.

1. Zeile

1	5	6	2	8	3	7	9	4

2. Spalte

1
9
4
8
5
2
6
4
7

3. 3x3-Feld

3	7	5
2	4	9
6	1	2

	r	f
1. Zeile	☐	☐
2. Spalte	☐	☐
3. 3x3-Feld	☐	☐

c Lösen Sie jetzt das Rätsel.

7		8	6			5		9
2	3				9		7	4
1	9	5	8		4	6		
9	6	2	1	4	5	7	3	
4	5	1	7	3	8	2	9	6
	8	7	2	9	6	1	4	5
		4	3		7	9	5	2
6	7		9				8	1
5		9			1	3		7

2 Hören Sie den ersten Teil des Gesprächs mit Dr. Witt von Aufgabe 2a im Lehrbuch noch einmal. Markieren Sie, ob die Aussagen richtig oder falsch sind.

LB 1.29

	r	f
1. Der Bundesverband führt Gedächtnistraining durch.	☐	☐
2. Ziel des Kurses ist, das Gedächtnis leistungsfähig zu halten.	☐	☐
3. Das Training wird von zwei Spezialisten durchgeführt.	☐	☐
4. Marianne Kreutzer möchte auch an einem Gedächtnistraining teilnehmen.	☐	☐
5. Man lernt im Kurs, Dinge anders zu lösen, als man es gewohnt ist.	☐	☐
6. Im Kurs wird mit Emotionen und Bildern gearbeitet.	☐	☐

3 Sie haben von Ihrer Freundin den folgenden Brief bekommen:

Liebe/Lieber ...,

herzlichen Dank für Deinen Brief! Ich habe mich riesig gefreut. Heute habe ich endlich etwas Zeit, um Dir zu antworten. Ich hoffe sehr, dass es Dir und Deiner Familie gut geht. Wie Du ja weißt, möchte ich hier in Deutschland studieren. Ich stehe jetzt kurz vor dem Abitur und lerne wie verrückt! Deutsch macht mir keine Probleme und die Fremdsprachen auch nicht. Aber Mathematik! Ich werde das nie verstehen. Oft sitze ich stundenlang vor den Aufgaben und kann einfach keine Lösung finden. Mein Lehrer ist leider auch nicht gerade verständnisvoll. Er hilft mir nur wenig und gibt mir keine Chance. Das macht mein Problem natürlich nur noch größer. Du warst in der Schule doch immer total gut. Hattest Du keine Schwierigkeiten mit den Lehrern? Vielleicht hast Du ein paar Tipps für mich, wie ich meine Probleme lösen könnte? Ich hoffe, Du kannst mir helfen, und warte gespannt auf Deine Antwort.

Viele Grüße
Deine Sofia

Schreiben Sie Ihrer Freundin einen Antwortbrief. Gehen Sie auf folgende Punkte ein:

– wie es Ihnen und Ihrer Familie geht
– Verständnis für Ihre Freundin
– Tipps, wie sie das Problem mit dem Lehrer lösen könnte
– welches Fach / welche Fächer für Sie ein Problem waren

Selbsteinschätzung

So schätze ich mich nach Kapitel 5 ein: Ich kann ...	+	0	–	Modul/ Aufgabe
... in einem Interview mit verschiedenen Personen die Argumente für ihren Besuch von Kursen verstehen.				M1, A2a
... ein Lied zum Thema „Prüfungen" verstehen.				M3, A1b
... Informationen in einem Radiobeitrag zum Thema „Gedächtnistraining" verstehen.				M4, A2
... Stellungnahmen von Medienexperten verstehen.				M2, A2b
... Texte zu Denkaufgaben und Lerntechniken verstehen.				M4, A1a, 3a, b
... anhand von Kurstiteln Vermutungen zu den Kursinhalten anstellen.				M1, A1a
... Argumente für die Wahl eines Kurses zusammenfassen.				M1, A2b
... über Wünsche und Ziele bei Lernangeboten sprechen.				M1, A4
... Ratschläge zum Thema „Prüfungsangst" geben.				M3, A1d
... Vorschläge zur Lösung von Aufgaben und bei Lernproblemen machen.				M4, A4b
... Hauptaussagen aus einem Interview notieren.				M1, A2a, M4, A2a
... eine Stellungnahme schreiben.				M2, A4a, d
... einen Beitrag zu einem Kursratgeber „Deutsch lernen" schreiben.				M4, A6

Das habe ich zusätzlich zum Buch auf Deutsch gemacht: (Projekte, Internet, Filme, Texte, ...)

	Datum:	Aktivität:

Berufsbilder

Vor dem Start: Erinnern Sie sich? Diese Übungen bereiten Sie auf das Kapitel vor.

1. Was gehört zusammen? Sortieren Sie.

Informatiker/-in ~~Ofen~~ Büro kochen Spritze Schere Gemüse schneiden Schreinerei Friseur/in Malerbetrieb sich um Patienten kümmern ~~Bäckerei~~ Hammer Restaurant Pinsel fönen ~~Teig kneten~~ Serverraum ~~Backblech~~ programmieren Verband Herd Maler/-in Haare schneiden Software Krankenschwester/-pfleger streichen Küche Säge speichern sägen Farbe Computer Topf Möbel anfertigen Messer Krankenhaus ~~Bäcker/-in~~ malen Fieberthermometer ~~Brot backen~~ Friseursalon Schreiner/-in Koch/Köchin Kamm leimen Menüfolge planen

Beruf	Ort	Arbeitsmittel	Tätigkeiten
Bäcker/-in	Bäckerei	Backblech, Ofen	Teig kneten, Brot backen

2. Wie heißen die Berufe?
(Umlaut = ein Buchstabe)

1. Sie heilt kranke Tiere: __ __ __ __ __ __ __ __ __ __

2. Er gibt Schülern Unterricht: __ __ __ __ __ __ __

3. Sie berät bei juristischen Problemen: __ __ __ __ __ __ __ __ __ __ __ __ __ __ __ __ __

4. Er repariert kaputte Zähne: __ __ __ __ __ __ __ __ __

5. Sie hilft bei der Geburt: __ __ __ __ __ __ __ __

6. Er steht im Theater auf der Bühne: __ __ __ __ __ __ __ __ __ __ __ __

7. Sie schreibt Artikel für eine Zeitung: __ __ __ __ __ __ __ __ __ __ __

8. Er berät beim Kauf von Medikamenten: __ __ __ __ __ __ __ __ __ __

3 Welches Verb passt zu welchem Nomen? Manchmal gibt es mehrere Möglichkeiten.

1. ein Telefonat	*a, c*	a	führen
2. eine Besprechung	_____	b	organisieren
3. eine E-Mail	_____	c	vergleichen
4. eine Idee	_____	d	schicken
5. einen Vertrag	_____	e	beantworten
6. Angebote	_____	f	unterschreiben
7. eine Anfrage	_____	g	schreiben
8. ein Protokoll	_____	h	verwirklichen

4 Was passt wo? Ergänzen Sie.

> Beruf   Job   Arbeit   Stelle

1. Ich habe mich um eine _____ als Industriekaufmann beworben.
2. Heute ist es für Menschen ohne Ausbildung schwierig, eine _____ zu finden.
3. Als Studentin hatte ich mal einen _____ bei einer Event-Agentur.
4. Schulabgänger wissen oft noch nicht, welchen _____ sie lernen wollen.

5a Welche Beschreibung passt zu welchem Nomen? Zwei Erklärungen passen nicht.

1. ____ das Stellenangebot   3. ____ die Bewerbung   5. ____ das Vorstellungsgespräch

2. ____ das Gehalt   4. ____ die Beförderung   6. ____ die Berufserfahrung

a Gespräch, bei dem man sich persönlich um eine Stelle bewirbt
b berufliches Wissen/Können, das man aus der Praxis hat
c festgelegte Anzahl von Stunden, die man pro Tag/Woche/Monat arbeiten muss
d das Geld, das man monatlich/jährlich verdient
e Ausschreibung für eine Stelle, die neu zu besetzen ist
f Zeit, in der man nicht arbeiten muss
g Schreiben, in dem man sich um eine Stelle bemüht
h eine besser bezahlte oder anspruchsvollere Stelle innerhalb der Firma bekommen

b Wie heißen die Nomen zu den restlichen Erklärungen aus Übung 5a?

_____

6 Bilden Sie zwei Gruppen. Jede Gruppe notiert zehn Berufe auf zehn Zetteln und gibt sie dem Kursleiter / der Kursleiterin. Er/Sie zeigt einer Person aus der anderen Gruppe einen Zettel. Der Kursteilnehmer / Die Kursteilnehmerin spielt den Beruf pantomimisch vor oder zeichnet ihn an die Tafel. Die anderen aus seiner/ihrer Gruppe raten. Dann rät die andere Gruppe. Gewonnen hat die Gruppe, die die meisten Berufe erraten hat.

Wünsche an den Beruf _____

1a Ergänzen Sie die passenden Wörter aus dem Schüttelkasten in den Kurztexten.

> langweiligen   verantwortungsvolle   Gehalt   Arbeitszeit   freiberuflich   anbieten
>
> Ideen   Herausforderung   verwirklichen   Überstunden   gemeinsam   Arbeitsklima
>
> Teilzeitjob   Karriere   Kontakt   verdienen   Interessen

1. Von meinem zukünftigen Beruf wünsche ich mir in erster Linie, dass ich kreativ sein kann. Ich möchte gerne meine eigenen _____ entwickeln können und mit anderen _____ Probleme lösen. Und ich möchte auf keinen Fall an _____ Aufgaben arbeiten.

2. Ich will in meinem Beruf vor allem _____ machen und viel Geld _____. Mir ist auch wichtig, dass der Beruf interessant ist und ich eine _____ Aufgabe habe. Dafür wäre ich auch bereit, _____ zu machen. Und natürlich möchte ich einen Beruf, der für mich eine _____ ist.

3. Ich träume davon, einen _____ zu haben, denn ich möchte eigentlich nicht 38,5 Stunden in der Woche in einem Büro arbeiten. Lieber bekomme ich ein geringeres _____ und habe dann auch noch Zeit, nebenher _____ zu arbeiten, ich würde gerne Computer- und Handykurse _____.

4. Ich habe schon viele Jobs gemacht und dabei eines gelernt: Für mich ist das _____ sehr wichtig. Ich muss mich in meiner Arbeit nicht _____, wichtiger ist mir der gute _____ mit den Kollegen und eine geregelte _____. Ich möchte neben der Arbeit noch genug Zeit für meine Hobbys und _____ haben.

b Schreiben Sie einen kurzen Text über Ihren Wunschberuf.

2 Ergänzen Sie die Beschreibung zur Grafik aus dem Lehrbuch und schreiben Sie den Text zu Ende.

> **TIPP** **Eine Grafik beschreiben**
> Nennen Sie den Titel und das Thema der Grafik und gehen Sie auf die höchsten, niedrigsten und die auffallendsten Werte ein. Nennen Sie vor allem auch Werte, die Sie persönlich überraschen.

Die Grafik „Wünsche an den zukünftigen Beruf" zeigt, welche ___Wünsche___ junge Frauen

und junge Männer in Deutschland an ihren _____ haben. Am wichtigsten sowohl für Männer

als auch für Frauen ist ein _____. Während bei den jungen Frauen

an zweiter Stelle der _____ steht, ist es für die jungen Männer am

zweitwichtigsten, dass sie ihre Kenntnisse und Fähigkeiten _____.

Je 73 von 100 befragten Männern und Frauen wünschen sich _____

_____

_____

_____

3 Beim nächsten Job wird alles besser!
Schreiben Sie gute Vorsätze.

> Ich werde immer pünktlich sein und ...

 4 Sie haben eine Vermutung. Antworten Sie auf die Fragen mit Futur I.

1. ● Entschuldigung, wissen Sie wo Herr Braun ist? (→ Besprechung)

   ○ _Er wird in einer Besprechung sein._ _____

2. ● Ich suche einen dringenden Auftrag, den er für mich kopiert hat. Wissen Sie, wo er liegt?
   (→ auf dem Schreibtisch)

   ○ _____.

3. ● Nein, da habe ich schon nachgesehen. Wo könnte er denn noch sein? (→ im Kopierer)

   ○ _Dann_ _____.

4. ● Aber, wenn er da auch nicht ist? (→ Herr Braun ihn bei sich haben)

   ○ _Wenn er da auch nicht ist,_ _____.

1a Lesen Sie und entscheiden Sie, welche Aussagen richtig und welche falsch sind.

Neue Geschäftsidee: Mitkochzentrale

1 **Eine Mitkochzentrale ist Regensburgs erfolgreichste Geschäftsidee. Für diese Firmenneugründung erhielten fünf Studentinnen und Studenten den mit 1.000**
5 **Euro dotierten Preis des Projekts „Fünf-Euro-Business". Es geht darum, mit nur fünf Euro Startkapital ein erfolgreiches Unternehmen zu gründen.**

„Cook4fun" – Regensburgs erste und einzige
10 Mitkochzentrale – sei die pfiffigste Geschäftsidee, die Studierende der Universität Regensburg im vergangenen Semester ausgetüftelt hätten, so die Begründung der Jury. Mit wenig Geld sei hier eine attraktive Marktlücke
15 entdeckt und clever genutzt worden. Das war dem Projekt „Fünf-Euro-Business" – eine Initiative des Hochschulprogramms für Unternehmensgründungen und dem Bildungswerk der Bayerischen Wirtschaft – 1.000
20 Euro wert.

Gemeinsam kochen und gut essen
Dabei kochen die Unternehmensgründer von „Cook4fun" – zwei Studentinnen und drei Studenten – gar nicht selber: „Wir organisieren Treffen, Räume und Experten für Leute,
25 die gerne kochen." Und selbst wer den Spaß am Kochen erst noch entdecken muss, ist bei „Cook4fun" willkommen. Kochkurse und Kochevents lassen sich bequem über das Internet buchen und kosten pro Abend um
30 die zehn Euro.

Im Studium schon ein Unternehmer
Im Vorfeld hatten sieben Teams der Universität Regensburg im Rahmen des Projekts ihre jeweilige Geschäftsidee von Experten auf Durchführbarkeit prüfen lassen. Alle
35 Teilnehmer wurden in Sachen Marketing, Finanzierung und Recht geschult. Ein Probelauf von sechs Wochen musste dann beweisen, ob und wie sich die Geschäftsidee mit einem Startkapital von nur fünf Euro durch-
40 setzen ließ. Platz zwei und drei belegten „trinomic", ein IT-Dienstleister, und „Campus Wear", eine Firma für Produktion und Vertrieb von T-Shirts.

Wesentliche Zielsetzung des Projektes ist es,
45 Studierende zu motivieren, sich mit dem Thema Existenzgründung auseinanderzusetzen. Unternehmerisches Denken und Handeln werden angeregt und eingeübt. Schlüsselqualifikationen werden trainiert:
50 Eigeninitiative, Entscheidungsfreude, Teamfähigkeit, Kreativität und Selbstständigkeit bleiben nicht nur bloße Theorie und abstraktes Ziel.

	r	f
1. In dem Projekt sollen Studenten eine Geschäftsidee entwickeln.	☐	☐
2. Die Studenten haben 1.000 Euro Startkapital zur Verfügung.	☐	☐
3. Das Projekt ist eine Initiative der Universitäten und der Wirtschaft.	☐	☐
4. Bei „Cook4fun" wird den Teilnehmern ein komplettes Menü serviert.	☐	☐
5. Die Studenten wurden nicht durch Schulungen vorbereitet.	☐	☐
6. Die Studenten sollen sich durch dieses Projekt mit dem Thema „Existenzgründung" beschäftigen.	☐	☐

b Erklären Sie das Projekt „Fünf-Euro-Business" mit eigenen Worten. Wie finden Sie die Idee?

1 Welche Stelle passt zu welcher Person? Lesen Sie die Anzeigen aus einer Zeitung und die Personenbeschreibungen auf der nächsten Seite und ordnen Sie zu.

A Wir sind ein führender Fahrradfachmarkt und bieten ein positives Betriebsklima und eine langfristige Perspektive.
Wir suchen eine/n leistungsstarke/n **Mitarbeiter/-in** zur Ergänzung unseres Verkaufsteams.
Wir setzen Berufserfahrung im Einzel- oder Großhandel und Spaß am Umgang mit Kunden voraus.
Bitte senden Sie Ihre aussagekräftige Bewerbung an:
Giller Rad-Center, Volkhardtr. 89, 86152 Augsburg

B *Fachgroßhandel Elektrotechnik Mayr*

Wir sind eines der führenden, mittelständischen Elektro-Großhandelsunternehmen in Deutschland mit Niederlassungen im gesamten Bundesgebiet. Wir suchen Fachkräfte für die Zukunft.

→ **Auszubildende für den Groß- und Außenhandel, gerne auch mit vorangegangener Ausbildung im Elektro-Handwerk**

Bitte senden Sie Ihre Bewerbungsunterlagen an
Albert Mayr
z.Hd. Frau Schaller
Feilbergstr. 89
89231 Neu-Ulm

C **Schreiner/Zimmerer für USA**
Zeitraum: 18 Monate ab sofort
Wir erwarten handwerkliche Ausbildung und gute Englischkenntnisse. Bewerbung an:
USA-Haus, Schulstraße 40, 87600 Lauchingen

D Für unsere heilpädagogischen Jugendwohngruppen suchen wir eine/n **Erzieher/-in oder Sozialpädagoge/-in** in Vollzeitstellung.
Die Arbeit mit jungen Menschen im Schulalter interessiert Sie und Offenheit, Konfliktfähigkeit und Teamarbeit gehören zu Ihren persönlichen Stärken. Sie sind auch am Abend und am Wochenende einsetzbar.
Interessiert? Dann senden Sie Ihre aussagekräftigen Bewerbungsunterlagen an:
Katholische Jugendfürsorge Augsburg
Postfach 9031
86100 Augsburg

E Wir suchen ab sofort einen **zuverlässigen Mitarbeiter, gerne Quereinsteiger** mit Interesse an Autos und allem, was dazu gehört.
Wenn Sie gerne zu unseren Kunden fahren, uns auf Messen begleiten und einen Führerschein besitzen, rufen Sie uns an unter 08132–3089…

F Für sofort oder später suchen wir eine *Bürofachkraft*
in Teilzeit.
Erfahrung im Gesundheitswesen ist Voraussetzung.
Ihre aussagekräftigen Bewerbungsunterlagen senden Sie bitte an:
Orthopädie-Fachgeschäft, Müllerstraße 1, 87600 Kaufbeuren

G Zum nächstmöglichen Termin suchen wir in Vollzeit für unseren Standort in Kempten eine/n
Sekretär/-in
Sie sollten eine abgeschlossene kaufmännische Ausbildung besitzen und mehrjährige Erfahrung im Sekretariat haben.
Sie besitzen sehr gute Kenntnisse im Umgang mit den gängigen Office-Programmen, sind kommunikativ, mitdenkend und bringen Organisationstalent mit.
Ihre aussagekräftigen Bewerbungsunterlagen senden Sie bitte an Chiffre-Nr. 25978.

H **PC-Büro-Tätigkeit** selbst von zu Hause aus!
Teilzeit/Vollzeit oder 2. Standbein,
freie Zeiteinteilung
Infos unter www.jobneu.com

I *Erzieher/-in als Krankheits- und Urlaubsvertretung für privaten Kindergarten gesucht. Rappelkiste 0821/15489…*

Darauf kommt's an _____

> **1** Brigitta Wölk arbeitet bei einer großen Elektro-Firma als Sachbearbeiterin. Da sie und ihr Mann aber gerade ein Haus gebaut haben, ist das Geld ein bisschen knapp, und sie überlegt, ob sie noch einen zweiten Job annimmt. Sie hat allerdings nur am Wochenende oder abends Zeit. _____

> **2** Selma Müller hat früher bei einer Krankenkasse im Büro gearbeitet. Selma hat zwei schulpflichtige Kinder und möchte deswegen am liebsten nur am Vormittag arbeiten. _____

> **3** Volker Schmidtke hätte gern eine Arbeit, die mit seinem Hobby zu tun hat. Er kann sich einfach für alles begeistern, was Räder hat, und sucht eine Stelle, bei der er viel unterwegs sein kann. _____

> **4** Tina Stein ist kaufmännische Angestellte und arbeitet 20 Stunden pro Woche. Sie möchte allerdings gern Vollzeit arbeiten. Tina hat ihre freie Zeit bisher dazu genutzt, sich fortzubilden, und kennt sich mit allen üblichen Computerprogrammen aus. _____

> **5** Jonas Vögele hat gerade seine Lehre als Schreiner beendet und würde gerne für eine Weile im Ausland arbeiten. In der Schule waren seine Lieblingsfächer Englisch und Französisch. _____

> **6** Andreas Wirt war bisher in einem Kindergarten angestellt und würde jetzt gern mit älteren Kindern arbeiten. Er ist Single, zeitlich sehr flexibel und arbeitet gut mit anderen Menschen zusammen. _____

> **7** Martin Valentin hat Einzelhandelskaufmann gelernt und mehrere Jahre in einem Möbelgeschäft im Verkauf gearbeitet, was ihm auch großen Spaß gemacht hat. Leider hat das Geschäft Konkurs angemeldet. Eine gute Arbeitsatmosphäre ist ihm sehr wichtig. _____

2 Bringen Sie die Aktivitäten in die richtige Reihenfolge.

_____ den Arbeitsvertrag unterschreiben

_____ eine Bewerbung schreiben

_____ ein interessantes Stellenangebot sehen

_____ zum Vorstellungsgespräch eingeladen werden

_____ sich genauer über die Firma und die Stelle informieren

3 Was passt zusammen? Ordnen Sie zu.

1. _____ Ich freue mich riesig …	a … an unsere Personalabteilung.
2. _____ Steffi interessiert sich …	b … auf gepflegte Kleidung.
3. _____ Erinnerst du dich noch …	c … an deine erste Bewerbung?
4. _____ Achten Sie bei einem Vorstellungsgespräch …	d … an ein aktuelles Foto.
5. _____ Bitte senden Sie Ihre Bewerbung …	e … auf meinen neuen Job.
6. _____ Denk bei der Bewerbung auch …	f … für die Stelle bei der Olpe KG.

4 Ergänzen Sie die Präpositionen.

● Nimmst du auch (1) __an__ der Besprechung um elf Uhr teil?

○ Ich weiß nicht. Der Personalchef hat leider nicht (2) _____ meine E-Mail geantwortet.
Hat Silvio dich gefragt, ob du ihm (3) _____ dem Bewerbungsschreiben helfen kannst?

● Ja, ich treffe mich heute nach der Arbeit (4) _____ ihm. Wenn er dann noch Fragen hat,
soll er sich (5) _____ Sabine wenden, die kennt sich doch gut aus.

○ Ach ja, Sabine, ich halte sie wirklich (6) _____ eine Expertin in Sachen Bewerbung. Bei ihr
kann er sich (7) _____ allen Details erkundigen.

5 Person oder Sache? Wie heißen die Fragewörter?

1. Lisa hat sich beim Betriebsrat <u>über die vielen Überstunden</u> beschwert. → ___*Worüber?*___

2. Alfred versteht sich ziemlich gut <u>mit seinem Chef</u>. → _____

3. Ich habe lange auf so <u>ein interessantes Stellenangebot</u> gewartet. → _____

4. Die Personalchefin hat Pablo <u>nach seinem aktuellsten Zeugnis</u> gefragt. → _____

5. Ich habe <u>mit einem Bewerbungsberater</u> gesprochen. → _____

6 Die richtige Bewerbung: Ergänzen Sie.

Sie möchten sich gern (1) _____ einer Firma bewerben? Es hängt viel (2) _____ dem ersten
Eindruck ab. Deshalb sollten Sie sich für Ihre Bewerbung genug Zeit nehmen. Achten Sie
(3) _____, dass Ihre Bewerbungsunterlagen vollständig sind. (4) _____ einer Bewerbung
gehören: ein Anschreiben, ein Lebenslauf, ein Foto und die aktuellsten Zeugnisse. Informieren Sie
sich vorab (5) _____ den Arbeitgeber und rufen Sie am besten (6) _____ der Firma an, um
noch mehr (7) _____ die ausgeschriebene Stelle zu erfahren. Gehen Sie bei dem Anschreiben
(8) _____ ein, was Sie an der Stelle und dem Unternehmen interessant finden, und zeigen Sie,
warum gerade Sie so gut (9) _____ der Firma passen und sich (10) _____ die Stelle bestens
eignen. Sollten Sie (11) _____ einem Vorstellungsgespräch eingeladen werden, bereiten Sie
sich auch (12) _____ gut vor.

7 Ergänzen Sie die Sätze.

1. Kann ich mich ___*darauf*___ verlassen, dass ___*du pünktlich kommst?*_____

2. Ich habe lange _____ nachgedacht, ob _____

3. Was hältst du _____, wenn _____

4. Ich kann mich nicht _____ gewöhnen, dass _____

5. Wir freuen uns sehr _____, dass _____

Mehr als ein Beruf

1a Arbeit und Freizeit. Lesen Sie die Sprüche und erklären Sie sie. Was ist für Sie „Arbeitszeit"? Welcher Spruch gefällt Ihnen am besten?

> Erst die Arbeit, dann das Vergnügen.

> **Wir leben, um zu arbeiten.**

> Arbeitswut tut selten gut.

> Arbeitszeit = Unterbrechung der Freizeit

> Arbeit macht Spaß. Spaß beiseite!

b Kennen Sie Sprüche zum Thema Arbeit und Freizeit in Ihrer Sprache? Notieren Sie und stellen Sie sie dem Kurs vor.

2a Betrachten Sie die Zeichnungen und ergänzen Sie die Informationen zur Person. Lassen Sie Ihrer Fantasie freien Lauf.

Name:	Klara Mangold
Alter:	37 Jahre
Familienstand:	_____
Kinder:	zwei, Mädchen (12 Jahre) und Junge (8 Jahre)
Beruf:	_____
Hobbys:	_____
Erfolge:	_____
Probleme:	_____
Träume/Ziele:	_____

b Schreiben Sie einen kurzen Text über Klara Mangold.

LB 2.7

3 Hören Sie noch einmal das Interview mit der Tauchlehrerin Valerija von Aufgabe 3a im Lehrbuch. Sind die Aussagen richtig oder falsch?

		r	f
1.	Valerija hat schon als Kind vom Tauchen geträumt.	☐	☐
2.	Ihre erste Arbeit an einer Tauchschule hatte sie in Kroatien.	☐	☐
3.	Als „Dive Master" darf man anderen Menschen das Tauchen beibringen.	☐	☐
4.	Es war für Valerija immer sehr schwer, Arbeit in einer Tauchschule zu finden.	☐	☐
5.	Die Freunde von Valerija fanden ihren neuen Job am Anfang ganz gut.	☐	☐
6.	In einigen Jahren möchte Valerija wieder zurück nach Deutschland kommen.	☐	☐
7.	Valerija wusste von Anfang an, dass ihr neuer Beruf sehr anstrengend ist.	☐	☐
8.	In ihrem Beruf fehlt ihr oft Zeit und Ruhe für sich selbst.	☐	☐
9.	Die Kontakte mit vielen Menschen sind für sie das Schönste an ihrem Beruf.	☐	☐
10.	Valerija hat bis jetzt die Freude am Tauchen nicht verloren.	☐	☐

4 Beim Chatten verwendet man häufig Symbole, sogenannte Emoticons, und Abkürzungen.

a Ordnen Sie den Emoticons die entsprechenden Zeichenfolgen und die passenden Erklärungen zu.

Zeichenfolge

:-(:-c   :-O   :-S
      :-/   :-)
:x   ;-)   :-))   B-)

Erklärung

traurig sein   ~~verwirrt, skeptisch sein~~   cool
ruf an   küssen   glücklich sein   besorgt sein
laut lachen   zwinkern   überrascht sein

1.		:-/	verwirrt, skeptisch sein	6.			
2.				7.			
3.				8.			
4.				9.			
5.				10.			

b Was bedeuten die Abkürzungen? Ergänzen Sie.
   (Umlaute = ein Buchstabe)

webchat.de

1. hdl   h _a_ _b_ d _i_ _c_ _h_ l _i_ _e_ _b_
2. NM   N __ _c_ _h_ m __ _t_ _t_ __ __
3. VM   V __ __ m __ __ __ __ __
4. kgw   k _o_ _m_ _m_ _e_ g __ __ __ __ __ w __ __ __ __ r
5. wil   W _a_ _s_ i __ __ l __ __?
6. wswuw   W _a_ _n_ __ s _c_ __ __ _n_ w __ __ u __ __ w _i_ __ __ __ _r_ ?
7. aws   A __ __ W __ __ __ __ __ s __ _h_ __ __!
8. bs   B __ __ s _p_ __ __ __ __!
9. gn8   G _u_ __ __ N __ __ __ __!
10. mfg   M __ __ f __ __ __ __ __ __ __ __ __ __ __ G __ __ __ __ __

 5 Ein Freund hat Ihnen ein Buch empfohlen und Ihnen folgende Informationen darüber geschickt. Leider fehlt der rechte Rand des Textes. Ergänzen Sie die fehlenden Wörter.

Traumjobs. Wunsch und Wirklichkeit
von Stephanie von Selchow

Buchbesprechung

Berichte aus der Wirklichkeit: Was steckt wirklich hinter (1) _____

sogenannten Traumjobs? Stephanie von Selchow hat (2) _____

umgehört und Tatsachenberichte aus der Wirklichkeit (3) _gesammelt_ .

Denn hinter jedem Traumberuf steckt ein Arbeitsalltag, (4) _____

nicht so glänzende Seite. Alle Interviewpartner lassen aber auch erkennen,

(5) _____ sie in ihrem Leben nur diesen und ganz sicher

keinen anderen Beruf haben (6) _____ .

Unter anderen berichtet der bekannte Tatort-Kommissar Udo Wachtveitl, (7) _____

für ihn einen guten Schauspieler ausmacht. Fußballerin Steffi Jones erzählt (8) _____

dem Gefühl, mit der Nationalmannschaft auf dem Platz zu stehen.

Und die Sängerin Judith Holofernes von „Wir sind Helden" davon, wie es (9) _____,

vor viertausend Fans zu singen.

In einem sind sich alle einig: Ganz egal, wie stressig, mühsam oder anstrengend

ihr Tag auch manchmal sein mag – sie haben alle ihren Traumjob (10) _____ .

So schätze ich mich nach Kapitel 6 ein: Ich kann ...	+	0	–	Modul/ Aufgabe
... eine Umfrage zu beruflichen Wünschen verstehen.				M1, A2a
... ein Interview zu beruflichen Stationen einer Tauchlehrerin verstehen.				M4, A3a, b
... Aushänge mit verschiedenen Dienstleistungsangeboten verstehen.				M2, A1a
... Bewerbungstipps in einem Ratgeber verstehen.				M3, A1b
... Texte über Personen mit zwei Berufen verstehen.				M4, A1c
... über mögliche Jobideen sprechen.				M2, A2a, b, c
... Bewerbungstipps zusammenfassen und sagen, was daran für mich interessant ist.				M3, A1c
... über Bewerbungen in meinem Heimatland berichten.				M3, A2
... Vermutungen über berufliche Tätigkeiten von zwei Personen anstellen.				M4, A1b
... über Vor- und Nachteile vom Leben mit zwei Jobs sprechen.				M4, A2
... Notizen zu Hauptaussagen in einer Straßenumfrage zum Thema „Berufsleben" machen.				M1, A2a
... einen Aushang für eine Dienstleistung schreiben.				M2, A2d, e
... kurze Beiträge in einem Chat schreiben.				M4, A4b

Das habe ich zusätzlich zum Buch auf Deutsch gemacht: (Projekte, Internet, Filme, Texte, ...)		
	Datum:	Aktivität:

Für immer und ewig

Vor dem Start: Erinnern Sie sich? Diese Übungen bereiten Sie auf das Kapitel vor.

1 Ordnen Sie die Definitionen den Verwandtschaftsbezeichnungen zu.

1. _c_ die Schwiegereltern
2. _g_ die Schwiegermutter
3. _f_ der Schwiegervater
4. _d_ der Schwiegersohn
5. _b_ die Schwiegertochter
6. _a_ der Schwager
7. _e_ die Schwägerin

a Ehemann meiner Schwester / der Bruder meines Ehepartners
b Ehefrau meines Sohnes
c Eltern meines Ehepartners
d Ehemann meiner Tochter
e Ehefrau meines Bruders / die Schwester meines Ehepartners
f Vater meines Ehepartners
g Mutter meines Ehepartners

b Wie heißen diese Bezeichnungen in Ihrer Sprache? Welche Unterschiede gibt es?

In-Laws   _negative_

2 Ergänzen Sie den Text.

sich kennenlernen	zur Welt kommen	Witwe sein	heiraten	sterben
zusammen sein	sich scheiden lassen		schwanger sein	

Ulla und Bernd (1) _sind_ schon sehr lange _zusammen_. Sie haben (2) _sich_ in
einem Café _kennengelernt_. Vor einem Monat haben die beiden (3) ~~schwanger~~ _geheiratet_.
Bernds Eltern leben nicht mehr zusammen. Sie haben (4) _sich_ nach zehn Ehejahren
scheiden lassen. Ullas Mutter (5) _ist Witwe_. Ihr Mann (6) _ist~~hat~~_ bei einem
Autounfall _gestorben_. Ulla (7) _heiratet~~ist schwanger~~_ sie erwartet ein Kind. Das Kind
soll im August (8) _zur Welt kommen_.

3 Welches Wort passt nicht in die Reihe?

1. verlassen – sich scheiden lassen – ~~sich kennenlernen~~ – sich trennen
2. die Hochzeit – das Standesamt – die Taufe – ~~die Beerdigung~~
3. der Kuss – die Sehnsucht – ~~die Eifersucht~~ – die Liebe
4. gespannt – ~~zärtlich~~ – aufgeregt – nervös
5. das Verständnis – ~~das Misstrauen~~ – der Respekt – die Toleranz
6. der Schleier – der Ehering – ~~der Schwiegervater~~ – der Brautstrauß
7. die Familie – ~~der Bekannte~~ – die Verwandtschaft – der Freundeskreis
8. schimpfen – ~~sich verlieben~~ – streiten – enttäuschen
9. die Krise – der Konflikt – ~~das Gespräch~~ – der Krach
10. ledig – ~~verlassen~~ – geschieden – ~~verheiratet~~

4 In diesem Suchrätsel sind sieben Substantive zum Thema „Hochzeit" versteckt. Notieren Sie die Wörter.

N	T	B	S	T	A	N	D	E	S	A	M	T	P
M	H	T	R	A	U	U	N	G	Q	Q	G	H	V
V	P	O	L	T	E	R	A	B	E	N	D	P	Z
H	E	I	R	A	T	S	U	R	K	U	N	D	E
T	R	A	U	Z	E	U	G	E	H	B	H	J	H
Y	Z	K	H	B	R	Ä	U	T	I	G	A	M	E
E	Q	K	K	S	I	E	H	E	R	I	N	G	Q

1. das Dokument über die Eheschließung: Heiratsunkunde

2. der Abend vor der Hochzeit, den man meist mit Freunden feiert:
Polterabend

3. die Behörde, vor der man die Ehe schließt und an die man Geburten oder Todesfälle meldet:
Standesamt

4. die Person, die die Trauung bezeugt: Trauzeug

5. ein Mann am Tag seiner Hochzeit: Bräutigam

6. der Ring, den das Paar vom Hochzeitstag an trägt: Ehering

7. die Zeremonie auf dem Standesamt oder in der Kirche: Trauung

5 Bilden Sie zusammengesetzte Wörter mit den Substantiven *Ehe* und *Hochzeit*. Das Wörterbuch hilft. Notieren Sie die Wörter mit Artikel.

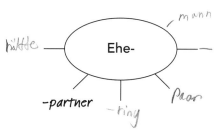

Ehe-
hälfte — -mann — -partner — -ring — Paar

Hochzeits-
-album — unzeige — anzug — -feier — abend — tage

der Ehepartner
der Ehe ring
das Ehe Paar
die Ehe
die Ehe hälfte !!
der Ehe mann

die Hochzeitsfeier
der Hochzeitsabend
der Hochzeits tag
der Hochzeits anzug
die Hochzeits anzeige
das Hochzeits album

Lebensformen

1a Lesen Sie den ersten Abschnitt eines Textes über verschiedene Lebensformen in Deutschland und ergänzen Sie die Zahlenwerte.

1. __60__ %:   zwei Partner, die verheiratet zusammenleben
2. __7__ %:   zwei Partner, die zusammenleben, aber nicht verheiratet sind
3. __20__ %:   Menschen, die ohne Partner leben

b Lesen Sie den ganzen Text und ordnen Sie die Notizen aus dem Kasten zu.

> wenige unverheiratete Paare
>
> mehr Menschen ohne Partner
>
> mehr Alleinerziehende und unverheiratete Paare mit Kindern
>
> Ehe: häufigste Lebensform   immer mehr Paare ohne Kinder

Pluralisierung der Lebensformen

1 (...) Die Lebensform, in der zwei Partner verheiratet zusammenleben, ist weiterhin die überwiegende und deutlich dominierende Lebensform der Bevölkerung in Deutschland mit knapp 60%. Unverheiratet zusammen-
5 lebende Paare stellen weiterhin eine Minderheit von rund 7% dar. Gut 20% leben allein.

Drei Trends zeichnen sich in den Entwicklungen der letzten Jahre ab:
Erstens spielt sich das Leben mit Kindern in zuneh-
10 mendem Maße nicht nur im Zusammenhang mit ver-heirateten Paaren ab. Der Anteil unverheirateter Paare mit Kindern und Alleinerziehender steigt, während der Anteil verheirateter Paare mit Kindern demgegenüber zurückgeht.
15 Zweitens nimmt der Anteil der Bevölkerung zu, der in Paargemeinschaften ohne Kinder lebt.
Drittens steigt die Bedeutung des Alleinlebens in der Verteilung privater Lebensformen – was nicht zuletzt auf den zunehmenden Anteil älterer Bevölkerungs-
20 gruppen zurückzuführen ist, die mit zunehmenden Alter oft als Witwe beziehungsweise Witwer allein leben.

1. Ehe: häufigste Lebensform.
2. weniger unverheiratete Paare
3. mehr Alleinerziehende und unverheiratete Paare mit Kindern
4. immer mehr Paare ohne Kinder
5. mehr Menschen ohne Partner

2 Familien mit kleineren Kindern: Bei weniger als 1% der Elternpaare entscheiden sich die Väter dafür, ein bis drei Jahre zu Hause zu bleiben (Elternzeit). Andererseits meinen über 60% der Männer, dass sie sich mehr an der Kinderbetreuung beteiligen sollten.

a Warum übernehmen so wenige Väter die Rolle des Hausmanns? Machen Sie eine Liste mit möglichen Gründen.

Gehalt, Tradition, bessere Arbeit / mehr Geld verdienen, Hartnäckigkeit

80

b Sehen Sie die Grafik an und vergleichen Sie die hier genannten Gründe mit Ihren Vermutungen.

Hürden für Väter in der Elternzeit

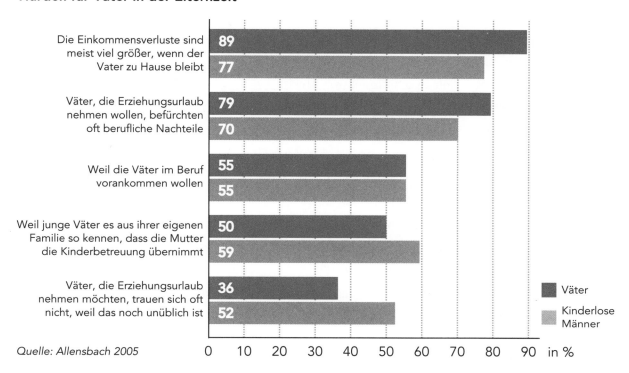

Die Einkommensverluste sind meist viel größer, wenn der Vater zu Hause bleibt	89 / 77
Väter, die Erziehungsurlaub nehmen wollen, befürchten oft berufliche Nachteile	79 / 70
Weil die Väter im Beruf vorankommen wollen	55 / 55
Weil junge Väter es aus ihrer eigenen Familie so kennen, dass die Mutter die Kinderbetreuung übernimmt	50 / 59
Väter, die Erziehungsurlaub nehmen möchten, trauen sich oft nicht, weil das noch unüblich ist	36 / 52

Väter
Kinderlose Männer

Quelle: Allensbach 2005   0 10 20 30 40 50 60 70 80 90 in %

c In der Grafik werden Gründe genannt, warum Väter keine Elternzeit nehmen. Welche Gründe sprechen dafür? Sammeln Sie. Überlegen Sie Gründe aus Sicht des Vaters, der Mutter und auch des Kindes.

d Wie ist das in Ihrem Land? Berichten Sie.

LB 2.8

3 Hören Sie noch einmal den ersten Abschnitt des Radiobeitrags von Aufgabe 2 im Lehrbuch. Welche Aussagen sind richtig, welche falsch? Kreuzen Sie an.

	r	f
1. Ehen in Deutschland werden immer häufiger geschieden.	☐	☐
2. Ehescheidungen haben meistens den gleichen Grund.	☐	☐
3. Heute sind mehr Menschen schnell bereit, eine Partnerschaft aufzugeben.	☐	☐
4. Da Frauen seltener finanziell von ihren Männern abhängig sind, können sie einer Trennung eher zustimmen als früher.	☐	☐
5. Viele Männer sind bereit, Hausarbeiten zu übernehmen.	☐	☐
6. Gut 20% der Kinder in Deutschland wachsen nicht bei ihren leiblichen und verheirateten Eltern auf.	☐	☐

4 Ergänzen Sie die Reflexivpronomen.

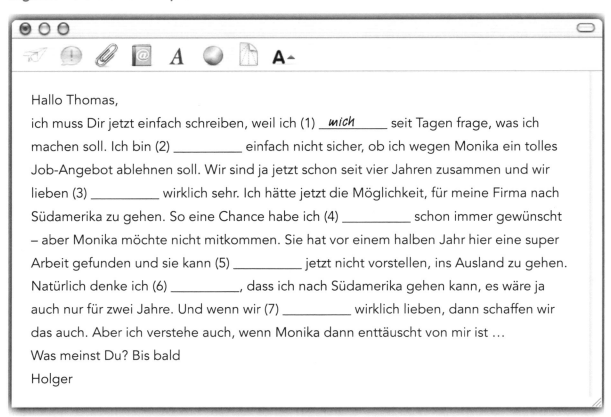

Hallo Thomas,

ich muss Dir jetzt einfach schreiben, weil ich (1) _mich_ seit Tagen frage, was ich

machen soll. Ich bin (2) _____ einfach nicht sicher, ob ich wegen Monika ein tolles

Job-Angebot ablehnen soll. Wir sind ja jetzt schon seit vier Jahren zusammen und wir

lieben (3) _____ wirklich sehr. Ich hätte jetzt die Möglichkeit, für meine Firma nach

Südamerika zu gehen. So eine Chance habe ich (4) _____ schon immer gewünscht

– aber Monika möchte nicht mitkommen. Sie hat vor einem halben Jahr hier eine super

Arbeit gefunden und sie kann (5) _____ jetzt nicht vorstellen, ins Ausland zu gehen.

Natürlich denke ich (6) _____, dass ich nach Südamerika gehen kann, es wäre ja

auch nur für zwei Jahre. Und wenn wir (7) _____ wirklich lieben, dann schaffen wir

das auch. Aber ich verstehe auch, wenn Monika dann enttäuscht von mir ist …

Was meinst Du? Bis bald

Holger

5 Schreiben Sie Tipps für
Patchwork-Familien.

1. Unsicherheiten: Unterhaltung
   mit dem Partner und anderen
   Personen
2. Probleme: Austausch mit allen
   Betroffenen
3. Zeit nehmen: gemeinsam
   Dinge unternehmen
4. Überlegen: Regeln, die für
   alle gelten
5. sich bewusst machen:
   Fairness ist sehr wichtig

1. _Unterhalten Sie sich bei Unsicherheiten mit_ _____
2. _Tauschen Sie_ _____
3. _Nehmen Sie_ _____
4. _Überlegen Sie_ _____
5. _Machen Sie_ _____

1a Lesen Sie den Text. Um was für eine Textsorte handelt es sich? Kreuzen Sie an.

☐ Bedienungsanleitung   ☐ Werbetext

☐ Ratgeber   ☐ Stellungnahme

Per Online-Flirt zum neuen Partner

1 In Deutschland gibt es über 14 Millionen Singlehaushalte – viele von diesen Menschen leben jedoch nicht freiwillig allein. Bei der Partnersuche setzen immer mehr Singles aufs
5 Internet. Doch was im wirklichen Leben mit ein paar Blicken und dem Verstand geklärt werden kann, funktioniert im Netz nach eigenen Gesetzen. Wenn man diese nicht kennt oder zu unerfahren an die Sache geht, kann
10 es schnell zu Missverständnissen kommen.

Das Wichtigste ist, die passende Kontaktbörse zu finden. Diese sollte man sehr sorgfältig auswählen. Die meisten Plattformen bieten sowohl die Möglichkeit, einfach nur
15 zu flirten oder die Freizeit miteinander zu verbringen. Darüber hinaus gibt es Angebote für spezielle Zielgruppen, zum Beispiel für Menschen, die neu in eine Stadt gezogen sind, oder für Landwirte.

20 Viele Flirtbörsen bieten auch ein kostenloses „Reinschnuppern" an, bei dem man ausprobieren kann, ob sich die Mitgliedschaft lohnt. Vorsicht ist dagegen geboten, wenn bei Chatrooms gleich nach der Kreditkarten-
25 nummer gefragt wird.

Wenn man eine geeignete Plattform gefunden hat, dann legt man sein Profil an. Das Profil, das sich jedes Mitglied anlegt, ist seine Visitenkarte. Ein fantasie- und humorvoller
30 Spitzname erhöht die Chancen, angeklickt zu werden. Wer als hundertste „suessemaus" online geht, erregt keine große Aufmerksamkeit. Vorsicht bei der Herausgabe von persönlichen Daten: Der Nachname sollte
35 im „Künstlernamen" nicht auftauchen. Wie bei einer Bewerbung ist auch hier das Bild enorm wichtig. Das Foto sollte qualitativ gut, nicht älter als ein halbes Jahr und nicht zu anzüglich sein. Bevor man den Profiltext
40 formuliert, sollte man sich seine guten und schlechten Eigenschaften bewusst machen

und überlegen, was einem beim Partner wichtig ist. Bei der Selbstdarstellung ist Ehrlichkeit wichtig. Schummeln – etwa bei
45 Gewicht oder Größe – fällt sowieso beim ersten Date auf.

Wenn man dann eine nette Bekanntschaft gemacht hat, sollte man nicht gleich die Telefonnummer, E-Mail-Adresse oder ande-
50 re persönliche Daten herausgeben. Man lernt die Chatpartner nicht wirklich kennen, das macht sie schlecht einschätzbar. Wer beim Chatten ein Pseudonym verwendet, bleibt anonym. Sollte es mal unangenehm werden,
55 wechselt man einfach den Namen.

Welcher Zeitpunkt der richtige für ein Treffen ist, das kann einem nur das Gefühl sagen. Die Erwartungen sollte man nicht zu hoch stecken. Wenn einem der andere ge-
60 fällt, kann man dies jedoch ehrlich zum Ausdruck bringen. Das Gleiche gilt, wenn man kein Interesse an einem weiteren Kontakt hat.

1b **Berichten Sie einem Freund / einer Freundin, der/die auf Partnersuche ist, von dem Artikel. Schreiben Sie zu den folgenden Punkten ein bis zwei Sätze.**

1. Auswahl der Kontaktbörse
2. Anlegen eines Profils
3. Umgang mit einer Bekanntschaft
4. das erste Treffen

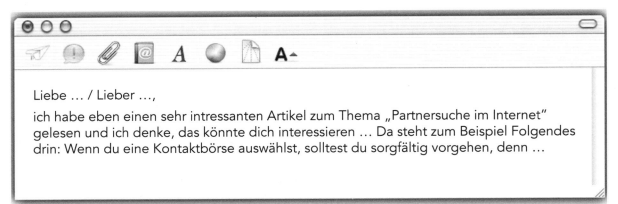

> ● ● ●
>
> Liebe … / Lieber …,
>
> ich habe eben einen sehr intressanten Artikel zum Thema „Partnersuche im Internet"
> gelesen und ich denke, das könnte dich interessieren … Da steht zum Beispiel Folgendes
> drin: Wenn du eine Kontaktbörse auswählst, solltest du sorgfältig vorgehen, denn …

2 **Lesen Sie den Brief. Bringen Sie die Sätze in die richtige Reihenfolge.**

> **TIPP** **Textzusammenhänge verstehen**
> Um die logischen Zusammenhänge in Texten besser zu verstehen, achten Sie besonders auf
> Konnektoren (z.B. *deswegen, darum*), Pronomen (z.B. *er, es, man*) und Adverbien (z.B. *dort,*
> *dahin, darüber*).

	Dem kann ich nur zustimmen, denn ich war selbst sehr lange Single,	3	Sie schreiben darin, dass viele Singles ihr Glück im Internet suchen und finden.
	bis mir die Idee kam, Mitglied in einer Kontaktbörse zu werden.	14	Simone Lerchner
4	Für solche Menschen ist diese Art der Partnersuche sehr effektiv und hilfreich.		dass man in Kontaktbörsen Menschen treffen kann, die alle nicht mehr allein sein wollen.
	Am Ende möchte ich sagen, dass ich auf diese Weise einen sehr netten Menschen kennengelernt habe.		Dort habe ich nur gute Erfahrungen gemacht und ich denke, das Kennenlernen im Internet hat viele Vorteile.
	Darüber bin ich sehr glücklich. Aus diesem Grund bereue ich meine Anmeldung in der Kontaktbörse nicht und	1	Sehr geehrte Damen und Herren,
2	mit großem Interesse habe ich Ihren Artikel „Boom im Netz der einsamen Herzen" gelesen.		Der wichtigste Vorteil für mich ist,
13	Mit freundlichen Grüßen		möchte diese Art des Kennenlernens allen Lesern empfehlen.

?
① Notieren Sie, was die drei Paare verbindet. A

Anne und Paulo	können nach Wien gehen.
Maja und Ernst	können viel zusammen lachen mit.
Pia und Cornelius	können einen Drachen finden.

2 Welche Adjektive beschreiben das Aussehen eines Menschen und welche den Charakter?
Sortieren Sie. Welche Adjektive kennen Sie noch? Ergänzen Sie.

aufrichtig   tolerant   liebenswürdig   temperamentvoll   gepflegt   verlässlich

mollig   egoistisch   warmherzig   ehrlich   sensibel   begeisterungsfähig   elegant   ernst

trainiert   geduldig   hübsch   schlank   sportlich   gesprächig   modern

Aussehen	Charakter	
trainiert	aufrichtig	liebenswürdig
elegant	tolerant	begeisterungsfähig
sportlich	temperamentvoll	ehrlich
hübsch	sensibel	
modern	egoistisch	
gepflegt	verlässlich	
mollig	geduldig	
schlank	ernst	
gesprächig	warmherzig	

3 Bilden Sie Relativsätze.

1. Das ist der Mann, ...
   a Er hat eine sportliche Figur.
   b Ihn finde ich sehr nett.
   c Gestern bin ich ihm begegnet.
   d Ich möchte mit ihm tanzen gehen.

2. Das ist die Frau ...
   a Sie wohnt in meinem Haus.
   b Gerne möchte ich sie treffen.
   c Ich schulde ihr Geld.
   d Mit ihr würde ich mich gerne verabreden.

3. Das ist das Kind, ...
   a Es spielt vor dem Haus.
   b Man hört es oft weinen.
   c Dieses Spielzeug gehört ihm.
   d Morgen beginnt für das Kind die Schule.

4. Das sind die Leute, ...
   a Sie sind gestern neu eingezogen.
   b Für morgen habe ich sie eingeladen.
   c Unser Garten gefällt ihnen.
   d Lange habe ich mit ihnen geredet.

2a Das ist die Frau, die in meinem Haus wohnt.
2b Das ist die Frau, die ich treffen möchte.
2c Das ist die Frau, der ich Geld schulde.
2d Das ist die Frau, der ich mich mit gerne verabreden würde.

1a Das ist der Mann, der eine sportliche Figur hat.
1b Das ist der Mann, den ich sehr nett finde.
1c Das ist der Mann, dem ich gestern begegnet bin.
1d Das ist der Mann, dem ich mit tanzen gehen möchte.
3a Das ist das Kind, das vor dem Haus spielt.
3b Das ist das Kind, das man oft weinen hört.

4a Das sind die Leute, die gestern neu eingezogen sind.
4b Das sind die Leute, die ich für morgen eingeladen habe.
4c Das sind die Leute, denen unser Garten gefällt.
4d Das sind die Leute, denen ich lange geredet habe.
3c Das ist das Kind, dem dieses Spielzeug gehört.
3d Das ist das Kind, für das morgen die Schule beginnt.

85

4 Ergänzen Sie das Relativpronomen.

Wenn Liebe blind macht

Nun ist es wissenschaftlich bewiesen: Liebe macht blind. Das haben zwei Forscher des University College in London herausgefunden, (1) _die_ zwanzig jungen Frauen Bilder von ihren Kindern vorlegten und dabei gleichzeitig ihre Gehirne scannten. Zum Vergleich führten die Forscher einen Versuch durch, in (2) _dem_ sie den Frauen dieses Mal Bilder von Kindern vorlegten, (3) _die_ sie nicht kannten. Das Ergebnis, (4) _das_ die Wissenschaftler nicht überraschte, war: Beim Anblick der eigenen Kinder stieg die Aktivität in ganz bestimmten Teilen des Gehirns. Das gleiche Phänomen hatten die Wissenschaftler in einer früheren Studie entdeckt, in (5) _der_ sie testeten, welchen Einfluss Verliebtheit auf die Gehirntätigkeit hat. Auch in diesem Fall wurden bestimmte Gehirnregionen aktiviert. Diese Aktivierung aber bedeutet, dass die betroffenen Regionen, (6) _die_ im Alltag unter anderem für die Lösung komplizierter Aufgaben, für unser Gedächtnis, unsere Aufmerksamkeit und unser Wahrnehmungsvermögen zuständig sind, angesichts der Person, in (7) _die_ man verliebt ist, nicht mehr richtig funktionieren. Fazit: Liebe macht tatsächlich blind. Verliebte sehen mit anderen Augen und nehmen nur selektiv wahr.

5 Ergänzen Sie die Sätze mit den Relativpronomen *wo*, *wohin*, *woher* und *was*.

1. Meine Frau arbeitet wieder, _was_ sie sehr freut.
2. Meine Freundin arbeitet in dem Büro, _wo_ auch meine Mutter arbeitet.
3. Meine Kollegin stammt aus Polen, _woher_ auch mein Mann kommt.
4. Mein Nachbar kommt aus Italien, _wohin_ wir oft in Urlaub fahren.
5. Mein Freund raucht sehr viel, _was_ nicht gesund ist.

6 Beschreiben Sie Personen, die Sie kennen. Verwenden Sie dabei Relativsätze.

Das ist Horst, den ich im letzten Urlaub kennengelernt habe. Er hat ein Haus, das so groß ist wie ein Schloss ...

Eine seltsame Geschichte

Schön

d. 30. 10. 2013
Sehr gut, aber bitte #1 Seite 85

1a Ergänzen Sie die Texte zum Comic.

b Vergleichen Sie Ihren Comic mit der folgenden Erzählung.

Das Beste aus meinem Leben

Axel Hacke

1 In einer Ehe kämpft man kleine und große Kämpfe, und jeder nutzt dabei seine besten Waffen. Paolas Hauptwaffe ist ihre überwältigende Beredsamkeit, meine eine gewisse Zähigkeit oder sagen wir: Denken in langen Zeiträumen.

Ich möchte das an einem Beispiel erläutern. Jahrelang hatten wir einen Stuhl im Schlafzimmer,
5 einen mit weißem Stoff bezogenen Stuhl. Ich glaube, ich habe nie auf diesem Stuhl gesessen, und auch Paola hat, soweit ich mich irgend erinnern kann, nie Platz darauf genommen. Trotzdem stand er da, bis Paola eines Tages sagte, es gefalle ihr nicht, dass der Stuhl im Schlafzimmer stehe. Ich sagte, es gefalle mir schon, doch sie wiederholte, es gefalle ihr nicht, *es sehe so unordentlich aus.*

„Wieso sieht es unordentlich aus, wenn da ein Stuhl steht?", fragte ich.
10 „Weil du immer deine Sachen darauf ablegst!"

„Aber irgendwo muss ich meine Sachen ablegen."

„Du könntest sie auch in den Kleiderschrank tun."

„Warum soll ich eine Hose in den Kleiderschrank tun, wenn ich sie morgen wieder anziehen will?"

„Weil's ordentlich ist. Ein Stuhl ist zum Sitzen da, aber auf dem Stuhl kann niemand sitzen, weil
15 immer Sachen darauf liegen. Das mag ich nicht. Das ist der Grund, weshalb du die Sachen in den Schrank tun sollst: weil ich es möchte. Weil es mich zufrieden machen würde. Weil du mich über alles liebst und willst, dass ich zufrieden bin." Ich machte ein Geräusch, an das ich mich nicht mehr genau erinnere, und ein paar Tage später stand der Stuhl neben der Wohnungstür. Paola hatte einen Zettel daran befestigt, auf dem stand: „Bitte in den Keller!" Und ich brachte den Stuhl in den Keller.
20 Ich tat etwas, was ich für falsch hielt. Ich machte mich zum Werkzeug des Willens meiner Frau.

Aber ich gab damit meine eigenen Ziele nicht auf. Ich wusste, dass eines Tages wieder ein Stuhl in unserem Schlafzimmer stehen würde – weil es sinnvoll ist, dass da ein Stuhl steht. Ich bin nämlich im Gegensatz zu Paola keineswegs der Auffassung, dass ein Stuhl nur zum Sitzen da ist. Man kann auf einem Stuhl sitzen. Man kann sich zum Beispiel aber auch nur vorstellen, dass auf einem Stuhl
25 jemand sitzt. (…) Man kann drittens sowohl auf das Sitzen als auch auf die Vorstellung des Sitzens verzichten und dem Stuhl ganze Bedeutungsdimensionen hinzufügen, indem man Sachen auf ihm ablegt, so wie Paola unseren Esstisch keineswegs nur zum Essen nutzt, sondern auch, um ihn mit Briefen der Krankenversicherung zu bedecken. Und wie Luis den Fußboden seines Zimmers nicht seinen Füßen vorbehält, sondern ihn so mit Legosteinen, Klamotten, Büchern und Spielkarten
30 bedeckt, dass seine Füße dort gar keinen Platz mehr finden. Was dem Esstisch und dem Fußboden recht ist, sollte einem Schlafzimmerstuhl billig sein. Das nur nebenbei. Es kam jedenfalls der Tag, an dem wir Gäste hatten. Wir haben normalerweise nur vier Stühle um den Esstisch stehen. Ich ging in den Keller und holte weitere Stühle, darunter den erwähnten, mit weißem Stoff bezogenen Ex-Schlafzimmerstuhl. Als die Gäste gegangen waren, stellte ich diesen wieder ins Schlafzimmer.
35 Legte eine Hose und einen Pullover darauf, die ich beide am nächsten Tag wieder zu tragen beabsichtigte. Ich gab dem Stuhl auf diese Weise etwas Unauffälliges, charmant Dahingestelltes, Schonimmerdagewesenes. Paola hat noch gar nicht bemerkt, dass er wieder da ist, der Stuhl. Oder sie hat im Moment nicht die Energie, mich wieder mit ihm in den Keller zu schicken. Oder sie erkennt nun auch die Vorteile eines solchen Stuhls neben unserem Kleiderschrank. Wahrscheinlicher
40 ist, dass sie bald auf die Sache zu sprechen kommt. Wahrscheinlich ist, dass der Stuhl wieder im Keller landet. Ganz sicher ist, dass wir mal wieder Gäste haben.

c Wie geht die Geschichte weiter? Setzen Sie den Comic fort oder schreiben Sie die Geschichte weiter.

So schätze ich mich nach Kapitel 7 ein: Ich kann ...	+	0	–	Modul/ Aufgabe
... einen Radiobeitrag zu Alleinerziehenden und Patchworkfamilien verstehen.				M1, A2a, b, c
... Zeitschriftentexte über „Die große Liebe" verstehen.				M3, A2
... die wichtigsten Ereignisse in einem Romanauszug verstehen und die Hauptpersonen erkennen.				M4, A1a, 2b, 3
... aus einer Grafik zum Thema „Lebensformen" die wichtigsten Informationen nennen.				M1, A1a, b
... meinen Traumpartner / meine Traumpartnerin beschreiben.				M3, A4
... einen Romanauszug positiv oder negativ bewerten und meine Meinung begründen.				M4, A1b, 4
... Vermutungen über die Fortsetzung und das Ende einer Geschichte anstellen.				M4, A1c, 2d
... über die Hauptfigur in einem literarischen Text sprechen.				M4, A2c
... Notizen zu einem Radiobeitrag über Alleinerziehende und Patchworkfamilien machen und ein kurzes Porträt schreiben.				M1, A2c, d
... positive und negative Aspekte aus einem Text zur Kontaktsuche per Internet notieren.				M2, A1b
... einen Leserbrief schreiben.				M2, A2
... schreiben, wie mir eine Geschichte gefallen hat.				M4, A5

Das habe ich zusätzlich zum Buch auf Deutsch gemacht: (Projekte, Internet, Filme, Texte, ...)		
	Datum:	Aktivität:

Kaufen, kaufen, kaufen

Vor dem Start: Erinnern Sie sich? Diese Übungen bereiten Sie auf das Kapitel vor.

1 Was fällt Ihnen alles zum Thema „Kaufen" ein? Machen Sie einen Mind Map.

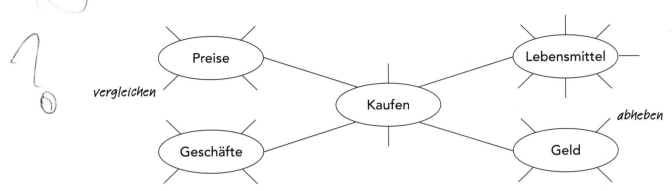

vergleichen

abheben

2a Wie heißen die neun Verben rund um das Thema „Einkaufen"?

1. SLELBTENE   _b e s t e l l e n_
2. LOAHENB   _a b h o l e n_
3. EANPNKEIC   _e i n p a c k e n_
4. TMNAUHSUEC   _u m t a u s c h e n_
5. CUZÜKEGNRBE   _z ü r u c k g e b e n_
6. BAEGEUSN   _a u s g e b e n_
7. ENLAHZ   _z a h l e n_
8. NKUEFENAI   _e i n k a u f e n_
9. FGLLEAEN   _g e f a l l e n_

b Ergänzen Sie die Verben aus a in der richtigen Form.

○ Ich gehe noch in die Stadt (1) _einkaufen_, kommst du mit?

● Ja, warte, ich wollte sowieso ein Buch (2) ~~zurückgeben~~ _abholen_, das ich gestern

  (3) ~~eingekauft~~ *bestellt* habe. Und den Pulli hier nehme ich auch mit, er (4) _gefällt_

  mir nicht, ich will ihn (5) _umtauschen_, ich nehme doch lieber einen blauen.

○ Na, hoffentlich haben sie noch einen blauen.

● Bestimmt. Und wenn nicht, kann ich den Pulli sicherlich (6) _~~bestellen~~_ *zurückgeben*. Ich habe in

  dem Geschäft schon so viel Geld für Kleider (7) _ausgegeben_, die kennen mich schon.

□ Guten Tag, ich nehme diese Kette hier. Können Sie sie mir bitte als Geschenk

  (8) _~~abholen~~ einpacken_? Und, kann ich mit Karte (9) _zahlen_?

3 Sehen Sie sich noch einmal die Seiten 120 und 121 im Lehrbuch an. Sammeln Sie Wörter zu den Zeichnungen.

Einkaufswagen, tiefgekühltes Hähnchen, ...

4a In welches Fachgeschäft gehen Sie, wenn Sie ... ?

1. _g_ Brötchen und Nusshörnchen einkaufen möchten?
2. _d_ einen Hammer, eine Säge und Nägel brauchen?
3. _f_ frisches Fleisch kaufen möchten?
4. _c_ zwei Kästen Cola zu einem Fest mitbringen wollen?
5. _b_ jemandem ein Buch schenken wollen?
6. _e_ eine Tageszeitung kaufen wollen?
7. _a_ Duschgel und Zahnpasta brauchen?

a Drogeriemarkt
b Buchhandlung
c Getränkemarkt
d Baumarkt
e Kiosk
f Metzgerei/Fleischerei
g Bäckerei

b Schreiben Sie eine kurze Geschichte, in der vier Fachgeschäfte aus 4a vorkommen.

Gestern hatte ich einen ganz blöden Tag. Ich wollte nur kurz Brot einkaufen gehen, aber ...

5 Suchen Sie die Oberbegriffe und ergänzen Sie jeweils drei weitere Wörter.

| BEL | DUNG | SCHREIB | MÖ | GE | KLEI | SCHIRR | WAREN |

1. _Klei dung_ _____
   der Rock – die Socke – der Mantel – die Jacke _____

2. _____
   der Stuhl – der Tisch – die Lampe – das Sofa _____

3. _____
   der Teller – die Kanne – die Tasse – die Schüssel _____

4. _____
   der Radiergummi – die Büroklammer – das Heft – der Füller _____

6a Welche Beschreibung passt zu welchem Nomen? Drei Erklärungen passen nicht.

1. _f_ die Werbung
2. _b_ das Einkaufscenter
3. _h_ die Reklamation
4. _a_ die Sonderaktion
5. _d_ das Schnäppchen
6. _g_ der Preisnachlass

a ein Angebot, das nur für einen bestimmten Zeitraum gültig ist
b ein großes Gebäude, in dem es viele unterschiedliche Geschäfte und Restaurants gibt
c von außen einsehbarer Bereich eines Geschäfts, in dem Waren ausgestellt sind
d etwas, das man sehr günstig eingekauft hat
e ein Zettel oder ein kleines Heft mit einer Beschreibung, wie ein Gerät funktioniert
f Maßnahme (z.B. im Radio oder Fernsehen), mit der man versucht, Leute für sein Produkt zu interessieren
g ein Rabatt
h eine Beschwerde über ein fehlerhaftes Produkt
i ein kleiner abgetrennter Raum in einem Kaufhaus, in dem man Kleidung anprobieren kann

b Wie heißen die Wörter zu den drei Erklärungen, die in 6a übrig geblieben sind?

Dinge, die die Welt (nicht) braucht

1a Lesen Sie die Produktbeschreibung und notieren Sie die Zwischenüberschriften aus dem Kasten neben den entsprechenden Textstellen.

Handhabung	Materialien	Umsetzung der Idee	Wie die Idee entstand

Was auf die Ohren?

1 Im Jahre 1994, während der Olympischen Winterspiele in Lillehammer/Norwegen, fror ein gewisser Tom Natvik mächtig an den Ohren. Nachdem er, so wird jedenfalls be-
5 richtet, eine Woche lang mit den Händen an den Ohren den Athleten zugeschaut hatte (Mütze und Stirnbänder mochte er nicht), hatte er eine ganz einfache Idee. Nach zahl-reichen Tests von Materialien und Produk-
10 tionsmethoden gründete der Schwede zwei Jahre später die „ear bag AG" in Uppsala. Seine band- und bügellosen Ohrwärmer aus Fleece – es gibt sie auch gestrickt oder aus Kunstfell – verkauften sich bis heute welt-
15 weit rund drei Millionen Mal. „Earbags" wer-den ganz einfach über die Ohren gestülpt und dann angedrückt. Mithilfe eines Klapp-Mechanismus sitzen sie dann fest aber be-quem am Ohr – und die Frisur bleibt, wie sie
20 ist.

Handhabung – macht den Ohren warm mit der Hande?

Materialen – Fleece

Umsetzung der Idee – Er brauchte etwas für seine kalter Ohren

Wie die Idee Entstand → gut, viele Menschen hatte es gekauften

b Wie gefallen Ihnen die Earbags? Würden Sie welche tragen oder jemandem Earbags schenken? Begründen Sie in einem kurzen Text Ihre Meinung.

2 Was gehört zusammen?

1. __A__ Er schnallt die Siebenmeilenstiefel

2. __C__ Pass auf, der Wein tropft

3. __e__ Er hat Siebenmeilenstiefel

4. __f__ Jetzt ist schon wieder ein Rotweinfleck

5. __a__ Sie steckt sich sehr oft den Klingelring

6. __d__ Hast du den Klingelring

a an ihren Daumen.

b an seinen Beinen.

c auf die Tischdecke.

d an ihrem Daumen gesehen?

e an seine Beine.

f auf der Tischdecke.

3 Schreiben Sie Sätze.

1. ich / das Monokular / immer / in / die Tasche / tragen / .
2. er / die Earbags / jeden Morgen / auf / die Ohren / sich setzen / .
3. der Tropfenfänger / in / die Flasche / sein / .
4. haben / du / das Monokular / vorhin / in / die Tasche / stecken / ?
5. sein / die Earbags / in / der Rucksack / ?
6. er / der Tropfenfänger / in / die Rotweinflasche / stecken / .
7. der Klingelring / in / das Auto / liegen / .

1. *Ich trage das Monokular immer in der Tasche.*

Er setzt sich jeden Morgen die Earbags auf die Ohren.

Der Tropfenfänger ist in der Flasche.

Hast du das Monokular vorhin in die Tasche gesteckt?

Sind die Earbags im Rucksack?

Er steckt den Tropfenfänger in die Rotweinflasche.

Der Klingelring liegt im Auto.
   ↑
   wo?

4 Ergänzen Sie.

Hallo Robert,

letzte Woche war ich (1) ____im____ (in/der) Urlaub (2) ___in einem___ (in/ein)

kleinen Hotel (3) ____im____ (in/das) Allgäu. Dort gab es ein sehr gutes Frühstück und

der Frühstückraum war sehr schön. Er war (4) __über einem__ (über/ein) Bach gebaut und

(5) ____im____ (in/der) Boden waren Glasfenster, sodass man (6) __auf den__

(auf/der) Bach sehen konnte. Gleich (7) __hinter dem__ (wo?) (hinter/der) Eingang auf der linken

Seite war das Buffet. Hier gab es alles: (8) __neben den__ pl. (neben/die) Käsesorten standen

viele leckere Wurst- und Schinkenspezialitäten. (9) __Vor dem__ (wo?) (vor/das) Buffet stand

auch ein Sekteimer mit kühlem Sekt und natürlich gab es (10) __neben diesem__ (wo?) (neben/

dieses) Buffet noch ein zweites mit gekochten Eiern, Rühreiern, Speck und gebratenen

Würsten. (11) __Auf jedem__ (m) (auf/jeder) Tisch standen frische Blumen und ein „Eierköpfer"

– kennst du so etwas?

Liebe Grüße

Tina

5 „Clack – Der Eierköpfer": Bringen Sie die Wörter
in die richtige Reihenfolge und beschreiben Sie,
was man mit diesem Produkt macht.

aufsetzen	die Kugel	nach oben ziehen	die Kappe
der Edelstahl	fallen lassen	durchtrennen
die Eierschale	aufbrechen	absetzen	das Messer

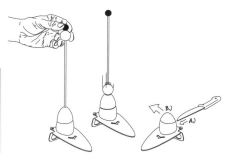

Konsum heute

1 Sortieren Sie die Wörter und Ausdrücke. Manche passen in beide Kategorien.

feilschen   der Verkaufsstand   billig   mit Kreditkarte zahlen   um den Preis handeln

das Geschäft   die Neuware   gebrauchte Waren   Trödelmarkt   die Werbung

das Sonderangebot   nach Raritäten suchen   die Kundenkarte   umtauschen   der Händler / die Händlerin

Flohmarkt	Einkaufszentrum
feilschen nach Raritäten suchen	das Geschäft die Kundenkarte
der Verkaufstand trödelmarkt	die Neuware umtauschen
billig um den Preis handeln	die Werbung mit Kreditkarte zahlen
das Sonderangebot	der Händler gebrauchte waren

2 Bilden Sie zusammengesetzte Nomen. Notieren Sie auch den Artikel.

KRAFT	TASCHEN	VERHALTEN	BETRAG	VERTRAG	AUTOMAT
FALSCH	-KAUF-	-GELD-	-KONSUM-		RATEN
BEUTEL	SCHEIN	HAUS	SORGEN	DENKEN	SUMME	VERZICHT

das Taschengeld, ... das kaufhaus

3 Hören Sie die Diskussion zu den Aufgaben 3 bis 5 im Lehrbuch noch einmal und beschreiben Sie die drei Personen in kurzen Texten. Benutzen Sie auch die Satzanfänge.

LB 2.11

1. Herr Kolonko
Herr Kolonko hat sich nach einem Herzinfarkt entschieden, ... und lebt jetzt ...
Er verzichtet auf ... und findet ...
Seiner Ansicht nach sollen Kinder ...

auf einem Einsiedlerhof
in der nähe von Freiburg.

2. Frau Zöller
Frau Zöller arbeitet ... und liebt ...
Sie ist der Meinung, dass ...
Sie denkt, dass die Wirtschaft ...

3. Herr Fritsche
Herr Fritsche ist von Beruf ... und lebt in einem ...
Für ihn ist die Umwelt ...
Er hat etwas ganz Besonderes aufgebaut, und zwar ...
Dadurch kann er ...

4 Der Lottogewinn: Familie Obermaier hat 500.000 € im Lotto gewonnen und freut sich sehr. Allerdings sind sich die Familiemitglieder nicht einig, was man am besten mit dem vielen Geld machen soll.

a Bilden Sie Sechser-Gruppen. Lesen Sie die Rollenkarten und verteilen Sie die Rollen.

b Suchen Sie Argumente für Ihren Vorschlag.

c Notieren Sie Redemittel, die Sie verwenden wollen.

d Diskutieren Sie und einigen Sie sich.

e Berichten Sie im Kurs, wie sich Ihre Gruppe geeinigt hat.

Vater Rolf, 60:
Er arbeitet seit vielen Jahren in einem kleinen Betrieb, dem die Pleite droht. Eine Finanzspritze würde die Arbeitsplätze von zehn Mitarbeitern retten.

Oma Olga, 81:
Der Haushalt wird ihr langsam zu schwer und sie würde am liebsten in das schicke Altersheim am See ziehen.

Mutter Ida, 59:
Sie spielt seit 25 Jahren Lotto mit den gleichen Zahlen, hat nun endlich gewonnen. Sie möchte ein großes Haus für die Familie kaufen und den Rest auf die Bank bringen.

Tochter Karin, 23:
Sie studiert an der Uni Gießen und träumt davon, ihr Studium an einer renommierten Uni in den USA fortzusetzen.

Sohn Benni, 27:
Er möchte am liebsten eine Weltreise machen und, solange es geht, nicht arbeiten, sondern nur das Leben genießen.

Tochter Melanie, 32:
Sie hat selbst schon zwei Kinder und möchte die Zukunft ihrer Söhne absichern.

Die Reklamation

① Ergänzen Sie das Telefongespräch.

> Könnten Sie mit der Lampe vorbeikommen, dann tauschen wir sie um.
>
> aber sie funktioniert irgendwie nicht.
>
> Aber nach ein paar Tagen hat sie angefangen zu flackern und noch ein paar Tage später war die Glühbirne kaputt.
>
> Ja, nicht nur mit einer, aber die sind immer ganz schnell kaputt.
>
> Die Lampe heißt „Sonnengruß".
>
> Könnten Sie ausprobieren, ob die Lampe funktioniert, wenn Sie sie an eine andere Steckdose anschließen?
>
> was kann ich für Sie tun?
>
> Könnten Sie mir das bitte genauer beschreiben?

Firma Lichtblick, Kundenabteilung, mein Name ist Ute Beer, (1) _was kann ich für Sie tun?_

Hallo, mein Name ist Greta Koch. Ich habe letzten Monat eine Lampe bei Ihnen gekauft, (2) _aber sie funktioniert irgendwie nicht_

Was ist denn das Problem mit der Lampe? (3) _Könnten Sie mir das bitte genauer beschreiben_

Am Anfang hat die Lampe prima funktioniert. (4) _Aber nach ein paar Tagen hat sie angefangen zu flackern und noch ein paar Tage später war die Glühbirne kaputt._

Aha. Welches Modell ist es denn?

(5) _Die Lampe heißt „Sonnengruß"_

Ah ja. Haben Sie es dann mit einer neuen Glühbirne versucht?

(6) _Ja, nicht nur mit einer, aber die sind immer ganz schnell kaputt_

Hm, das kann entweder an der Steckdose liegen oder es liegt am Trafo in der Lampe. (7) _Könnten Sie ausprobieren, ob die Lampe funktioniert, wenn Sie sie an eine andere Steckdose anschließen_

Das habe ich schon ausprobiert, das Problem bleibt das gleiche.

Dann ist vermutlich der Trafo kaputt. (8) _Könnten Sie mit der Lampe vorbeikommen, dann tauschen wir sie um._

Ja, das mache ich. Vielen Dank.

2 Ergänzen Sie *können* im Konjunktiv II oder die Formen von *würde*.

○ Du, sag mal, ich habe mir letzte Woche einen neuen Drucker gekauft, aber er funktioniert nicht.

(1) _Könnte_ ich bei dir ein paar Seiten ausdrucken?

● Ja, komm vorbei. Aber ich habe kein Papier mehr, (2) _könntest_ du welches mit-

bringen?

○ Mache ich. Ich (3) _würde_ dann auch gleich noch eine Druckerpatrone mitbringen.

Was für einen Drucker hast du denn?

● Ach nein, lass das, das (4) _würdest_ du von mir doch auch nicht erwarten, oder?

○ Nein, natürlich nicht, aber freuen (5) _würde_ ich mich schon …

● Nein, bring uns lieber einen Kuchen mit, dann mache ich uns Kaffee.

○ Okay. Sag mal, was (6) _würdest_ du denn jetzt an meiner Stelle mit dem Drucker

machen?

● Na, umtauschen natürlich!

3 Schreiben Sie die Sätze und verwenden Sie den Konjunktiv II.

1. Ich weiß nicht, was kaputt ist. das Gerät / einen Wackelkontakt / haben können / .
2. Ich an deiner Stelle, ich / das Gerät / ins Geschäft / zurückbringen /
3. Sie / bitte / hier / unterschreiben / ?
4. Ich möchte jetzt gehen. du / dich / jetzt bitte / beeilen / ?
5. Ich fand den Service in diesem Geschäft sehr schlecht. Wenn ich du wäre, ich / dort / nicht / einkaufen / .

3. würde sie bitte hier unterschreiben?
4. würdest du dich jetzt bitte beeilen?
5. Wenn ich du wäre, würde ich dort nicht einkaufen.

1. *Das Gerät könnte einen Wackelkontakt haben.*
2. *An deiner Stelle brächte ich das Gerät ins Geschäft zurück.*

4 Es wäre so schön, wenn … Schreiben Sie Sätze.

1. Herr Müller ist immer unzufrieden.
2. Frau Peters hat oft Pech.
3. Hans kann sein Handy nicht bedienen.
4. Thomas gibt viel Geld für CDs aus.
5. Sabine hat wenig Freizeit.

2. Es wäre so schön, wenn Frau Peters nicht so oft Pech hätte.
3. wenn Hans sein Handy nicht bedienen könnte.
4. Wenn Thomas viel Geld für CDs ausging würde.
5. wenn Sabine wenig Freizeit hätte.

1. *Es wäre so schön, wenn Herr Müller öfter zufrieden wäre.*

5 Finden Sie Fortsetzungen zu den Satzanfängen.

1. Wenn ich das Gerät früher ausprobiert hätte, _____

2. Wenn er den Kassenzettel finden würde, _____

3. Hätte sie sich vorher besser informiert, dann _____

4. Wenn ich noch einmal neu entscheiden könnte, _____

5. Wenn ich mehr Geld hätte, _____

Kauf mich!

1 **1 Welche Erklärung passt? Ordnen Sie zu.**

1. _C_ die Werbeagentur

2. _D_ das Werbegeschenk

3. _f_ der Werbeslogan

4. _e_ der Werbespot

5. _A_ das Werbefernsehen

6. _b_ die Werbekampagne

7. _e_ die Werbeanzeige

a Teil des TV-Programms, in dem die Werbung kommt

b große Werbeaktion mit verschiedenen Mitteln (Anzeigen, Filme, Radio, ...)

c Unternehmen, das die Werbung für die Produkte anderer Firmen entwickelt

d Dinge, die Kunden und Geschäftsfreunde einer Firma geschenkt bekommen

e Werbung in einer Zeitung/Zeitschrift

f einprägsamer Satz, der ein Produkt bekannt machen soll

g Werbefilm, der im Fernsehen/Kino gezeigt wird

2 Sehen Sie sich die Bilder an und beschreiben Sie sie. Welche Aspekte aus dem Text von Aufgabe 2 im Lehrbuch finden Sie hier wieder?

3a Lesen Sie den Text und markieren Sie:

– im ersten Abschnitt die Informationen zum Thema „Werbung"

– die im Text genannten Zeitabschnitte

Werbung

1 Unter Werbung versteht man die bewusste Beeinflussung des Konsumenten. Werbung ist das wohl wichtigste Instrument der Absatzförderung und gleichzeitig selbst ein
5 riesiger Wirtschaftszweig: In der deutschen Werbebranche sind über eine halbe Million Menschen beschäftigt. Rund 30 Milliarden Euro betragen die Werbeausgaben jährlich in Deutschland. Werbungen findet man
10 überall: In Zeitungen, im Radio, auf Plakatwänden, im Internet usw. Werbemedium Nummer Eins ist allerdings das Fernsehen.

Die Geschichte der Werbung begann vor mehr als zwei Jahrtausenden. Zu den ersten
15 Werbemethoden gehörten Aushänge, platziert an den Mauern häufig besuchter Gebäude. Archäologen fanden so etwas in den Ruinen des antiken Rom und in Pompeji.

Im Mittelalter gab es dann die ersten
20 richtigen Werbejobs: Händler engagierten damals „Stadtschreier", die die Vorzüge bestimmter Waren lautstark in den Gassen verkündeten.

Auf Touren kam die Werbemaschinerie
25 anno 1445 – mit der Erfindung der Druckerpresse durch Johannes Gutenberg. Gedruckte Handzettel zeigten die Firmenlogos von Handwerksmeistern und beschrieben die Vorzüge ihrer Arbeiten.

30 Mit dem 17. Jahrhundert kamen die Zeitungen und Zeitschriften, die zunächst Anzeigen der Verleger und Buchhändler enthielten, später kam dann Reklame aus anderen Branchen hinzu.

35 Ende des 19. Jahrhunderts ermöglichten fortschrittliche Fertigungsmethoden die billige Massenproduktion von Waren, die verkauft werden mussten. Geschickt formulierte Werbetexte und eingängige Grafiken galten
40 nun als Handwerkszeug für die neue Kunst der Imagebildung.

Markennamen bildeten sich heraus: Namen wie
45 Colgate, Wrigley und Coca Cola gruben sich ins Bewusstsein ein. Etwa um diese
50 Zeit machte sich die *Theorie von den drei Stufen der Werbung* breit: Werbung auf der
55 ersten Stufe ist eher plakativ. Sie nennt nur einen

Marken- oder Produktnamen oder einfache Sätze wie z.B.: „Es gibt wieder Sunlicht." Die
60 zweite Stufe wird durch die Konkurrenzkämpfe auf expandierenden Märkten bestimmt. Herausgestellt wird die besondere Qualität, vielleicht auch irgendeine einzigartige Eigenschaft des Produkts: Etwas ist
65 besser als anderes. Werbung der dritten Stufe verkauft Images und Leitbilder. Sie gruppiert glückliche Menschen um ihre Objekte, definiert die Rolle des Erfolgreichen, des Charmanten oder des Cowboys. Heute dominiert
70 ganz klar Werbung der dritten Stufe.

Kauf mich! _____

> **TIPP** **Inhalte von Texten übersichtlich darstellen**
> Die Informationen komplexer Texte kann man mithilfe grafischer Elemente, wie zum
> Beispiel einem Zeitstrahl, und Stichworten übersichtlich zusammenfassen. So sind die
> Hauptaussagen leicht erkennbar.

 b Welche Informationen zu „Werbung" werden im ersten Absatz des Textes auf Seite 99 genannt? Notieren Sie Stichwörter.

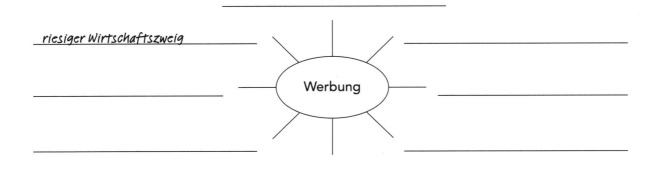

riesiger Wirtschaftszweig

Werbung

c Geschichte der Werbung: Ergänzen Sie die Informationen aus dem Text auf dem Zeitstrahl in
Stichworten.

Anfänge: _____

_____

1445: _____

_____

Mittelalter: _____

_____

17. Jahrhundert: _____

_____

19. Jahrhundert: _____

_____

Heute: _____

_____

d Schreiben Sie einen kurzen Text und fassen Sie die Informationen aus den Aufgaben b und c
zusammen.

So schätze ich mich nach Kapitel 8 ein: Ich kann ...	+	0	–	Modul/ Aufgabe
... die Argumentation in einer Diskussion über Konsum- verhalten verstehen.				M2, A3, 4a, b, 5b
... ein Telefongespräch zu einer Reklamation verstehen.				M3, A1b
... Radiowerbungen verstehen.				M4, A6
... Produktbeschreibungen lesen und einem Produkt zuordnen.				M1, A1b
... einen Sachtext über Werbung verstehen und in thematische Absätze gliedern.				M4, A2a
... ein Produkt beschreiben/präsentieren.				M1, A3
... mein eigenes Konsumverhalten beschreiben.				M2, A6
... sagen, worauf man beim Kauf eines Produktes achten sollte.				M3, A1a
... telefonisch ein Produkt reklamieren.				M3, A3b
... eine erfolgreiche Werbung aus meinem Land vorstellen.				M4, A4
... über Werbungen sprechen.				M4, A5
... eine eigene Werbung entwickeln und präsentieren.				M4, 7
... eine Beschwerde-E-Mail schreiben.				M3, A4
... eine Werbeanzeige oder einen Radiospot entwerfen.				M4, A7a

Das habe ich zusätzlich zum Buch auf Deutsch gemacht:
(Projekte, Internet, Filme, Texte, ...)

	Datum:	Aktivität:

Endlich Urlaub

Vor dem Start: Erinnern Sie sich? Diese Übungen bereiten Sie auf das Kapitel vor.

🔑 1 Sortieren Sie die Ausdrücke zum Thema „Reise" in die Tabelle ein. Sammeln Sie weitere Ausdrücke. Welche anderen Oberbegriffe fallen Ihnen ein? Suchen Sie auch dafür Beispiele.

mit dem Auto	in die Berge	in den Ferien	mit dem Bus	~~ans Meer~~
mit dem Schiff	auf eine Insel	im Sommer	...	

Reiseziel	Reisezeit	Verkehrsmittel	...
ans Meer			

🔑 2 Welche Verben mit Präfix bildet das Verb *reisen*? Ordnen Sie die Verben in die Tabelle ein.

~~ab-~~	zer-	ent-	durch-	ein-	zu-
be-	an-		weg-	ge-	

reisen

fest-	mit-	miss-	ver-	nach-	aus-
zurück-	auf-	unter-	über-		

trennbar	untrennbar
abreisen	

3 Lösen Sie das Rätsel.
(Umlaute = ein Buchstabe)

1	R	E	I	S	E										
2	R	E	I	S	E										
3	R	E	I	S	E										
4	R	E	I	S	E										
5	R	E	I	S	E										
6	R	E	I	S	E										
7	R	E	I	S	E										
8	R	E	I	S	E										
9	R	E	I	S	E										
10	R	E	I	S	E										

1. alle Unterlagen für eine Reise   2. das Gefühl der Nervosität vor einer Reise   3. alle Maßnahmen, die man unternimmt, um eine Reise zu planen   4. mehrere Menschen, die miteinander eine Reise machen   5. die verschiedenen Medikamente, die man auf eine Reise mitnimmt   6. die Firma, die Reisen organisiert und anbietet   7. der Bericht über die Temperaturen, Niederschläge und Windverhältnisse am Reiseziel   8. ein Buch, das über das Reiseland informiert   9. eine Person, die eine Gruppe von Reisenden begleitet und für die Organisation verantwortlich ist   10. ein Gepäckstück für die Reise

4 Was gehört in das Reisegepäck? Notieren Sie den bestimmten Artikel. Ergänzen Sie die Liste.

1. _____ Reisepass
2. _____ Visum
3. _____ Flugticket
4. _____ Fahrkarte
5. _____ Handy
6. _____ Sonnenbrille
7. _____ Sonnenhut
8. _____ Kamera
9. _____ Badehose
10. _____ Bikini
11. _____ Sonnencreme
12. _____ Zahnbürste
13. _____ Waschbeutel
14. _____ Abendkleidung
15. _____ Wanderschuhe
16. _____
17. _____
18. _____
19. _____
20. _____
21. _____

5 Ergänzen Sie die Verben aus dem Kasten.

faulenzen	besichtigen	kennenlernen	machen
tanzen	schwimmen	Sport treiben	probieren

1. am Strand _faulenzen_____
2. im Meer _____
3. Sehenswürdigkeiten _____
4. im Fitnessstudio _____
5. in der Disco _____
6. eine Stadtrundfahrt _____
7. neues Essen _____
8. interessante Menschen _____

Organisiertes Reisen _____

1 Welche Arten von Reisen gibt es und was bedeuten sie? Ordnen Sie zu.

1. ___ eine Städtereise
2. ___ eine Sprachreise
3. ___ eine Weltreise
4. ___ eine Fernreise
5. ___ eine Wellnessreise
6. ___ eine Flugreise
7. ___ eine Campingreise
8. ___ eine Pauschalreise
9. ___ eine Geschäftsreise
10. ___ eine Forschungsreise

a eine Reise, die man aus beruflichen Gründen macht
b eine Reise mit dem Wohnwagen, Wohnmobil oder Zelt
c eine Reise zum Entspannen und Ausruhen
d eine Reise in eine Stadt
e eine in einem Reisebüro komplett gebuchte Reise
f eine Reise zum Erlernen einer Fremdsprache
g eine Reise in ein weit entferntes Land
h eine Reise zu wissenschaftlichen Zwecken
i eine Reise mit dem Flugzeug
j eine Reise um die Erde

2a Lesen Sie das Gedicht von Paul Maar und überlegen Sie, welches der Bilder die Situation im Gedicht am besten trifft.

> Ein Maulwurf und zwei Meisen
> beschlossen zu verreisen
> nach Salzburg oder Gießen.
> Ob sie dabei zu Fuß gehen sollen
> oder aber fliegen wollen –
> das müssen sie noch beschließen!

b Überlegen Sie sich einen Titel für das Gedicht.

c Geben Sie den Inhalt des Gedichts mit eigenen Worten wieder. Die Fragewörter: *Wer?*, *Was?*, *Wohin?* und *Wie?* helfen.

d Berichten Sie von schwierigen Reiseentscheidungen. Warum waren Ihre Entscheidungen schwierig?

3 Erstellen Sie für den Text im Lehrbuch auf Seite 138 eine Wortliste. Lesen Sie zuerst den Tipp.

> **TIPP** **Eine Wortliste erstellen**
> Schreiben Sie eine Wortliste, um Wörter und Ausdrücke eines Textes zu lernen. So können
> Sie vorgehen:
> 1. Welche Themenbereiche spricht der Text an? Schreiben Sie diese Begriffe auf.
> 2. Notieren Sie Substantive, Verben, Adjektive zu den Themenbereichen aus dem Text.
> 3. Notieren Sie zu diesen Wörtern grammatische Angaben (Artikel, Plural, ...).

der Tourismus	das Unternehmen
• die Ferien (immer Pl.) • der Tourist – die Touristen • Tourist sein • die Reise – die Reisen • reisen – reiste – bin gereist • ...	• das Geschäft – die Geschäfte • in das Geschäft einsteigen (stieg ein – ist eingestiegen) • ...

4 Ergänzen Sie die Konnektoren *als* oder *wenn*.

Normalerweise bin ich immer ganz aufgeregt, (1) ___wenn___ ich verreise. Doch (2) _____

ich das letzte Mal verreist bin, war das ganz anders. Ich saß total entspannt im Flugzeug,

(3) _____ es startete. (4) _____ ich früher geflogen bin, wurde mir oft schlecht.

(5) _____ der Flug ein Nachtflug ist, esse ich normalerweise nichts. Aber beim letzten Flug

hatte ich richtig Appetit, (6) _____ mir die Stewardess das Essen brachte. Ich habe alles

aufgegessen und dann sogar geschlafen. (7) _____ das Flugzeug landete, war ich ausge-

schlafen und fit. Der Urlaub konnte direkt beginnen, (8) _____ ich im Hotel ankam.

5 Verbinden Sie die Sätze mit den Konnektoren *während, bevor, nachdem*.

1. Ich studiere die Reisekataloge. Danach buche ich meine Reise.
2. Ich mache eine Reise. Vorher packe ich meinen Koffer.
3. Ich lese den Reiseführer genau. Dabei höre ich Musik aus dem Urlaubsland.
4. Ich verlasse meine Wohnung. Vorher kontrolliere ich alle Zimmer.
5. Ich fahre mit dem Taxi zum Flughafen. Dabei überprüfe ich, ob ich meinen Pass habe.
6. Ich gebe mein Gepäck auf. Danach gehe ich zur Passkontrolle.
7. Ich sitze im Flugzeug. Dabei lese ich und trinke einen Kaffee.
8. Ich gehe durch den Zoll. Vorher hole ich mein Gepäck.

1. Nachdem ich die Reisekataloge studiert habe, buche ich die Reise.

6 Ergänzen Sie in den Sätzen die Konnektoren *bis* und *seit/seitdem*.

1. _Bis_ ich Urlaub habe, muss ich noch ein paar Wochen arbeiten.

2. Meine Frau bleibt so lange zu Hause, _____ unsere Tochter zur Schule geht.

3. _____ Björn ein neues Auto hat, ist er nur noch unterwegs.

4. Ich bleibe zu Hause, _____ ich wieder gesund bin.

5. Ich wiederhole die Fahrprüfung so lange, _____ ich sie geschafft habe.

6. _____ meine Kollegin verheiratet ist, hat sie keine Zeit mehr für mich.

7 Markieren Sie den korrekten Temporalsatz.

1. Ich rufe dich an,
a bis wir da sind.
b wenn wir da sind.
c seit wir da sind.

2. Gestern traf ich Ingo,
a wenn ich in der Stadt war.
b als ich in der Stadt war.
c seitdem ich in der Stadt war.

3. Ich höre Musik,
a als ich ein Buch las.
b wenn ich ein Buch las.
c während ich lese.

4. Inge bleibt zu Hause,
a nachdem sie krank war.
b als sie krank war.
c bis sie gesund ist.

5. Ich helfe dir,
a bis ich fertig bin.
b seitdem ich fertig bin.
c wenn ich fertig bin.

6. Ich besuchte ihn,
a als ich Zeit habe.
b wenn ich Zeit hatte.
c bis ich Zeit hatte.

8 Lesen Sie den Reisebericht und ergänzen Sie einen passenden temporalen Konnektor.

Immer (1) _wenn_ wir verreisen, freut sich die ganze Familie. So auch das letzte Mal.

(2) _____ wir an einem wunderschönen Tag im Mai mit dem Auto Richtung Ostsee aufbrachen, ahnten wir noch nicht, was uns erwartete. Zuerst ging es Richtung Autobahn.

(3) _____ wir ungefähr eine Stunde gefahren waren, steckten wir im ersten Stau.

(4) _____ wir zwei Stunden lang nur Schritttempo fahren konnten, wurde meinem kleinen Sohn schlecht. Wir legten eine kurze Pause ein. (5) _____ wir die Reise fortsetzen konnten, vergingen gut zwei Stunden. (6) _____ wir weitere fünf Stunden im Stau verbracht hatten, erreichten wir endlich das Meer. Doch (7) _____ ich aus dem Auto ausstieg, begann es fürchterlich zu regnen. Dann endlich im Hotel! Aber (8) _____ wir das Fenster unseres Hotelzimmers öffneten, erblickten wir nicht das Meer, sondern eine Großbaustelle. ...

9 Beschreiben Sie, wie Sie Ihren letzten Urlaub verbracht haben. Benutzen Sie dafür Temporalsätze.

Als ich im letzten Jahr Urlaub hatte, ...

1 Hören Sie das Interview von Aufgabe 2 im Lehrbuch noch einmal. Sind die Aussagen richtig oder falsch?

LB 2.19

	r	f
1. In Indien hat Britta zum ersten Mal an einem Workcamp teilgenommen.	☐	☐
2. Britta denkt, dass man durch ein Workcamp ein Land anders kennenlernt.	☐	☐
3. Die Vermittlungsorganisation übernimmt alle Kosten der Teilnehmer.	☐	☐
4. Als Britta abreiste, war die Schule fast fertig.	☐	☐
5. Brittas Freund will in den nächsten Ferien auch in einem Workcamp arbeiten.	☐	☐

2 Lesen Sie die E-Mail und ergänzen Sie die fehlenden Wörter.

Liebe Maike,

vor über einer Woche bin ich in Chile angekommen und es gibt viel zu

(1) _____. Obwohl ich jetzt schon zum dritten Mal an einem Workcamp

(2) _____, ist es jedes Mal wieder eine neue (3) _____.

Nach dem langen Flug war ich erst ziemlich müde, musste aber noch eine achtstündige

Busfahrt hinter mich (4) _____. Und gleich am nächsten Tag ging es

mit der Arbeit los. Im Camp gibt es zwei Projekte. Ich habe mich für die Weinernte

(5) _____. Das ist wirklich Knochenarbeit, aber wir haben

(6) _____ eine Menge Spaß. Mit dem Campleiter habe ich mich erst nicht

so gut verstanden, aber mittlerweile kommen wir ganz gut (7) _____ aus.

Ich habe viele nette Leute kennengelernt und beim Abendessen erzählen wir uns aus

unseren Leben. Mit einigen werde ich ganz sicher in Kontakt (8) _____.

So eine intensive Zeit verbindet einfach. Jeder muss übrigens einmal kochen, am besten

etwas Typisches aus seinem Land. Und das bei meinen Kochkünsten! Ich habe keine

(9) _____, was ich kochen soll. Eine Woche bleibe ich noch hier, dann ist

mein Urlaub schon wieder (10) _____.

Viele Grüße aus der Ferne

Dein Florian

1. sprechen erzählen reden	3. Möglichkeit Gelegenheit Erfahrung	5. entschlossen gewählt entschieden	7. gemeinsam zusammen miteinander	9. Auswahl Ahnung Wissen
2. teilnehme mache nehme	4. bringen lassen liegen	6. obwohl trotzdem denn	8. bleiben sein stehen	10. vorhin voraus vorbei

3 Lesen Sie die folgenden Aussagen und die Kurztexte. Wer sagt was?

1. In einem Workcamp kann man viele Freundschaften schließen.	Merle
2. Obwohl ich erst nicht wollte, hat mir das Workcamp dann doch gut gefallen.	
3. Ich will nicht bei großer Hitze arbeiten müssen.	
4. Mir gefällt es nicht, die ganze Zeit mit anderen Leuten zusammen zu sein.	
5. Eigentlich mag ich lieber eine andere Art von Urlaub.	
6. Die Leute in der Gruppe haben sich nicht gut verstanden.	
7. Man muss eine Vermittlungsgebühr bezahlen.	
8. Wenn alle zusammen arbeiten, kann man viel schaffen.	
9. Mich hat der Workcamp-Aufenthalt selbstständiger gemacht.	
10. Manchmal habe ich auch gezweifelt.	

Merle, 18 Jahre:

Ich war zum ersten Mal in einem Workcamp hier in Deutschland, am Bodensee. Neben einer Ver-mittlungsgebühr musste ich die Reisekosten selbst tragen. Unsere Aufgabe bestand hauptsächlich aus Waldarbeit. Das war ziemlich hart, besonders an den Regentagen. Manchmal habe ich mich schon gefragt: Was mache ich hier eigentlich? Aber alles in allem überwiegen die positiven Erfahrungen und ich habe einen Haufen netter Leute kennengelernt. In den Herbstferien besuche ich zum Beispiel ein Mädchen in Finnland, das auch an dem Camp teilgenommen hat. Ich glaube, so intensive Freundschaften entwickeln sich nicht in einem normalen Strandurlaub.

Samuel, 19 Jahre:

Ich war in einem Camp in Südkorea. Dort habe ich in einem Kinderheim gearbeitet. Ich muss sagen, durch diesen Aufenthalt bin ich viel selbstständiger geworden. Zum einen musste ich schon die ganze Reise dorthin selbst organisieren und die Arbeit im Kinderheim fand ich oft auch ganz schön schwierig. Es gab oft Verständigungsprobleme und ich musste irgendwie eine Lösung finden. Das war kompliziert, hat mich aber auf jeden Fall weitergebracht. Für nächsten Sommer habe ich schon geplant, an einem Camp in Russland teilzunehmen.

Natascha, 28 Jahre:

Ich war letztes Jahr in einem Workcamp in Spanien und es hat mir überhaupt nicht gefallen. Zum einen waren die Leute alle viele jünger als ich und zum anderen wurde immer erwartet, dass wir auch unsere Freizeit größtenteils zusammen verbringen. Auf so einen Gruppenzwang habe ich überhaupt keine Lust. Ich werde das bestimmt nicht wieder machen.

Carl, 23 Jahre:

Ich verbringe meinen Urlaub eigentlich am liebsten irgendwo am Strand. Tagsüber Sonne und abends ausgehen. Meine Freundin hat mich zu einem Workcamp überredet. Sie wollte mal was anderes machen. Am Anfang war ich sehr skeptisch, aber dann hat es sogar mir Spaß gemacht. Wir haben einen alten Bauernhof renoviert, der ein kulturelles Zentrum werden soll. Jede Ferien will ich das trotzdem nicht machen, aber so ab und zu, warum nicht?

Andy, 24 Jahre:

Einmal und nie wieder. Ich habe keine Lust mehr, in meinem Urlaub bei vierzig Grad im Schatten den ganzen Tag zu schuften. Ich finde, da wird man ganz schön ausgenutzt. Die Stimmung in unserer Gruppe war nicht besonders gut. Irgendwie haben wir keinen Draht zueinander gefunden und uns einfach nicht richtig verstanden. Von Spaß kann also keine Rede sein.

1a Lesen Sie den Text und beantworten Sie die Fragen.

    1. Welchen Beruf hat Mirjana Simic?
    2. Wo arbeitet sie?
    3. Was ist ihre Aufgabe?
    4. Welche Eigenschaften muss man haben, um diesen Beruf auszuüben?

Alles unter Kontrolle

Arbeiten, wo andere Urlaub machen

Mirjana Simic ist spezialisiert auf schimmelige Duschen, fades Essen und durchhängende Matratzen. Sie arbeitet als Qualitätsmanagerin eines Reiseveranstalters und kontrolliert vor Ort Service, Sauberkeit und Sicherheit von Urlaubshotels. Ohne deutsche Sicherheitsvorschriften geht nichts, auch nicht im Urlaub. Qualitätsmanager sind der natürliche Feind von Hoteldirektoren und Zimmermädchen. Wo Mirjana auftaucht, wird das Personal plötzlich sehr höflich und respektvoll. Momentan prüft sie, ob das Motto des Veranstalters „Entspannt wohlfühlen und exklusiv genießen" in den vielen unterschiedlichen Vertragshotels auch wirklich umgesetzt wird.

Feuerschutz, Poolanlagen, Zimmer und Service, alles muss Mirjana in 52 Hotels unter Kontrolle haben. Doch ihr entgeht nichts. Meist sind es immer wieder die gleichen Mängel, die die 35-Jährige bei ihren Kontrollen entdeckt: defekte Toilettenspülungen, kaputte Liegen oder lose Kacheln im Poolbereich. Im Moment ist sie in einer boomenden Urlaubsregion mit 30.000 deutschsprachigen Gästen pro Jahr unterwegs. Mirjanas Mission ist es, einen Urlaub ohne Mängel zu gewährleisten: „Die Ansprüche der Gäste wachsen. Wir sind vor Ort dafür da, dass ihre Erwartungshaltungen erfüllt werden."

Bei einem Hotel soll oberhalb des Pools ein neues Restaurant entstehen. Momentan ist es noch eine hässliche Baustelle, die kann die Urlaubslaune erheblich trüben. Der Manager versicherte, Ende Januar würde alles fertig sein. Aus Erfahrung weiß Mirjana, dass es sicher länger dauern wird. Doch keiner der Gäste hat sich bisher beschwert. Das ist nicht immer so, denn Urlaub ist gekauftes Glück. Die Qualitätsmanagerin ist dafür bekannt, dass sie sehr gründlich vorgeht. Wenn sie Sicherheitsmängel entdeckt, überprüft sie bei ihrem nächsten Besuch, ob sie behoben worden sind. Oft wird Mirjana auch von der Hoteldirektion vertröstet. Doch sie nimmt es gelassen. „Klar ärgert man sich, allerdings bringt es nichts, wenn man jetzt rumschreit. Es ändert nichts an der Tatsache und im Endeffekt bekomme ich die Dinge dann auch."

Bei einem anderen Hotel bemängelte die Kontrolleurin eine defekte Leiter am Pool, die schon längst repariert sein sollte. Die fehlende Schraube, erklärt der Hoteldirektor, sei auf dem Postweg. Mirjana weiß, bei den Hoteliers hilft nur Diplomatie und Hartnäckigkeit: „Die meisten sind kooperativ. Es liegt ja in ihrem Interesse, die Qualität und Sicherheit auch zu wahren. Es ist aber nicht immer einfach, bei manchen muss man schon auch mal ernstere Gespräche führen." Während die Touristen im Pool planschen, prüft Mirjana Simic akribisch, ob die Versprechen aus dem Katalog auch eingehalten werden. Seit fünf Jahren macht sie diesen Job so gewissenhaft, dass sie manchmal auch nach Feierabend unwillkürlich weiterkontrolliert. Die Gäste können froh sein. Wo Mirjana Dienst tut, können sie sich getrost entspannen.

b Unterstreichen Sie im Text Beispiele für Mängel, die Mirjana Simic bei ihren Kontrollen feststellt.

c Mirjana glaubt, Urlaub sei gekauftes Glück. Was könnte damit gemeint sein?

2 Ergänzen Sie im Dialog die temporalen Präpositionen.

○ Wann fahrt ihr in den Urlaub?

● (1) _In_ drei Wochen?

○ Wann fahrt ihr denn genau?

● (2) _____ 28. Juli.

○ Wie lange bleibt ihr?

● 14 Tage. Wir haben (3) _____
27. Juli (4) _____ 10. August Urlaub.

○ Seit wann fahrt ihr denn schon nach Spanien?

● (5) _____ zehn Jahren. Uns gefällt es dort.

○ Und wie ist das Wetter da?

● Im Süden ist es (6) _____ Winter mild, (7) _____ Sommer heiß.

3 Ergänzen Sie die Präpositionen, wo nötig. Manchmal gibt es auch mehrere Lösungen.

1. Wann hast du Urlaub?

a _____ Montag

b _____ einer Woche

c _____ Mai

d _____ Herbst

e _____ nächsten Monat

f _____ nächste Woche

g _____ Weihnachten und Silvester

h _____ meinem Geburtstag

i _____ 17. Juli _____ 25. Juli

j _____ 05. September

2. Wann wurde Alexander von Humboldt geboren?

a _____ 18. Jahrhundert

b _____ der 2. Hälfte des 18. Jahrhunderts

c _____ Jahre 1769

d _____ 1769

e _____ September 1769

f _____ etwa 250 Jahren

3. Wann habt ihr euch kennengelernt?

a _____ einem halben Jahr

b _____ unseres Urlaubs

c _____ unseres Studiums

d _____ 01. April

e _____ ein paar Tagen

f _____ einem Regentag

TIPP **Präpositionen + Kasus lernen**
Bilden Sie Reimsätze mit Präpositionen, die den gleichen Kasus haben. So können Sie sie sich besser merken. Hier zwei Beispiele:

Aus, bei, von, nach, mit, zu, seit – der Dativ steht schon längst bereit.
Durch, für, gegen, ohne, um, wider – schreibt man stets mit Akkusativ nieder.

☞ **1a** Sie haben bisher viel über die Stadt Hamburg erfahren. Jetzt „reisen" wir nach Berlin. Überfliegen Sie den Text und ordnen Sie die Überschriften den Textabschnitten zu.

| Berlin von unten | Safari durch den Osten | Die Lügentour | Wo die Filmstars lebten |

Stadttour mal anders

Wenn Sie in Berlin mehr als das Brandenburger Tor kennenlernen möchten, sollten Sie eine der zahlreichen Stadtführungen buchen. Tuckern Sie stilecht mit dem Trabi durch die Stadt oder begeben Sie sich auf die Spur von prominenten Wahl-Berlinern.

1. _____

Jeden Sonntag sind in Berlin merkwürdige Grüppchen unterwegs. In der einen Hand ein Brettchen mit Fragebogen, in der anderen einen Stift, so sieht man viele nachdenkliche Touristen auf den Berliner Straßen. Dann wird ein Kreuzchen gemacht und weiter geht's. Was aussieht wie ein Quiz für Kinder, ist in Wirklichkeit die Lügentour, der derzeitige Renner unter den Berliner Stadtführungen. Auf dem Weg durch Kreuzberg, Mitte oder am Potsdamer Platz wirft die Stadtführerin Monika Saffrahn Fakten und Märchen durcheinander. Die Teilnehmer raten, welche Geschichten stimmen, und halten dies auf einem Blatt fest. Am Schluss der 90-minütigen Führung werden die Geschichten aufgelöst, und der Teilnehmer mit der besten Einschätzung über Lüge und Wahrheit bekommt einen kleinen Gewinn. Schlauer sind jedoch alle, und das ist ja das Wichtigste bei einer Stadtführung.

2. _____

Stilecht geht es mit dem Trabi durch die Stadt. Wer 30 Euro für die Tour gezahlt hat, setzt sich hinters Steuer und wird 90 Minuten lang vom vorausfahrenden Fahrzeug durch den Osten der Stadt geführt. So erfahren die Teilnehmer, dass die 90 Meter breite Karl-Marx-Allee Moskauer Architektur der 50er-Jahre aufweist. Auf dem Weg durch den Ostteil der Stadt geht es bis nach Marzahn, wo eine Plattenbautour angeboten wird. Interessierte können auf einem zweieinhalbstündigen Spaziergang durch die Hochhäuser die Geschichte des Bezirks nachvollziehen und besichtigen auch eine Wohnung, eingerichtet im DDR-Stil der 70er-Jahre.

3. _____

In den Westen Berlins führt regelmäßig eine Promi-Tour. Schon immer war der Grunewald das Eldorado der Reichen und Berühmten. Wer sich für Romy Schneiders Hochzeitshotel interessiert und wissen will, wo berühmte Künstler wohnen, nimmt im bequemen Van Platz und lässt sich von der charmanten Guide Birgit Wetzig-Zahlkind durch die Stadt führen. Je nach Interesse bietet die ehemalige Journalistin auch Bezirkstouren an, etwa in Schöneberg auf den Spuren von Marlene Dietrich und David Bowie.

4. _____

Geschichtsinteressierte können Berlin auch unter Tage besuchen. Die Führungen durch Bunkeranlagen und U-Bahn-Schächte sind regelmäßig gut besucht. Tourteilnehmer erkunden beispielsweise die größte noch existierende Bunkeranlage Berlins am Humboldthain. Im Unterwelt-Museum, das sich in den Schächten des U-Bahnhofs Gesundbrunnen verbirgt, können Besucher nachvollziehen, wie es sich angefühlt haben muss, in den engen Räumen der Bunkeranlagen eingezwängt gewesen zu sein. Die Temperaturen im feuchten Dunkel der Bunkerlandschaft steigen auch im Sommer nicht über 10 Grad. Warme Kleidung ist also ratsam!

b Lesen Sie den Text noch einmal und unterstreichen Sie alle wichtigen Informationen zu den vier Touren.

 c Tragen Sie die Informationen in Stichworten in die Tabelle ein.

Die Lügentour	Safari durch den Osten	Wo die Filmstars lebten	Berlin von unten
Quiz jeden Sonntag derzeitiger Renner Fakten und Märchen durcheinander Auflösung am Ende Dauer: 90 Minuten kleiner Gewinn			

2 Sie planen zusammen mit einem Freund / einer Freundin ein Wochenende in Berlin. Entscheiden Sie sich für eine der Stadttouren aus Übung 1. Schreiben Sie ihm/ihr eine E-Mail und berichten Sie von der Tour, die Sie machen wollen und erklären Sie, warum Sie gerade diese Tour so interessant finden. Schreiben Sie, was Sie sonst noch unternehmen oder besichtigen wollen. Fragen Sie auch nach, ob Ihr Freund / Ihre Freundin sich schon um eine Unterkunft gekümmert hat.

Liebe Miriam,

ich freue mich schon sehr auf unser gemeinsames Wochenende in Berlin. Gestern habe ich einen superinteressanten Artikel über Berliner Stadttouren gelesen. Stell dir vor, man kann dort ...

So schätze ich mich nach Kapitel 9 ein: Ich kann ...	+	0	–	Modul/ Aufgabe
... ein Interview zum Thema „Workcamps" verstehen.				M2, A2
... ein Telefongespräch für eine Hotelbuchung verstehen.				M4, A2b
... Reiseinformationen verstehen.				M4, A3, A4
... einen Text über Thomas Cook verstehen.				M1, A2
... Beschreibungen in Reisekatalogen richtig verstehen.				M3, A2
... einen Text aus einem Reiseführer verstehen.				M4, A1c
... über eigene Reiseerfahrungen berichten.				M1, A1
... Vermutungen anstellen, wofür sich Menschen in Workcamps engagieren.				M2, A1a
... zu Aussagen über Workcamps Zustimmung, Zweifel oder Unmöglichkeit ausdrücken.				M2, A3
... meine Argumente in einer Diskussion über Workcamps nennen.				M2, A4a, b
... mich auf einer Reise über Mängel beschweren.				M3, A4
... ein Hotelzimmer telefonisch reservieren.				M4, A2d
... auf einer Reise Informationen erfragen und geben.				M4, A3b, 4, 5
... Notizen zu Aussagen in einem Interview zum Thema „Workcamps" machen.				M2, A2
... einen Text über einen idealen Tag in meiner Stadt schreiben.				M4, A7b

Das habe ich zusätzlich zum Buch auf Deutsch gemacht: (Projekte, Internet, Filme, Texte, ...)		
	Datum:	Aktivität:

Natürlich Natur!

Vor dem Start: Erinnern Sie sich? Diese Übungen bereiten Sie auf das Kapitel vor.

1 Welche zusammengesetzten Substantive und Adjektive können Sie mit *Umwelt-/umwelt-* bilden? Notieren Sie bei den Substantiven auch den Artikel.

Schutz	~~Papier~~	Müll
Organisation	Zerstörung	
Wasser		
Wärme	Katastrophe	Temperatur
Verschmutzung	Forschung	Luft

freundlich	böse	feindlich
verträglich	gut	krank
~~schädlich~~	falsch	bewusst
fehlerhaft	bedingt	belastend

das Umweltpapier, ... die Umweltorganisation
der Umweltschutz die Umweltforschung

umweltschädlich, ... umweltfreundlich
umweltböse umweltfeindlich
umweltkrank

2 Ordnen Sie die Wörter. Notieren Sie auch den bestimmten Artikel.

~~Blume~~	~~Wald~~	~~Hund~~	~~Gewitter~~	~~Meer~~	~~Gras~~	~~Luft~~
~~Trockenheit~~	~~Insekt~~	~~Sonne~~	Getreide	~~Niederschlag~~	~~Pferd~~	
~~Wüste~~	~~Kuh~~	~~Orkan~~	~~Gebirge~~	~~Vieh~~	~~Fluss~~	~~Strand~~
~~Vogel~~	~~Erwärmung~~	~~See~~	~~Katze~~	~~Sturm~~	~~Baum~~	
~~Rose~~	~~Wiese~~	~~Huhn~~	~~Wolke~~	~~Wetter~~		

Klima	Landschaft	Pflanzen	Tiere
das Gewitter	die Fluss	die Rose	die Vogel
die Wolke	die Luft	das Wald	die Insekt
das Sturm	die Meer	das Baum	das Pferd
die Sonne	die See	die Blume	die Katze
das Wetter	das Strand	der Gras	der Hund
die Trockenheit	das Gebirge	die Wiese	die Kuh
der Orkan	die Wüste		das Vieh
der Niederschlag			das Huhn
die Erwärmung			

114

3 Zehn Dinge, die Sie für die Umwelt tun können. Welche sind das? Was können Sie noch tun?

wasser sparen|abfall trennen|ein schadstoffarmes auto fahren|bäume pflanzen|öffentliche verkehrsmittel benutzen|standby ausschalten|energiesparlampen benutzen|ökostrom nutzen|fahrgemeinschaften bilden|umweltfreundlich heizen

4 Lösen Sie das Kreuzworträtsel.
(Umlaute = ein Buchstabe)

	M	ü	l	l					
2		Ü							
3		L							
4		L							
5		D							
6		E							
7		P							
8		O							
9		N							
10		I							
11		E							

1. die kommunale Einrichtung, die den Müll abholt   2. die Abfälle, die in privaten Haushalten entstehen   3. ein großer Behälter für Abfälle   4. Müll, der auf besondere Art vernichtet werden muss, z.B. alte Farben   5. das Absterben von Bäumen in Wäldern, verursacht durch zu starke Luftverschmutzung   6. schmutziges, gebrauchtes Wasser   7. Papier, das jetzt Abfall ist, z.B. alte Zeitungen   8. sehr großer Behälter für alte Flaschen   9. das Wiederverwenden von Verpackungsmaterial (bes. Papier und Glas)   10. Sammelbehälter für Biomüll   11. verschmutzte Luft, die beim Autofahren entsteht

5a Wie heißen die Verben zu den Substantiven?

1. die Verschmutzung – _Verschmutzen_
2. die Zerstörung – _zerstören_
3. der Schaden – _schaden_
4. der Schutz – _schützen_
5. die Produktion – _produktionieren_

6. der Protest – _protestieren_
7. die Rettung – _retten_
8. das Verbot – _verboten_
9. die Verantwortung – _verantworten_
10. die Gefahr – _gefahren_

b Bilden Sie mit jedem Verb einen Satz.

Umweltproblem Single

 1a Lesen Sie den Text und ergänzen Sie das Schema.

Egal, ob Single oder nicht: Mülltrennung ist in!

1   **Eine Meinungsumfrage zeigt: Fast alle Deutschen sammeln Abfälle getrennt. Viele tun auch sonst etwas für die Umwelt.**

Beinahe alle Menschen in Deutschland machen bei der Mülltrennung mit: 91 Prozent sagen, sie sammeln gebrauchte Verpackungen getrennt. Das hat eine Umfrage des Meinungs-
5 forschungsinstituts Forsa im Auftrag des Markenverbandes ergeben. Die Menschen möchten so mithelfen, dass der Müllberg kleiner wird.

Forsa hat 1.000 Leute zu ihrem Umweltverhalten befragt. Etwas mehr als die Hälfte fährt nach eigenen Angaben weniger Auto oder lässt das Fahrzeug sogar stehen, um das Klima zu schützen und den Erdölverbrauch zu senken.

10 Zwei von drei Befragten sparen Wasser, indem sie kürzer duschen oder weniger Wasser benutzen. Genauso viele drehen die Heizung herunter, um weniger Energie zu verbrauchen und das Klima zu schonen. Ökostrom bezieht aber nur knapp ein Zehntel der Bundesbürger, Solarzellen auf dem Dach haben nur sieben Prozent.

		Handlung: _____		Ziel: _____
91 Prozent	→	_____	→	_____
		_____		_____
		Handlung: _____		Ziel: _____
ca. 50 Prozent	→	_____	→	_____
		_____		_____
		Handlung: _____		Ziel: _____
mehr als 60 Prozent	→	_____	→	_____
		_____		_____

 b Bilden Sie Passivsätze.

1. Müll / trennen – dadurch – Müllberg / verkleinern.

   Der Müll wird getrennt und dadurch wird der Müllberg verkleinert.

2. Auto / stehen lassen – dadurch – Klima / schützen

   _____

3. Heizung / herunterdrehen – dadurch – weniger Energie / verbrauchen

   _____

2 Ideale Aktionen für die Umwelt. Schreiben Sie zu den Bildern Sätze im Passiv.

1. *Abwasser wird nicht in die Flüsse geleitet.*

3 Früher oder jetzt? Schreiben Sie Sätze im Passiv.

1. Früher verbrannte man den Müll einfach.

   Früher wurde der Müll einfach verbrannt.

2. Heutzutage recycelt man einen großen Teil des Mülls.

   Heutzutage wird ein großer Teil des Mülls recycelt.

3. Erst ab 1989 baute man in Deutschland alle Autos mit Katalysatoren.

   Erst ab 1989 wurden in Deutschland alle Autos mit Katalysatoren gebaut.

4. Viele Automobilkonzerne entwickeln jetzt umweltfreundlichere Autos.

   Von vielen Automobilkonzernen werden jetzt umweltfreundlichere Autos entwickelt.

5. Früher verwendeten sogar Kleingärtner Pestizide.

   Früher werden sogar Kleingärtner Pestizide verwendet.

6. In privaten Gärten verzichten heute viele auf Pestizide.

   Heute werden viele auf Pestizide in privaten Gärten verzichtet

4 Was raten Sie als Umweltexperte? Formulieren Sie Passivsätze.

1. Man sollte elektrische Geräte komplett abstellen.

   Elektrische Geräte sollten komplett abgestellt werden.

2. Man sollte mehr Energiesparlampen benutzen.

   _____

3. Man muss mit Wasser sparsam umgehen.

   _____

4. Man sollte keine Plastiktüten verwenden, sondern lieber eine Einkaufstasche.

   _____

5a Lesen Sie den Text und markieren Sie alle Passivformen. Notieren Sie die Verben im Infinitiv.

Wie funktioniert eine Solaranlage?

Im Solarkollektor auf dem Dach eines Hauses wird die Sonnenwärme aufgenommen und an die darunter liegenden Rohre weitergeleitet.

In den Rohren ist Wasser mit Frostschutz. Durch diese Flüssigkeit wird die Wärme zum Solarspeicher im Keller transportiert. Dort wird das Wasser zum Duschen und Abwaschen erwärmt.

Wenn die Sonnenstrahlung nicht ausreicht, sorgt ein Heizkessel für Warmwasser und Heizung. Im Winter, wenn viel geheizt werden muss, wird das durch die Solaranlage vorgeheizte Wasser „nachgeheizt", damit immer genügend Warmwasser zur Verfügung steht.

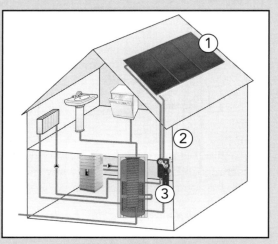

1. der Solarkollektor, 2. die Rohre, 3. der Solarspeicher

b Beschreiben Sie anhand der Zeichnung und mithilfe des Textes, wie eine Solaranlage funktioniert.

c Die Vorteile einer Solaranlage. Formulieren Sie Sätze im Passiv mit dem Modalverb *können*.

1. Warmwasser erzeugen   *Mit einer Solaranlage kann Warmwasser erzeugt werden.*

2. Wohnung heizen   _____

3. Energieverluste reduzieren _____

4. Geld sparen   _____

5. CO_2-Ausstoß senken   _____

🔑 **1a Lesen Sie die Tipps zum Thema „Notizen machen" und ordnen Sie die Überschriften zu.**

Nutzen Sie nicht nur Wörter	Notieren Sie mit eigenen Worten	Notieren Sie Schlagwörter
Das Gehirn mag es bunt	Notieren Sie „mit Luft"	Schreiben Sie leserlich

Tipp 1: _Schreiben sie leserlich_

Besonders wenn man es eilig hat oder wenn viel zu notieren ist, dann passiert es immer wieder: Wir schreiben undeutlich und können später unsere eigenen Aufzeichnungen nicht mehr lesen. Und das ist natürlich mehr als ärgerlich.

Tipp 2: _Nutzen Sie nicht nur Wörter_

Eine der wichtigsten Regeln für gute Notizen ist: Reduzieren, reduzieren, reduzieren! Meistens schreiben wir viel zu viel auf. So notieren wir z.B. ganze Sätze – oft aus Angst, etwas Wichtiges zu vergessen oder weil wir Sorge haben, später nicht mehr zu wissen, was wir mit den Notizen eigentlich gemeint haben. Aber mit den richtigen Schlagwörtern erinnert man sich jederzeit auch an die dazugehörigen Informationen.

Tipp 3: _Notieren Sie „mit Luft"_

Lassen Sie immer auch Raum für spätere Ergänzungen. Das geht am besten, wenn sie zwischen den Zeilen ausreichend Platz lassen oder das Notizblatt knicken und einen breiteren freien Rand lassen.

Tipp 4: _Notieren Sie mit eigenen Worten_

Versuchen Sie immer, Informationen in Ihren eigenen Worten auszudrücken. Durch dieses Umschreiben befassen Sie sich aktiv mit den Inhalten und so können Sie sich die Inhalte auch gleich besser merken. Natürlich können Sie sich auch Notizen in Ihrer Sprache machen.

Tipp 5: _Notieren Sie Schlagwörter._

Die meisten Menschen verwenden beim Notizenmachen nur Wörter. Dabei kann man hier auch sehr gut Zeichnungen und Symbole nutzen. Das spart Zeit und unser Gehirn kann konkrete Bilder viel besser verarbeiten als abstrakte Formulierungen. So lange Sie z.B. einen Pfeil als Pfeil erkennen, ein lachendes Gesicht als ein lachendes Gesicht, reichen Ihre Zeichenkünste aus!

Tipp 6: _Das Gehirn mag es bunt._

Setzen Sie auch gezielt Farben ein, um Ihre Notizen anschaulicher zu machen. Sie können Wichtiges z.B. in Rot schreiben oder Ideen mit einem grünen Rahmen versehen. So erkennen Sie vieles schon auf einen Blick.

b Welche Tipps waren für Sie neu, welche wenden Sie bereits an, was möchten Sie ausprobieren? Markieren Sie die Tipps, die Sie ausprobieren möchten.

c Machen Sie nun Aufgabe 2b im Lehrbuch und wenden Sie die Tipps, die Sie ausprobieren möchten, an.

d Was hat gut funktioniert, was nicht? Haben Sie noch andere Tipps angewendet? Schreiben Sie sie für die anderen Kursteilnehmer auf.

2 Hören Sie das Interview zu Aufgabe 2b im Lehrbuch. Sind die Aussagen richtig oder falsch? Kreuzen Sie an.

LB 2.28

	r	f
1. In Städten gibt es für viele Tiere ein reiches Angebot an Futter.	☐	☐
2. Am Wochenende warten Wildschweine vor einer Schule in der Nähe von Berlin auf Kinder, die sie füttern.	☐	☐
3. Im Winter sind die Temperaturen in den Städten nicht so niedrig, wie auf dem Land.	☐	☐
4. Die größte Gefahr für viele Tiere in der Stadt ist der Straßenverkehr.	☐	☐
5. Für viele Vogelarten ist es schwierig, in den Städten Nistplätze zu finden.	☐	☐
6. Das Zusammenleben zwischen Wildtieren und Menschen ist in der Stadt immer problematisch.	☐	☐

3a Wie stellen Sie sich den Alltag einer Tierpflegerin in einem Tierheim vor? Machen Sie Notizen zu einem möglichen Tagesablauf.

b Lesen Sie den Text über den Alltag einer Tierpflegerin und vergleichen Sie die Informationen mit Ihren Notizen. Erstellen Sie dann einen Plan für einen typischen Tag.

Ein Tag als Tierpflegerin

Der Arbeitstag beginnt ...

... jeweils mit einer kurzen Besprechung um uns über den Tagesablauf zu informieren und besondere Arbeitsvorgänge zu koordinieren. Danach reinigt eine von uns das obere Stockwerk und betreut unsere Katzen, während die andere im unteren Stockwerk die Zimmer säubert, die Nager und Ferientiere betreut und das Telefon bedient. In der oberen Etage beginnt die Arbeit in der Küche. Die Medikamentenabgaben für Katzen in den Krankenboxen werden bereitgemacht. Danach wird für alle Katzen das Futter vorbereitet, anschließend geht es von Zimmer zu Zimmer, um das alte Futtergeschirr durch das frisch gefüllte zu ersetzen. Nach dem Füttern wird das Fressgeschirr gereinigt und desinfiziert. Dann sind die Katzenklos an der Reihe.

Und so ist es im Nu Mittag geworden. Bevor wir in die Pause gehen, besprechen wir kurz spezielle Vorkommnisse und, worauf am nächsten Tag geachtet werden muss. Alles wird genau in Zimmerrapporten festgehalten. Dann werden die Aufgaben für den Nachmittag geplant.

Am Nachmittag ...

... werden zunächst Post und Mails bearbeitet. Danach kümmern wir uns um die geplanten Aufgaben. Das sind sowohl anfallende Büroarbeiten wie auch Organisatorisches oder spezielle Reinigungs- und Aufräumarbeiten. Weit kommen wir damit aber meist nicht, denn zwischen 14.00 und 16.00 Uhr ist das Tierheim für Besucher offen und natürlich ist es für den Erfolg unserer Arbeit sehr wichtig, dass wir uns für Beratungs- und Tiervermittlungsgespräche genügend Zeit nehmen. Nachdem die Besuchszeit vorbei ist, habe ich die Möglichkeit, Zeitaufwendiges zu erledigen wie beispielsweise Einkäufe zu tätigen, Abfall zu entsorgen oder Termine auf Bauernhöfen wahrzunehmen, wo wilde Katzen zur Kastration eingefangen werden sollen. Währenddessen bedient meine Mitarbeiterin das Telefon, beendigt die liegen gebliebenen Nachmittagsarbeiten im Heim und beginnt damit, alle Tiere nochmals zu füttern, und nötigenfalls erneut mit Medikamenten zu versorgen. Mit den letzten Aufräumarbeiten wird alles so hergerichtet, dass am nächsten Tag wieder motiviert gestartet werden kann.

Tierpfleger ist ein Beruf, bei dem man nie ausgelernt hat. Es gibt bei jedem Tier immer wieder neue Verhaltensmuster zu beobachten und oft genug auch Konsequenzen für unseren Arbeitsalltag daraus abzuleiten.

Corinne Wolflisberg

1 Umwelt und Umweltschutz ist auch ein Thema in der Tourismusbranche. Ein großes Touristikunternehmen hat eine Umwelt-Checkliste erstellt, mit der es Hotels beurteilt.

a Sehen Sie sich einen Auszug aus der Liste an und ergänzen Sie die Zusammenfassung.

Mindeststandard für die Qualifikation als TUI Umwelt-Champion
Anschluss an eine kommunale oder Betrieb einer eigenen Kläranlage
Mindestens 4 Wassersparmaßnahmen (aus der Auswahl an 10 Maßnahmen)
Mindestens eine Maßnahme zur Abfallvermeidung (aus der Auswahl an 3 Maßnahmen)
–
Mindestens 2 Energiesparmaßnahmen (aus der Auswahl an 5 Maßnahmen)
–
Eigene offizielle Umweltpolitik und Einrichtung eines Umweltbeauftragten
Angabe des Wasser- und Stromverbrauchs pro Gast und Nacht

Die 100 weltweit besten Hotels werden als TUI Umwelt-Champions ausgezeichnet. Und so errechnet sich Ihre Punktzahl:	Maximal erreichbare Punktzahl
50 Punkte bei Anschluss an eine kommunale oder Betrieb einer eigenen Kläranlage	50
20 Punkte pro umgesetzte Maßnahme, ab 7 Maßnahmen volle Punktzahl	140
Je 15 Punkte pro umgesetzte Maßnahme	45
Je 5 Punkte pro getrennt entsorgter Abfallfraktion, ab 5 Fraktionen volle Punktzahl	25
20 Punkte pro umgesetzte Energiesparmaßnahme, ab 4 Maßnahmen volle Punktzahl	80
25 Punkte für Nutzung regenerativer Energien	25
Je 50 Punkte für eine Umweltpolitik und einen Umweltbeauftragten	100
Je 25 Punkte für die Angabe des Wasser-/ Stromverbrauchs pro Gast und Nacht	50

Das Abwasser • Umweltbeauftragter ernannt • Wassersparmaßnahmen umsetzen lässt • zur Abfallvermeidung • regenerativen Quellen stammt • Hotel-Umwelt-Checkliste

In der (1) _____ werden die wichtigsten Punkte aufgeführt, die ein Hotel erfüllen muss, um einem umweltfreundlichen Standard zu entsprechen. Am meisten Punkte gibt es dafür, dass das Hotel (2) _____ und ein offizieller (3) _____ wird. Außerdem ist wichtig, dass Energiesparmaßnahmen getroffen werden und die Energie aus (4) _____. (5) _____ sollte in eine kommunale oder eigene Kläranlage geleitet werden. Und schließlich sind ebenso Maßnahmen (6) _____ wichtig.

b Sammeln Sie Vorschläge: Wie können Hotels Energiesparmaßnahmen, Wassersparmaßnahmen und Maßnahmen zur Abfallvermeidung umsetzen? Notieren Sie Beispiele.

2 Was passt zusammen?

1. _b_ / _c_ etwas kann bezahlt werden
2. _a_ etwas wird bezahlt
3. _d_ etwas kann nicht bezahlt werden

a man bezahlt etwas

b etwas lässt sich bezahlen

c etwas ist bezahlbar

d etwas ist unbezahlbar

3 Formulieren Sie die Sätze mit *man*.

1. Die Gletscher werden mit einer Folie verpackt.
2. Die Gletscher werden vor der Sonneneinstrahlung geschützt.
3. Mit der Folie kann das Schmelzen der Gletscher nur verlangsamt werden.
4. Aus Kostengründen können so nur kleine Flächen geschützt werden.
5. Durch solche Maßnahmen kann das Gletschersterben nicht verhindert werden.

Aus Kostengründen werden Man so nur kleine Flächen geschützt

1. *Man verpackt die Gletscher mit Folie.* kann man

Durch solche Maßnahmen
Gletschersterben nicht verhindern das

4 Schreiben Sie die Sätze mit *sich lassen*.

1. Das Nutzwasser kann aus Meerwasser gewonnen werden.
2. Die Mülltrennung kann noch verbessert werden.
3. Die Abfallmenge kann durch weitere Maßnahmen verringert werden.
4. Durch die Verwendung von Energiesparlampen kann man einiges an Energie sparen.

1. *Nutzwasser lässt sich aus Meerwasser gewinnen.*

2.

5 Ergänzen Sie die Passiversatzformen im Text.

Im Projekt „Sauberhaftes Hessen", kann (1) __man__

sich freiwillig melden und an einem Projekttag mithelfen. An

diesem Projekttag kann (2) ___man___ sich nützlich machen

und zusammen mit anderen Müll einsammeln. Vieles von dem,

was die Helfer finden, ist (3) wiederverwend__bar/worden__. Mit

mach mit!

Sauberhaftes Hessen

dem Projekt möchte die Stadt die Bürger darauf aufmerksam

machen, dass (4) ___man___ Müll nicht einfach wegwirft. Mit

solchen Projekttagen (5) __lässt__ __sich__ zwar einiges erreichen, aber (6) ___Man___

darf langfristig nicht zu viel erwarten.

⚷ **1a Sehen Sie sich noch einmal die Fotos im Lehrbuch an. Welcher Text passt zu welchem Foto?**

A Die Trinkwasserqualität ist in Deutschland sehr gut, denn die Verordnung zur Trinkwasserqualität ist sehr streng. Das Lebensmittel Trinkwasser muss absolut einwandfrei sein, was Geschmack, Geruch und Aussehen betrifft. Auch die Bevölkerung ist mit der Trinkwasserqualität zufrieden.

B Überschwemmungen haben an dicht besiedelten Küsten und im Binnenland immer wieder katastrophale Folgen. Weltweit leben Millionen von Menschen ständig mit der Bedrohung durch Hochwasser. An Küsten entsteht Hochwasser oft durch hohe Wellen, die sich durch Wirbelstürme oder Tsunamis bilden. Im Binnenland entstehen Hochwasser und Überschwemmungen meist durch starke und lang anhaltende Regenfälle.

C Trockenperioden mit Regenmangel und hohen Temperaturen schädigen die Vegetation, da die Pflanzen keine Feuchtigkeit mehr aus dem Boden ziehen können. Die Folgen: ausgetrocknete Landschaften, Ernteausfälle, Trinkwasserknappheit und hungernde Menschen. Bekannt als extremes Dürregebiet ist die afrikanische Sahelzone. Die wiederholten Dürreereignisse in Europa werden als Zeichen für eine bevorstehende Klimaveränderung gewertet.

D Vor zwanzig Jahren sah es so aus, als sei der Rhein tot. Seit hundert Jahren als Abwasserkanal missbraucht, kämpfte der Strom ums Überleben. In der Nacht des 1. November 1986 färbte sich das Wasser blutrot. Mit Löschwasser aus einem Brand gelangten 30 Tonnen Chemikalien und Farbstoffe direkt in den Rhein. Die Giftfracht trieb Richtung Nordsee und tötete dabei das Leben im Rhein. Nach dem Schock setzte das Umdenken ein. Dank zahlreicher Maßnahmen zum Schutz des Wassers ist der Rhein inzwischen wieder zu einem lebendigen Strom mit einer Vielzahl von Fischen geworden.

E Gesteine verwittern über Jahrmillionen zu Schutt, Sand und Staub. Über den Regen, Bäche und Flüsse gelangen diese Überreste schließlich ins Meer und werden dort weiter bearbeitet. Überreste mit einem Durchmesser zwischen zwei und 0,063 Millimetern werden als Sand bezeichnet. Sie werden an der Küste von den Wellen als Strand abgelagert.

Text A: Foto ___1___   Text B: Foto ___5___   Text C: Foto ___2___

Text D: Foto ___4___   Text E: Foto ___3___

b Wählen Sie drei Aspekte aus und berichten Sie kurz über die Wassersituation in Ihrem Land.

2 In den Text haben sich inhaltliche Fehler eingeschlichen. Korrigieren Sie alles, was markiert ist.

Erfolgreich einen Vortrag halten

Es ist ganz normal, ein bisschen nervös zu sein, wenn man ein Referat oder einen Vortrag halten muss. Wenn Sie allerdings einige wichtige Punkte beachten, wird es dennoch ein erfolgreiches Referat werden.

Schreiben Sie in Ihrem Skript am besten ausformulierte Sätze.

Lernen Sie Ihren Text auswendig oder lesen Sie ihn ab. Sprechen Sie nicht frei.

Sprechen Sie so schnell und undeutlich wie möglich und machen Sie auf keinen Fall kurze Sprechpausen.

Gut ist auch, wenn Sie ein wenig leiser als normal sprechen.

Schauen Sie Ihr Publikum nicht an, Blickkontakt ist nicht wichtig.

Bei der Körperhaltung sollten Sie darauf achten, dass Sie nicht aufrecht sitzen oder stehen. Halten Sie Ihren Kopf möglichst gebeugt. Halten Sie Ihre Arme verschränkt oder stecken Sie Ihre Hände in die Hosentasche.

Üben Sie Ihr Referat vorher nicht, dadurch werden Sie nur unsicherer.

Wenn Sie all diese Punkte beachten, kann eigentlich nichts mehr schief gehen. Viel Glück!

Handschriftliche Korrekturen:

manchmal
nicht ausformulierte
Nein. Sprechen Sie mit Gefühl. Sprechen Sie frei.
gut und deutlich
manchmal
lauter
—
sehn
halten Sie
hoch. Benutzen Sie Ihre Arme beim Sprechen
—
sicherer

So schätze ich mich nach Kapitel 10 ein: Ich kann ...	+	0	–	Modul/ Aufgabe
... ein Interview zu „Wildtieren in der Stadt" verstehen.				M2, A1b, 2b
... Detailinformationen aus einem Vortrag zum Thema „Wasser" verstehen.				M4, A2
... einen Sachtext zum Thema „Singles und Umweltprobleme" verstehen.				M1, A1b
... Berichte über Umweltprojekte verstehen.				M3, A1a
... Vermutungen zum Thema „Singles als Umweltproblem" anstellen.				M1, A1a, c
... Informationen aus einem Interview zum Thema „Tiere in der Stadt" zusammenfassen.				M2, A2c
... Lösungen für Probleme mit Wildtieren in der Stadt vorschlagen.				M2, A3
... mit Rollenkarten eine Talkshow zum Thema „Tiere in der Stadt" spielen.				M2, A4
... über die Wirksamkeit von Umweltprojekten diskutieren.				M3, A1b
... einen Kurzvortrag zu einem Umweltthema halten.				M4, A3
... Notizen zu einem Interview zu „Wildtieren in der Stadt" machen.				M2, A2b
... wichtige Informationen zu Berichten über Umweltprojekte notieren.				M3, A1a
... ein Umweltprojekt beschreiben, das ich recherchiert habe.				M3, A4
... einen Kurzvortrag schriftlich vorbereiten.				M4, A3

Das habe ich zusätzlich zum Buch auf Deutsch gemacht: (Projekte, Internet, Filme, Texte, ...)

	Datum:	Aktivität:

Lösungen

Kapitel 1: Leute heute

Wortschatz

Ü1: Beruf/Ausbildung: die Fremdsprache, Teilzeit, arbeiten als …, die Firma, lernen, der Job, das Studium, die Schule, die Fabrik, der Betrieb, Vollzeit, das Büro, die Arbeitsstelle

Familie: die Partnerin, geschieden, alleinerziehend, der Ehemann, der Partner, der Single, die Eltern, getrennt, die Ehefrau, das Kind, verheiratet

Wohnen: das Appartement, die Mietwohnung, bauen, das Dorf, das Haus, die Stadt, die Nachbarn, der Garten, die Wohngemeinschaft (WG)

Freizeit: der Sport, faulenzen, sammeln, reisen, der Verein, die Musik, fernsehen, die Freunde, das Musikinstrument, ausgehen, lesen

Ü2b: 2. ruhig, 3. unsicher, 4. humorvoll, 5. diszipliniert, 6. ehrlich, 7. selbstbewusst, 8. fleißig, 9. kreativ, 10. zuverlässig, 11. genau, 12. arrogant, 13. offen, 14. geduldig, 15. freundlich, 16. zufrieden

Modul 1 Gelebte Träume

Ü1b: 1. f, 2. r, 3. f, 4. r, 5. r

Ü2a: 1. d, 2. a, 3. b, 4. c

Ü2b: 1. haben … gedacht; haben … getestet; gebucht hatten, kannten

2. waren; nachgedacht hatten; umgezogen waren; merkten; fehlte; konnten; fiel … schwer

3. hat … bekommen, … gemietet … eingekauft, … fand; gemacht hatte, merkte, hatten

4. Musterlösung: Peer und Silvia wollten im Ausland leben. Sie träumten von Afrika. Sie diskutierten lange und trotzdem gab es kein Land, das ihnen beiden gefiel. Sie hatten zu unterschiedliche Wünsche, über die sie zu spät sprachen.

Modul 2 In aller Freundschaft

Ü2a: 2. Er sagt mir die Wahrheit. → Er ist ehrlich. 3. Eine gute Freundin teilt gerne mit anderen. → Sie ist großzügig. 4. Tom will seine Ziele erreichen. → Er ist ehrgeizig. 5. Sonja und Marion gehen oft zusammen ins Fitnessstudio. → Sie sind sportlich. 6. Silvio und Patrick sind in ihrer Freizeit sehr aktiv. → Sie sind unternehmungslustig. 7. Du akzeptierst auch andere Meinungen. → Du bist tolerant/offen/aufgeschlossen.

8. Meine Freundin erzählt sehr lustige Geschichten. → Sie ist witzig/lustig/humorvoll. 9. Mein ältester Freund weiß sehr viele Dinge. → Er ist gebildet.

Ü2b: 2. uncharmant, 3. untreu/treulos, 4. unehrlich, 5. unnatürlich/künstlich, 6. unsozial/egoistisch, 7. unfreundlich, 8. feige/mutlos

Ü 3a: 1. B, 2. D, 3. C, 4. A

Modul 3 Helden im Alltag

Ü1a: Mutiger Junge; große Familie; Die besondere Wachsamkeit; das schnelle Reaktionsvermögen eines dreizehnjährigen Jungen; Der glückliche Retter; dichten Rauch in dem alten Haus; mit einer leichten Rauchvergiftung; Bei dem nächtlichen Großalarm; von einem schwierigen Einsatz; mit einer speziellen Schutzausrüstung; Die komplizierten Löscharbeiten

Ü1b: Typ 1: das schnelle Reaktionsvermögen (neutrum, Nominativ), der glückliche Retter (maskulin, Nominativ), dem alten Haus (neutrum, Dativ), dem nächtlichen Großalarm (maskulin, Dativ), die komplizierten Löscharbeiten (Plural, Neutrum)

Typ 2: einer leichten Rauchvergiftung (feminin, Dativ), einem schwierigen Einsatz (maskulin, Dativ), einer speziellen Schutzausrüstung (feminin, Dativ)

Typ 3: große Familie (feminin, Akkusativ), dichten Rauch (maskulin, Akkusativ)

Ü1c: Siehe Lehrbuch S. 21

Ü2: 1. junge, hilfsbereite, erfahrene; 2. neuer, älteren; 3. guten und spannenden, geliebten; 4. zuverlässig, nötigsten, wichtige

Ü3: (1) wunderschönen, (2) schöne, (3) unerwünschten, (4) riesige, (5) schwarze, (6) langen, (7) behaarten, (8) übertriebene, (9) alten, (10) panische, (11) riesige, (12) hässliche

Modul 4 Vom Glücklichsein

Ü2b: Musterlösung: Flow = alles fließt, man ist glücklich (Bsp: man macht etwas sehr gut, konzentriert)

Glücksmanagement lernen; Analyse der Lebenssituation; wichtig: Kontrolle

man muss etwas für das Glück tun; Glücksmomente schaffen

Glück ist ein länger anhaltendes Gefühl

Ü4a: 1. Geburtstag, 2. Hochzeit, 3. Geburt, 4. Eröffnung, 5. Führerschein

Ü5: Reporter: Lebensberatung, Psychologe, glücklicher; Weinberger: Menschen, Hilfe, Beratung, Beziehungen, glücklich

Kapitel 2: Wohnwelten

Wortschatz

Ü1: (1) Wohnung, (2) Mietvertrag, (3) Stadtmitte, (4) Wohnblock, (5) Zimmer, (6) Schlafzimmer, (7) Küche, (8) Bad, (9) Dusche, (10) Stock, (11) Aufzug, (12) Balkon, (13) Quadratmeter, (14) Parkplatz, (15) Tiefgarage

Ü2: (1) Wo ist denn die Wohnung? / Wo liegt die Wohnung? (2) Wie groß ist die Wohnung? (3) Wie hoch ist die Miete? (4) Und wie hoch sind die Nebenkosten?

Ü3a: f die Miete, e die Kaution, a die Nebenkosten, b die Maklergebühr, d die Wohnungsanzeige, c die Ablöse

Ü3b: 1. f, 2. c, 3. d/e/h, 4. b, 5. d/e/h, 6. j, 7. a, 8. g, 9. e/i, 10. d/e/h

Ü4: 1. heizen, 2. kündigen, 3. mieten, 4. klingeln, 5. ausziehen, 6. putzen, 7. aufräumen, 8. dekorieren, 9. wohnen, 10. parken, 11. einziehen, 12. vermieten, 13. einrichten, 14. renovieren, Lösungswort: Traumwohnung

Modul 1 Baumhaus = Traumhaus?

Ü1b: 1. r, 2. r, 3. r , 4. f, 5. f, 6. f, 7. f

Ü2a:

zusammen-gesetztes Substantiv	Bestimmungswort			Grund-wort
	Sub-stantiv	Verb	Adjek-tiv	
die Klima-anlage	das Klima	–	–	die Anlage
die Wohn-fläche	–	wohnen	–	die Fläche
die Großstadt	–	–	groß	die Stadt
die Schlaf-möglichkeit	–	schla-fen	–	die Mög-lichkeit
der Internet-anschluss	das Inter-net	–	–	der An-schluss

Ü3: 2. trotzdem, 3. deshalb, 4. deshalb, 5. trotzdem, 6. deshalb

Ü4: 2. da/weil, 3. trotzdem, 4. denn, 5. so ... dass, 6. Obwohl, 7. deshalb, 8. denn, 9. sodass, 10. deshalb

Ü5: 2. Die Wohnung im ersten Stock rechts steht leer, trotzdem brennt dort Licht. 3. Obwohl die junge Studentin bald Examen macht, geht sie jeden Abend aus. / Die junge Studentin geht jeden Abend aus, obwohl sie bald Examen macht. 4. Herr Schöpps ist so erkältet, dass er nicht zur Arbeit gehen kann. 5. Frau Leger ist arbeitslos, trotzdem hat sie sich ein neues Sofa gekauft. 6. Die Dachwohnung wird renoviert, denn es gab dort einen Wasserschaden. 7. Die Miete ist gestiegen, deswegen will Familie Maler ausziehen. 8. Herr Huber hat sich über die WG im dritten Stock beschwert, weil es dort abends oft laut ist. / Weil es dort abends oft laut ist, hat sich Herr Huber über die WG im dritten Stock beschwert.

Ü6: (1) so, ... dass, (2) Deshalb/Deswegen, (3) Weil, (4) obwohl, (5) so ... dass, (6) deshalb/deswegen

Modul 2 Ohne Dach

Ü1a: 1. f, 2. f, 3. r, 4. f, 5. r, 6. f

Ü1b: 17.10.1993: BISS erschien zum ersten Mal; 11: Ausgaben pro Jahr; 40.000: Auflagenhöhe; 600: wohnungslose Menschen in München; 1,50 €: Preis der Zeitung; 80 Cent: Anteil für Verkäufer; 100: BISS-Verkäufer; 15: festangestellte und sozialversicherte Verkäufer

Modul 3 Eine Wohnung zum Wohlfühlen

Ü1: die Wohnung kündigen, putzen, einrichten, besichtigen, kaufen, mieten, untervermieten, aufräumen, streichen

Ü2: 2. wärmer/heißer/..., 3. besser, 4. größeren, 5. größer/geräumiger/praktischer/..., mehr, 6. schöner/...

Ü3: (1) schönsten, (2) teuersten, (3) besten, (4) meisten, (5) billigeren, (6) ungünstiger, (7) länger, (8) billigste, (9) kleinste, (10) dunkelsten, (11) größte

Modul 4 Hotel Mama

Ü1: (1) zu Hause, (2) Platz, (3) eigenen, (4) Verantwortung, (5) ausgezogen, (6) bequemer, (7) Luxus, (8) Wohngemeinschaft

Lösungen

Ü2: 1. Felix, 2. Simon, 3. Claudia, 4. Claudia, 5. Felix

Ü3a: 1. Das Studentenwohnheim, 2. Die Wohngemeinschaft, 3. Die Mietwohnung

Ü3b: <u>Studentenwohnheim:</u> ... Kosten 180 – 250 €, Kaution

<u>Wohngemeinschaft:</u> sehr beliebt, nicht völlig isoliert, eigenes Heim, Aushänge Uni, Zeitungen

<u>Mietwohnung:</u> hohe Kosten, Miete, Betriebskosten, Ablöse, Kaution, Makler drei Monatsmieten, nach Inseraten suchen, schnell handeln

Ü4a: 2. interessante Anzeigen markieren, 3. anrufen und Besichtigungstermin vereinbaren, 4. die Wohnungen besichtigen, 5. sich für eine Wohnung entscheiden, 6. den Mietvertrag unterschreiben, 7. die Kaution bezahlen, 8. die Kisten packen, 9. zusammen mit Freunden alle Möbel und Kisten in die neue Wohnung bringen, 10. die alte Wohnung streichen, 11. eine Einweihungsparty geben

Kapitel 3: Wie geht's denn so?

Wortschatz

Ü1a: 1. der Kopf, 2. das Auge, 3. die Nase, 4. das Ohr, 5. der Mund, 6. der Hals, 7. die Brust, 8. der Oberkörper, 9. der Arm, 10. der Bauch, 11. die Hand, 12. der Finger, 13. das Bein, 14. der Oberschenkel, 15. das Knie, 16. der Unterschenkel, 17. der Fuß, 18. der Zeh (die Zehe)

Ü2: 1. Ich habe Halsschmerzen. 2. Ich habe Schmerzen im Bein. 3. Mir tun die Finger weh. 4. Mir tut der Rücken weh. 5. Ich habe Schmerzen in der Brust. 6. Ich habe Bauschmerzen.

Ü3: <u>Arzt:</u> den Blutdruck messen, nach dem Befinden fragen, die Diagnose stellen, ein Medikament verschreiben, ein Rezept ausstellen, einen Zahn ziehen

<u>Patient:</u> ein Rezept abholen, eine Spritze bekommen, ein Medikament einnehmen, sich auf die Waage stellen, den Oberkörper frei machen, einen Termin vereinbaren, seine Probleme beschreiben, sich eine Überweisung geben lassen

Ü4: 5., 4., 7., 3., 6., 1., 8., 2.

Lach mal wieder

Ü2: (1) Gesundheit, (2) weniger, (3) ernst, (4) Lachclubs, (5) Muskeln, (6) (ein)atmet, (7) Körper, (8) Gehirn, (9) Wissenschaft, (10) USA / 60er-Jahren, (11) Journalist, (12) Schmerzen, (13) indischer, (14) rund 3.500

Ü3: 1. d, 2. e, 3. f, 4. a, 5. b, 6. c

Ü5: 1. vertreibt, 2. atmet ... ein, 3. schüttet ... aus, 4. untersucht, 5. versuchen, 6. anwenden, 7. mitmachen

Ü6: 2. abgesetzt, 3. verschrieben, 4. bestellt, 5. abgeholt, 6. durchgelesen, 7. vergessen

Ü7: 2. Machen Sie bitte den Oberkörper frei! 3. Machen Sie bitte den Mund auf! 4. Halten Sie bitte die Luft an! 5. Massieren Sie bitte die Salbe ein! 6. Erneuern Sie bitte den Verband! 7. Lösen Sie bitte die Tabletten auf! 8. Vergessen Sie bitte das Rezept nicht!

Ü8: 2. Ich habe vor, mit dem Rauchen aufzuhören. 3. Für viele Menschen ist es wichtig, sich gesund zu ernähren. 4. Der Arzt hat mir verboten, weiterzuarbeiten. 5. Es ist erforderlich, bei jedem Arztbesuch die Chipkarte mitzubringen. 6. Immer mehr Menschen scheinen sich für eine gesunde Lebensweise zu entscheiden.

Fast Food – Slow Food

Ü1b: 1. c, 2. e, 3. d, 4. a, 5. b

Ü1c: 4., 5., 3., 2., 1.

Ü2a: 1B, 2H, 3F, 4A, 5D, 6G, 7C, 8E

Ü2b: 2. auf ... aufmerksam gemacht, 3. wende ... an, 4. ...über freuen, 5. über ... informieren, 6. weiß ... von, 7. bedanke ... für, 8. freue ... auf

Eine süße Versuchung ...

Ü1a: A4, B1, C2, D3

Ü1b: <u>Mengenangaben:</u> der Becher, der Esslöffel, das Gramm, die Kugel, der Milliliter, die Prise, das Stück(-chen)

<u>Zutaten/Lebensmittel:</u> der Ahornsirup, die Banane, die Beere, die Butter, das Ei, das (Vanille-)Eis, der Eiswürfel, der Honig, der (Vanille-)Joghurt, der Kaffee, die (Sauer-)Kirsche, der Kaffee, die Mandel, das Mehl, die Milch, die Orange, der (Orangen-/Zitronen-)Saft, das Salz, die Schlagsahne, die Speisestärke, der Teelöffel, der Zimt, der Zucker

<u>Zubereitung:</u> auflösen, auspressen, backen, bestreichen, braten, dekorieren, erhitzen, garnieren, (hinein-/darauf-/hinzu-/daüber-)geben, (über-/dazu-)gießen, hacken, herausnehmen, kalt werden lassen, kaltstellen, (weich-)kochen, legen, mixen, (glatt-/ver-/um-/weiter-)rühren, schälen, (ab-)schneiden, servieren, steif schlagen, waschen, wenden, zerkleinern, zerlaufen lassen

<u>Geräte:</u> das Glas, der Kühlschrank, der Mixer, die Pfanne, der Teller, der Topf, die (Glas-)Schale

Ü2a: 2. das Ei – die Eier, 3. der Saft – die Säfte, 4. der Joghurt – die Joghurts, 5. der Teller – die Teller, 6. die Schale – die Schalen, 7. das Stück – die Stücke, 8. der Kühlschrank – die Kühlschränke, 9. das Glas – die Gläser, 10. die Mischung – die Mischungen, 11. der Mixer – die Mixer, 12. die Orange – die Orangen, 13. die Pfanne – die Pfannen, 14. der Topf – die Töpfe

Ü2b: <u>Typ I:</u> der Löffel – die Löffel / der Teller – die Teller / der Mixer – die Mixer

<u>Typ II:</u> die Schale – die Schalen / die Mischung – die Mischungen / die Pfanne – die Pfannen

<u>Typ III:</u> der Saft – die Säfte / das Stück – die Stücke / der Kühlschrank – die Kühlschränke / der Topf – die Töpfe

<u>Typ IV:</u> das Ei – die Eier / das Glas – die Gläser; <u>Typ V:</u> der Joghurt – die Joghurts

Ü3: (1) Himbeeren, (2) Restaurants, (3) Kugeln, (4) Nüssen, (5) Salaten, (6) Desserts

---

Modul 4 **Bloß kein Stress!**

Ü1: Frühaufsteher: 2., 3.; Nachtmensch: 1., 4., 5.

Ü2: Musterlösung: 1. Steffi ist ein Morgenmuffel. Weil sie am Abend und in der Nacht aktiv wird, kommt sie am Morgen nicht vor neun aus dem Bett. 2. Die innere Uhr bestimmt, wann viele Menschen am besten schlafen können. Sie stimmt oft nicht mit der äußeren überein, durch die der Schlaf-Wach-Rhythmus bestimmt ist. 3. Ob jemand früher oder später aufwacht, liegt in den Genen begründet. 4. Diese Menschen sind früh wenig aufmerksam und haben ein geringeres Reaktionsvermögen. 5. Viele Unfälle können passieren, weil die Schüler unaufmerksam sind. Außerdem sind Kinder zur ersten Schulstunde noch nicht richtig wach.

Ü3b: Musterlösung: 3. innere Uhr läuft langsamer als die äußere; 4. Was tut sie dagegen? 5. Wodurch wird unser Tagesablauf bestimmt? Von zwei Uhren: die äußere und die innere. Die äußere ist der Wecker. 6. Wer oder was ist für das Signal zum Aufwachen verantwortlich? Ist genetisch bedingt. 7. Was sind die Folgen für Frühaufsteher? Fehlende Aufmerksamkeit und fehlendes Reaktionsvermögen. Unfallgefahr steigt. 8. Was sind Folgen bei Schulkindern? Steigende Unfallgefahr. Fehlende Konzentration in der ersten Schulstunde.

Ü4: 1. r, 2. f, 3. f, 4. f, 5. r, 6. f, 7. r, 8. r, 9. r, 10. f

Kapitel 4: Freizeit und Unterhaltung

Wortschatz

Ü1: <u>Spiele:</u> das Kartenspiel, mischen, raten, die Spielregel, das Brettspiel

<u>Fitness und Sport:</u> joggen, die Schwimmhalle, Rad fahren, trainieren, Ski fahren, das Tor

<u>Musik:</u> das Instrument, die Oper, die Rolle, der Chor, die Band, die Disco, der Hit,

<u>Literatur und Theater:</u> die Bühne, die Rolle, der Regisseur, die Erzählung, das Gedicht, das Publikum

<u>Bildende Kunst:</u> das Gemälde, die Galerie, die Malerei, die Ausstellung, die Zeichnung, das Museum

Ü2: Schach, Instrument, Volleyball, Tischtennis, Basketball, Fußball, Trompete, Gitarre, Geige, Karten, Klavier

Ü3: 2. Wenn ich klettern will, fahre ich ins Gebirge. 3. Wenn ich lesen will, gehe ich in die Bibliothek. 4. Wenn ich einen Film sehen will, gehe ich ins Kino / in die Videothek. 5. Wenn ich tanzen will, gehe ich in die Disco. 6. Wenn ich Freunde treffen will, gehe ich in die Disco / in den Biergarten / in die Kneipe. 7. Wenn ich schwimmen will, gehe ich ins Freibad. 8. Wenn ich chatten will, gehe ich ins Internetcafé. 9. Wenn ich angeln will, gehe ich an den See. 10. Wenn ich Sport treiben will, gehe ins Fitnessstudio / auf den Sportplatz / auf den Tennisplatz. 11. Wenn ich Tennis spielen will, gehe ich auf den Tennisplatz. 12. Wenn ich entspannen will, gehe ich in die Sauna / in den Park.

Lösungen

Modul 1 Spiel ohne Grenzen

Ü1: Spielmaterialien: die Spielfigur, die Spielkarte, der Würfel

Spielaktivitäten: zwei Felder vorrücken, eine Runde aussetzen, würfeln

Spielarten: das Dominospiel, das Versteckspiel, das Damespiel, das Skatspiel, das Geschicklichkeitsspiel, das Brettspiel

Ü2: 1. d, 2. i, 3. a, 4. h, 5. b, 6. j, 7. e, 8. c, 9. f, 10. g

Ü3: 1. Mich würde interessieren, welche Spiele du magst. 2. Sag mir bitte, was deine Kinder gern spielen. 3. Erzähl mal, ob ihr oft zu Hause einen Spieleabend macht. 4. Ich möchte gerne wissen, ob ihr zu Hause auch Schach spielt. 5. Ich weiß nicht genau, wie lange Kinder am Tag höchstens Computer spielen sollten. 6. Mich interessiert sehr, mit wie viel Jahren Kinder einen Computer bekommen sollen.

Ü4: Musterlösung: 1. Könnten Sie mir sagen, wo sich die Brettspiele befinden? 2. Wissen Sie vielleicht, was das Dominospiel kostet? 3. Wissen Sie vielleicht, ob dieses Spiel eine Spielanleitung hat? 4. Können Sie mir erklären, wie dieses Spiel funktioniert? 5. Haben Sie eine Ahnung, ob man dieses Spiel ausprobieren kann? 6. Wissen Sie vielleicht, was man bei diesem Spiel lernt?

Ü5: 2. Nach meiner Arbeit jogge ich, um fit zu bleiben. 3. Im Urlaub fahre ich an die Ostsee, um mich dort zu erholen. 4. Abends schalte ich den Fernseher ein, um mir die Nachrichten anzusehen. 5. Am Wochenende gehe ich in die Disco, um meine Freunde zu treffen.

Ü6: Musterlösung: 1. Die Eltern kaufen den Kindern einen Computer, damit sie im Internet surfen können. 2. Die Eltern schenken den Kindern ein Brettspiel, damit sie am Wochenende zusammen mit ihnen spielen können. 3. Die Eltern schicken ihre Kinder in die Musikschule, damit sie ein Instrument spielen lernen. 4. Die Eltern arbeiten am Wochenende nicht, damit sie sich ausruhen können.

Ü7: 1. Meine Lehrerin erklärt mir die Grammatik noch einmal, damit ich meine Hausaufgaben besser verstehe. 2. Ich lese jeden Tag eine deutsche Zeitung, um meinen Wortschatz zu erweitern. 3. Ich gebe meinem Freund Lerntipps, damit er besser Wörter lernen kann. 4. Meine deutschen Freunde korrigieren mich, damit ich schneller Deutsch lerne. 5. Ich höre jeden Tag Radio, um mein Hörverstehen zu verbessern.

Modul 2 Endlich Freizeit!

Ü1a: a3, b4, c2, d1, e5

Ü1b: 1. b, 2. c, 3. e, 4. a, 5. d

Ü3a: Familie und Freunde: in der Kneipe Freunde treffen, einen Kaffeeklatsch machen, mit einer Freundin telefonieren, Oma im Altersheim besuchen, mit den Kindern basteln, Kindergeburtstag feiern

Kultur: ins Theater gehen

Sport: ins Fitness-Studio gehen

Medien: Videospiele spielen, Musik hören, chatten

Modul 3 Abenteuer im Paradies

Ü2: die Spannung – spannend, die Einsamkeit – einsam, die Angst – ängstlich, der Held / die Heldin – heldenhaft, die Hitze – heiß, das Glück – glücklich, die Überraschung – überraschend, der Mut – mutig, die Gefahr – gefährlich

Ü3: 2. Akk., 3. Akk., Akk., 4. Akk., 5. Akk., 6. Dat., 7. Akk., 8. Nom., 9. Akk., 10. Akk.

Ü4: (2) das, (3) ihre, (4) andere, (5) ihre, (6) den, (7) ihr, (8) einen, (9) die, (10) den, (11) sie, (12) eine, (13) den, (14) ihnen, (15) Diesen, (16) ihre, (17) sich, (18) ihnen

Modul 4 Freizeit in Zürich

Ü1a: 1. was, 2. Dich, 3. ins, 4. Worauf, 5. der, 6. in, 7. Das, 8. meistens, 9. Gutes, 10. liebe

Ü2a: positiv: spannend, ergreifend, einzigartig, überwältigend, sehenswert, vielversprechend, prächtig, originalgetreu, bemerkenswert, unterhaltsam, unvergessen, fesselnd, umwerfend, erfolgreich

negativ: langweilig, eintönig, monoton, handlungsarm, geschmacklos, humorlos

Ü3: 1. Vorstellung, 2. Chor, 3. Vorhang, 4. Tragödie, 5. Publikum, 6. Regisseur, 7. Pause, 8. Komödie, 9. Bühne, 10. Rolle, 11. Reihe, 12. Dirigent, 13. Schauspieler

Ü4: „Der Parasit": 3., 5., 6.

„Heimatflimmern": 1., 2., 4.

Kapitel 5: Alles will gelernt sein

Wortschatz

Ü2: 1. Tanzschule, 2. Reitschule, 3. Volkshochschule, 4. Fahrschule, 5. Musikschule, 6. Ganztagsschule

Ü3: z.B.: der Unterrichtsraum, das Unterrichtsfach, der Unterrichtsstoff, der Stundenplan, der Vertretungsplan, der/die Vertretungslehrer/-in, die Klassenarbeit, das Klassenzimmer, der Klassenraum, das Klassenbuch, der/die Klassenlehrer/-in, der Kunstunterricht, die Kunsterziehung, der/die Kunstlehrer/-in, der Sportunterricht, die Sporthalle, der/die Sportlehrer/-in, die Mathematikarbeit, der Mathematikunterricht, die Mathematikprüfung, das Mathematikbuch, der/die Mathematiklehrer/-in, die Abiturprüfung, das Abiturfach, der Abiturstoff, der Schulhof, der Schulunterricht, der/die Schuldirektor/-in, das Schulbuch, das Schulfach, der Schulstoff, ...

Ü4: z.B.: 1. die neuen Wörter wiederholen/vergessen/üben, 2. die Hausaufgaben vergessen/bekommen/machen, 3. einen Kurzvortrag halten/vorbereiten, 4. auf die Fragen des Lehrers antworten, 5. einen Dialog wiederholen/üben/aufschreiben/vorbereiten, 6. eine Prüfung wiederholen/schreiben/bestehen, 7. einen Kurs machen, 8. ein gutes Zeugnis bekommen, 9. einen Test schreiben/bestehen/vorbereiten, 10. im Diktat viele Fehler machen

Ü5: 1. der Block, 2. das Heft, 3. der Füller / der Stift, 4. das Lineal, 5. der Laptop, 6. der Locher, 7. der Karteikasten

Modul 1 Lebenslanges Lernen

Ü1a: Musterlösung: 1. Es gibt drei Gruppen: die jungen Studenten, die Studenten Mitte Vierzig mit einem klaren Berufsziel und die Senioren, die aus persönlichem Interesse im Alter noch einmal studieren. 2. Die Bankkauffrau Luzia Koller möchte als Juristin in einer Beratungsfirma arbeiten und studiert deshalb jetzt Rechtswissenschaften. 3. Einerseits sind die Mittvierziger und die Senioren bei den jungen Studenten beliebt und werden als Bereicherung empfunden, weil sie ihre Lebenserfahrung einbringen. Andererseits prallen auch oft verschiedene Welten aufeinander und manche jungen Studenten stört es, dass die Älteren meinen, alles besser zu wissen, und gleichzeitig zu viel Zeit der Professoren und Plätze in den Hörsälen beanspruchen. 4. Die Professoren haben eine sehr

positive Meinung von den älteren Studenten. Diese wissen, was sie wollen, sind zielstrebig und verfügen oft über bessere Arbeitstechniken als die Jungen.

Ü2: (1) zu, (2) –, (3) –, (4) zu, (5) –, (6) zu, (7) –, (8) –, (9) zu, (10) –

Ü3: Musterlösung: Man sollte am besten einen Zeitplan erstellen. Vergessen Sie nicht, Pausen beim Lernen einzubauen. Es ist empfehlenswert, den Lernstoff in sinnvolle Abschnitte einzuteilen. Man muss einen ruhigen und ungestörten Arbeitsplatz haben. Versuchen Sie, Karteikarten mit den wichtigsten Informationen anzulegen. Nehmen Sie sich Zeit, den Lernstoff in regelmäßigen Abständen zu wiederholen. Es ist wichtig, sich gründlich über die Prüfung zu informieren. Ich rate allen Prüflingen, mit anderen zusammen zu lernen.

Modul 2 Besser lernen mit Computern?

Ü1: 1. die Tastatur, 2. der Rechner, 3. der Monitor, 4. die Maus, 5. der Lautsprecher

Ü2: den Computer: programmieren, bedienen, einschalten

im Internet: chatten, neue Leute kennenlernen, etwas kaufen, Informationen suchen, surfen

eine E-Mail: kopieren, speichern, beantworten, bekommen, schreiben, löschen, senden, weiterleiten, lesen

Ü3: Dr. Schomburg: 1, 4, 5, 8

Dr. Jacobi: 2, 3, 6, 7

Ü4: 2. Viele Lehrer halten es für falsch, dass ... 3. Ein weiteres Argument dafür ist, dass ... 4. Gegner einer solchen Lösung meinen, dass ... 5. Viele Eltern lehnen es ab, dass ...

Ü5: ... Ich finde, dass einige Gründe dafür (1) sprechen, aber auch einige dagegen. Der (2) wichtigste Grund, der dagegen spricht, ist, dass mein (3) Kind allein am Bildschirm sitzt. Meiner Meinung nach (4) ist das ein (5) großer Fehler. Das Lernen in der Gruppe ist sehr wichtig. Außerdem frage ich mich, was (6) man machen soll, wenn es zu Hause (7) keinen Computer gibt. Denn viele Eltern (8) haben nicht so viel Geld, um einen Computer zu kaufen. Dann ist das (9) Üben am Computer nicht möglich. Computer sind (10) nützlich, aber es gibt auch andere (11) gute Möglichkeiten, wie man besser lernen (12) kann. ...

Lösungen

Modul 3 — Können kann man lernen

Ü1a: (1) Prüfung, (2) Strategien, (3) Situation, (4) Mut, (5) Pannen, (6) Atemübung, (7) Möglichkeit

Ü3: 1. kann, 2. Willst/Möchtest/Kannst, muss, 3. muss, können, muss, 4. Darf/Kann, dürfen/können, 5. will/möchte, 6. soll, kann, kannst, kann

Ü4a: 2. Man darf während des Unterrichts nicht essen. 3. Marie will in einem halben Jahr die B2-Prüfung machen. 4. In einem Sprachkurs kann man viel Deutsch sprechen. 5. Wenn ich hier bleiben will, muss ich ein neues Visum beantragen.

Ü4b: 2. Bist du in der Lage, ... zu übersetzen? 3. Ich habe jetzt keine Lust, ... zu sehen. 4. Wir hatten noch keine Gelegenheit, ... zu reden. 5. Ich habe die Absicht, ... zu suchen, ...

Modul 4 — Lernen und Behalten

Ü1a: 1. d, 2. c, 3. b, 4. a, 5. e

Ü1b: 1. r, 2. f, 3. f

Ü1c:

7	4	8	6	2	3	5	1	9
2	3	6	5	1	9	8	7	4
1	9	5	8	7	4	6	2	3
9	6	2	1	4	5	7	3	8
4	5	1	7	3	8	2	9	6
3	8	7	2	9	6	1	4	5
8	1	4	3	6	7	9	5	2
6	7	3	9	5	2	4	8	1
5	2	9	4	8	1	3	6	7

Ü2: 1. r, 2. r, 3. f, 4. f, 5. r, 6. r

Kapitel 6: Berufsbilder

Wortschatz

Ü1:

Beruf	Ort	Arbeits-mittel	Tätigkeiten
Informa-tiker/-in	Büro, Server-raum	Software, Computer	programmieren, speichern
Friseur/-in	Friseur-salon	Schere, Kamm	Haare schneiden, fönen
Maler/-in	Maler-betrieb	Pinsel, Farbe	streichen, malen
Kranken-schwester/-pfleger	Kranken-haus	Spritze, Verband, Fieber-thermo-meter	sich um Patienten kümmern
Schreiner/-in	Schreinerei	Hammer, Säge	sägen, Möbel anfertigen, leimen
Koch/Köchin	Restauant, Küche	Herd, Topf, Messer	kochen, Gemüse schneiden, Menüfolge planen

Ü2: 1. Tierärztin, 2. Lehrer, 3. Rechtsanwältin, 4. Zahnarzt, 5. Hebamme, 6. Schauspieler, 7. Journalistin, 8. Apotheker

Ü3: 2. a, b; 3. d, e, g; 4. h; 5. d, f, g; 6. c, d, g; 7. e, g; 8. a, d, f, g

Ü4: 1. Stelle, 2. Arbeit, 3. Job, 4. Beruf

Ü5a: 1. e, 2. d, 3. g, 4. h, 5. a, 6. b

Ü5b: c Arbeitszeit, f Freizeit

Modul 1 — Wünsche an den Beruf

Ü1a: 1. Ideen, gemeinsam, langweiligen, 2. Karriere, verdienen, verantwortungsvolle, Überstunden, Herausforderung, 3. Teilzeitjob, Gehalt, freiberuflich, anbieten, 4. Arbeitsklima, verwirklichen, Kontakt, Arbeitszeit, Interessen

Ü2: Beruf, gesichertes Einkommen, Kontakt mit Menschen, weiterentwickeln können, gute Arbeitsmarktchancen. Musterlösung: Ebenfalls 73 von 100 befragten Männern geben an, dass ihnen wichtig ist, viel Geld zu verdienen, ein

Wunsch, der von den Frauen gar nicht genannt wird. Ein auffallender Unterschied zwischen Männern und Frauen ist auch der Wunsch, mit anderen zusammenzuarbeiten. Während dieser Wunsch bei den Frauen an dritter Stelle steht, steht er bei den Männern an zweitletzter Stelle. Und ein Wunsch, der von immerhin 64 Frauen genannt wird, ist, sich bei der Arbeit bewegen zu können, ein Wunsch, der von den Männern gar nicht geäußert wird.

Ü4: 2. Er wird auf dem/seinem Schreibtisch liegen.
3. Dann wird er wohl im Kopierer sein/liegen.
4. …, wird Herr Braun ihn bei sich haben.

Modul 2   Ideen gesucht

Ü1a: 1. r, 2. f, 3. r, 4. f, 5. f, 6. r

Modul 3   Darauf kommt's an

Ü1: 1. H, 2. F, 3. E, 4. G, 5. C, 6. D, 7. A

Ü2: 1. ein interessantes Stellenangebot sehen, 2. sich genauer über die Firma und Stelle informieren, 3. eine Bewerbung schreiben, 4. zum Vorstellungsgespräch eingeladen werden, 5. den Arbeitsvertrag unterschreiben

Ü3: 1. e, 2. f, 3. c, 4. b, 5. a, 6. d

Ü4: (2) auf, (3) bei, (4) mit, (5) an, (6) für, (7) nach

Ü5: 2. Mit wem?, 3. Worauf?, 4. Wonach?, 5. Mit wem?

Ü6: (1) bei, (2) von, (3) darauf, (4) Zu, (5) über, (6) bei, (7) über, (8) darauf, (9) zu, (10) für, (11) zu, (12) darauf

Ü7: Musterlösung: 2. Ich habe lange darüber nachgedacht, ob ich wirklich kündigen soll. 3. Was hältst du davon, wenn wir gemeinsam einen Computerkurs besuchen? 4. Ich kann mich nicht daran gewöhnen, dass meine neue Chefin alles anders macht. 5. Wir freuen uns sehr darüber, dass Pietro jetzt in unserem Team arbeitet.

Modul 4   Mehr als ein Beruf

Ü3: 1. f, 2. r, 3. f, 4. f, 5. r, 6. f, 7. r, 8. r, 9. f, 10. r

Ü4a: 2. :-) glücklich sein, 3. :-(traurig sein, 4. ;-) zwinkern, 5. :x küssen, 6. :-O überrascht sein, 7. :-S besorgt sein, 8. B-) cool, 9. :-)) laut lachen, 10. :-c ruf an

Ü4b: 2. Nachmittag, 3. Vormittag, 4. komme gleich wieder, 5. Was ist los?, 6. Wann sehen wir uns wieder?, 7. Auf Wiedersehen!, 8. Bis später!, 9. Gute Nacht!, 10. Mit freundlichen Grüßen

Ü5: (1) den, (2) sich, (4) eine, (5) dass, (6) möchten/wollen/können, (7) was, (8) von, (9) ist, (10) gefunden

Kapitel 7: Für immer und ewig

Wortschatz

Ü1: 1. c, 2. g, 3. f, 4. d, 5. b, 6. a, 7. e

Ü2: (2) sich … kennengelernt, (3) geheiratet, (4) sich … scheiden lassen, (5) ist Witwe, (6) ist … gestorben, (7) ist schwanger, (8) zur Welt kommen

Ü3: 2. das Standesamt, 3. der Kuss, 4 zärtlich, 5. das Misstrauen, 6. der Schwiegervater, 7. der Bekannte, 8. sich verlieben, 9 das Gespräch, 10. verlassen

Ü4: 1. Heiratsurkunde, 2. Polterabend, 3. Standesamt, 4. Trauzeuge, 5. Bräutigam, 6. Ehering, 7. Trauung

Ü5: Ehe: das Ehebett, der Ehegatte, die Ehegattin, die Ehegemeinschaft, der Ehepartner, die Ehepartnerin, der Ehering, die Ehescheidung, die Eheberatung, die Eheberatungsstelle, der Ehebrecher, die Ehebrecherin, der Ehebruch, die Ehefrau, der Ehemann, der Ehekrach, die Eheleute, …

Hochzeits-: das Hochzeitsbild, der Hochzeitsbrauch, die Hochzeitsfeier, das Hochzeitsfest, das Hochzeitsfoto, das Hochzeitsgeschenk, das Hochzeitskleid, die Hochzeitskutsche, das Hochzeitspaar, die Hochzeitsreise, …

Modul 1   Lebensformen

Ü1a: 1. 60%, 2. 7%, 3. 20%

Ü1b: 1. Ehe: häufigste Lebensform, 2. wenige unverheiratete Paare, 3. mehr Alleinerziehende und unverheiratete Paare mit Kindern, 4. immer mehr Paare ohne Kinder, 5. mehr Menschen ohne Partner

Ü3: 1. r, 2. f, 3. r, 4. r, 5. f, 6. r

Ü4: (2) mir, (3) uns, (4) mir, (5) sich, (6) mir, (7) uns

Lösungen _____

Ü5: 1. Unterhalten Sie sich bei Unsicherheiten mit dem Partner und anderen Personen. 2. Tauschen Sie sich bei Problemen mit allen Betroffenen aus. 3. Nehmen Sie sich Zeit, gemeinsam Dinge zu unternehmen. 4. Überlegen Sie sich Regeln, die für alle gelten. 5. Machen Sie sich bewusst, dass Fairness sehr wichtig ist.

Modul 2 Partnerglück im Internet

Ü1a: Ratgeber

Ü1b: Musterlösung: … Du solltest die richtige Kontaktbörse auswählen. Wichtig dabei ist, ob Du wirklich einen neuen Partner / eine neue Partnerin kennenlernen und Deine Freizeit mit ihm/ihr verbringen möchtest oder ob Du nur flirten willst. Wenn Du Dir ein Profil anlegst, solltest Du Dir einen humorvollen Spitznamen ausdenken. Dadurch klicken Dich viel mehr Personen an und Deine Chancen steigen. Falls Du jemanden in der Kontaktbörse kennenlernst, solltest Du nicht sofort, deine persönlichen Angaben, wie z.B. Telefonnummer weitergeben. Man bleibt erst einmal anonym. Wann du dich zum ersten Mal triffst, entscheidet dein Gefühl. Du solltest beim ersten Treffen aber nicht zu viel erwarten.

Ü2: linke Spalte: 4, 5, 9, 10, 11, 2, 13; rechte Spalte: 3, 14, 8, 6, 1, 7, 12

Modul 3 Die große Liebe

U1: Musterlösung:

<u>Anne und Paulo:</u> Paulo merkte sehr schnell, dass Anne die Richtige ist. Beide vertrauen sich grenzenlos. Paulo ist Annes bester Freund und gleichzeitig ihre große Liebe.

<u>Maja und Ernst:</u> Mit Maja kann Ernst nachholen, was er verpasst hat. Mit Ernst ist es nie langweilig, er ist immer aktiv.

<u>Pia und Cornelius:</u> Beide teilen viele Interessen. Die Vorurteile der Gesellschaft wegen des Altersunterschieds können beide nicht verstehen.

Ü2: <u>Aussehen:</u> gepflegt, mollig, elegant, hübsch, schlank, sportlich, modern

<u>Charakter:</u> tolerant, liebenswürdig, temperamentvoll, verlässlich, egoistisch, warmherzig, ehrlich, sensibel, begeisterungsfähig, ernst, geduldig, gesprächig

Ü3: 1. Das ist der Mann,

a der eine sportliche Figur hat. b den ich sehr nett finde. c dem ich gestern begegnet bin. d mit dem ich tanzen gehen möchte.

2. Das ist die Frau,

a die in meinem Haus wohnt. b die ich gerne treffen möchte. c der ich Geld schulde. d mit der ich mich gerne verabreden würde.

3. Das ist das Kind,

a das vor dem Haus spielt. b das man oft weinen hört. c dem dieses Spielzeug gehört. d für das morgen die Schule beginnt.

4. Das sind die Leute,

a die gestern neu eingezogen sind. b die ich für morgen eingeladen habe. c denen unser Garten gefällt. d mit denen ich lange geredet habe.

Ü4: (2) dem, (3) die, (4) das, (5) der, (6) die, (7) die

Ü5: 1. was, 2. wo, 3. woher, 4. wohin, 5. was

Kapitel 8: Kaufen, kaufen, kaufen

Wortschatz

Ü2a: 2. abholen, 3. einpacken, 4. umtauschen, 5. zurückgeben, 6. ausgeben, 7. zahlen, 8. einkaufen, 9. gefallen

Ü2b: (1) einkaufen, (2) abholen, (3) bestellt, (4) gefällt, (5) umtauschen, (6) zurückgeben, (7) ausgegeben, (8) einpacken, (9) zahlen

Ü4a: 1. g, 2. d, 3. f, 4. c, 5. b, 6. e, 7. a

Ü5: 1. Kleidung (und z.B. die Bluse, das Hemd, der Pullover, …)

2. Möbel (und z.B. der Teppich, der Schrank, die Kommode, …)

3. Geschirr (und z.B. die Untertasse, die Suppentasse, die Platte, …)

4. Schreibwaren (und z.B. der Stift, der Block, das Papier, …)

Ü6a: 1. f, 2. b, 3. h, 4. a, 5. d, 6. g

Ü6b: c das Schaufenster, e die Bedienungs-/ Gebrauchsaleitung (-anweisung), i die Umkleide(-kabine)

Modul 1 Dinge, die die Welt (nicht) braucht

Ü1a: 1. Wie die Idee entstand, 2. Umsetzung der Idee, 3. Materialien, 4. Handhabung

Ü2: 1. e, 2. c, 3. b, 4. f, 5. a, 6. d

Ü3: 2. Er setzt sich die Earbags jeden Morgen auf die Ohren. 3. Der Tropfenfänger ist in der Flasche. 4. Hast du das Monokular vorhin in die Tasche gesteckt? 5. Sind die Earbags im Rucksack? 6. Er steckt den Tropfenfänger in die Rotweinflasche. 7. Der Klingelring liegt im Auto.

Ü4: (1) im, (2) in einem, (3) im, (4) über einen, (5) im, (6) auf den, (7) hinter dem, (8) Neben den, (9) Vor dem, (10) neben diesem, (11) Auf jedem

Ü5: Musterlösung: „Clack" der Eierköpfer ist aus Edelstahl und es ist ein sehr praktisches Gerät. Man setzt die Kappe auf das Ei und zieht die Kugel ganz nach oben. Dann lässt man die Kugel fallen und es macht „klack". Jetzt ist die Eierschale aufgebrochen, man kann den Eierköpfer absetzen und das Ei mit einem Messer durchtrennen.

Modul 2 Konsum heute

Ü1: Flohmarkt: der Verkaufsstand, billig, um den Preis handeln, gebrauchte Waren, Trödelmarkt, nach Raritäten suchen, der Händler / die Händlerin

Einkaufszentrum: der Verkaufsstand, mit Kreditkarte zahlen, das Geschäft, die Neuware, die Werbung, das Sonderangebot, die Kundenkarte, umtauschen, der Händler / die Händlerin

Ü2: die Kaufkraft, das Kaufverhalten, das Konsumverhalten, der Geldbetrag, der Kaufvertrag, der Geldautomat, der Ratenkauf, der Konsumverzicht, die Geldsumme, das Konsumdenken, die Geldsorgen (Pl.), das Kaufhaus, der Geldschein, der Geldbeutel, das Falschgeld

Ü3: Musterlösung:

1. Herr Kolonko: Herr Kolonko hat sich nach einem Herzinfarkt entschieden, sein Leben zu ändern, und lebt jetzt auf einem Einsiedlerhof in der Nähe von Freiburg. Er verzichtet auf jeglichen Konsum und findet es toll, einfach zu leben und nicht abhängig von Produkten wie Handys oder anderem zu sein. Seiner Ansicht nach sollen Kindern wieder mehr Werte vermittelt bekommen.

2. Frau Zöller: Frau Zöller arbeitet beim Kundenservice einer großen Firma und liebt ihre Arbeit. Sie ist der Meinung, dass es keinen Grund gibt, auf die Konsumgüter unserer Zeit zu verzichten. Sie denkt, dass die Wirtschaft und damit die Arbeitsplätze davon abhängen, wie viele Produkte die Menschen kaufen.

3. Herr Fritsche: Herr Fritsche ist von Beruf Altenpfleger und lebt in einem Energiesparhaus, das er sich mit zwei Freunden teilt. Für ihn ist die Umwelt unsere Lebensgrundlage, die man schützen muss. Er hat etwas ganz Besonderes aufgebaut, und zwar einen Tauschring. Dadurch kann er Produkte oder Dienstleistungen mit anderen tauschen, ohne sie kaufen zu müssen.

Modul 3 Die Reklamation

Ü1: (2) aber sie funktioniert irgendwie nicht. (3) Könnten Sie mir das bitte genauer beschreiben? (4) Aber nach ein paar Tagen hat sie angefangen zu flackern und noch ein paar Tage später war die Glühbirne kaputt. (5) Die Lampe heißt „Sonnengruß". (6) Ja, nicht nur mit einer, aber die sind immer ganz schnell kaputt. (7) Könnten Sie ausprobieren, ob die Lampe funktioniert, wenn Sie sie an eine andere Steckdose anschließen? (8) Könnten Sie mit der Lampe vorbeikommen, dann tauschen wir sie um.

Ü2: (1) Könnte, (2) könntest/würdest, (3) könnte, (4) würdest, (5) würde, (6) würdest

Ü3: 2. … ich würde das Gerät ins Geschäft zurückbringen. 3. Würden/Könnten Sie bitte hier unterschreiben? 4. … Würdest/Könntest du dich jetzt bitte beeilen? 5. … würde ich dort nicht einkaufen.

Ü4: 2. … wenn Frau Peters nicht so oft / seltener Pech hätte. 3. … wenn Hans sein Handy bedienen könnte. 4. … wenn Thomas nicht so viel / weniger Geld für CDs ausgeben würde. 5. … wenn Sabine mehr / nicht so wenig Freizeit hätte.

Modul 4 Kauf mich!

Ü1: 1. c, 2. d, 3. f, 4. g, 5. a, 6. b, 7. e

Ü3b: bewusste Beeinflussung des Konsumenten, wichtigstes Instrument der Absatzförderung, riesiger Wirtschaftszweig, halbe Milllion Menschen beschäftigt, 30 Milliarden Euro Werbeausgaben jährlich, wichtigstes Werbemedium: Fernsehen

Lösungen

Ü3c: Musterlösung: Anfänge: Aushänge an häufig besuchten Gebäuden, antikes Rom, Pompeji

Mittelalter: Stadtschreier, die in Gassen Werbung machten

1445: Erfindung Druckerpresse, gedruckte Handzettel mit Firmenlogos und Arbeitsbeschreibungen von Handwerkern

17. Jahrhundert: Zeitungen und Zeitschriften mit Anzeigen von Verlegern und Buchhändlern, später auch Werbung für andere Branchen

19. Jahrhundert: Massenproduktion von Waren, die man verkaufen musste, eingängige Werbetexte und Grafiken wichtig für Imagebildung, Herausbildung von Markennamen, Theorie der drei Stufen

Heute: Werbung der dritten Stufe dominiert

Kapitel 9: Endlich Urlaub

Wortschatz

Ü1: Reiseziel: in die Berge, auf eine Insel

Reisezeit: in den Ferien, im Sommer

Verkehrsmittel: mit dem Auto, mit dem Bus, mit dem Schiff

Ü2: trennbar: durchreisen, einreisen, anreisen, mitreisen, nachreisen, ausreisen, zurückreisen

untrennbar: bereisen, verreisen,

Ü3: 1. Reisedokumente, 2. Reisefieber 3. Reisevorbereitungen, 4. Reisegruppe, 5. Reiseapotheke, 6. Reiseveranstalter, 7. Reisewetterbericht, 8. Reiseführer, 9. Reiseleiter/-führer, 10. Reisetasche/-koffer

Ü4: 1. der Reisepass, 2. das Visum, 3. das Flugticket, 4. die Fahrkarte, 5. das Handy, 6. die Sonnenbrille, 7. der Sonnenhut, 8. die Kamera, 9. die Badehose, 10. der Bikini, 11. die Sonnencreme, 12. die Zahnbürste, 13. der Waschbeutel, 14. die Abendkleidung, 15. die Wanderschuhe

Ü5: 2. im Meer schwimmen, 3. Sehenswürdigkeiten besichtigen, 4. im Fitnessstudio Sport treiben, 5. in der Disco tanzen, 6. eine Stadtrundfahrt machen, 7. neues Essen probieren, 8. interessante Menschen kennenlernen

Modul 1 Organisiertes Reisen

Ü1: 1. d, 2. f, 3. j, 4. g, 5. c, 6. i, 7. b, 8. e, 9. a, 10. h

Ü2a: 3

Ü2b: Der Originaltitel ist: „Schwierige Entscheidung". Im Gedicht wird die Unentschlossenheit der Tiere aufgrund ihrer unterschiedlichen Voraussetzungen ausgedrückt.

Ü2c: Ein Maulwurf und zwei Meisen wollen eine Reise machen, wissen aber nicht, wohin. Sie haben auch noch nicht beschlossen, ob sie zu Fuß gehen oder fliegen werden.

Ü4: (2) als, (3) als, (4) Wenn, (5) Wenn, (6) als, (7) Als, (8) als

Ü5: 1. Ich studiere die Reisekataloge, bevor ich eine Reise buche. / Ich buche eine Reise, nachdem ich die Reisekataloge studiert habe. 2. Ich packe meine Koffer, bevor ich eine Reise mache. / Ich mache eine Reise, nachdem ich meine Koffer gepackt habe. 3. Ich lese den Reiseführer genau, während ich Musik aus dem Urlaubsland höre. 4. Ich verlasse meine Wohnung, nachdem ich alle Zimmer kontrolliert habe. / Ich kontrolliere alle Zimmer, bevor ich meine Wohnung verlasse. 5. Während ich mit dem Taxi zum Flughafen fahre, überprüfe ich, ob ich meinen Pass habe. 6. Ich gehe zur Passkontrolle, nachdem ich mein Gepäck aufgegeben habe. / Bevor ich zur Passkontrolle gehe, gebe ich mein Gepäck auf. 7. Während ich im Flugzeug sitze, lese ich und höre Musik. 8. Ich gehe durch den Zoll, nachdem ich mein Gepäck geholt habe. / Bevor ich durch den Zoll gehe, hole ich mein Gepäck.

Ü6: (2) bis, (3) seit/seitdem, (4) bis, (5) bis, (6) seit/seitdem

Ü7: 1. b, 2. b, 3. c, 4. c, 5. c, 6. b

Ü8: (2) Als, (3) Nachdem, (4) Während, (5) Bis, (6) Nachdem, (7) als, (8) als

Modul 2 Urlaub mal anders

Ü1: 1. f, 2. r, 3. f, 4. r, 5. f

Ü2: (1) erzählen, (2) teilnehme, (3) Erfahrung, (4) bringen, (5) entschieden, (6) trotzdem, (7) miteinander, (8) bleiben, (9) Ahnung, (10) vorbei

Ü3: 2. Carl, 3. Andy, 4. Natascha, 5. Carl, 6. Andy, 7. Merle, 8. Carl, 9. Samuel, 10. Merle

Modul 3 Der schöne Schein trügt …

Ü1a: Musterlösung: 1. Mirjana Simic ist Qualitätsmanagerin und arbeitet für einen Reiseveranstalter. 2. Mirjana arbeitet vor Ort / in den
Hotels. 3. Sie kontrolliert den Service, die Poolanlagen, den Feuerschutz und die Zimmer. Sie
stellt Mängel fest und setzt durch, dass sie be-
seitigt werden. 4. Sie muss gründlich und gelassen sein. Sie muss ruhig bleiben.

Ü2: (2) Am, (3) vom, (4) bis zum, (5) Seit, (6) im, (7) im

Ü3: 1. (a) am, (b) in, (c) im, (d) im, (e) im, (f) –, (g) zwi-
schen/zu/an, (h) zu/an, (i) vom … bis, (j) am

2. (a) im, (b) in, (c) im, (d) –, (e) im, (f) vor

3. (a) vor, (b) während, (c) während, (d) am,
(e) vor, (f) an

Modul 4 Eine Reise nach Hamburg

Ü1a: 1. Die Lügentour, 2. Safari durch den Osten,
3. Wo die Filmstars lebten, 4. Berlin von unten

Ü1c: Safari durch den Osten: mit dem Trabi durch
den Ostteil der Stadt, Kosten: 30 Euro, Dauer:
90 Minuten, man fährt selbst, geführt vom vorausfahrenden Auto, in Marzahn: Plattenbautour
zu Fuß, Geschichte der Hochhäuser, Besichti-
gung einer Wohnung im DDR-Stil der 70er-Jahre

Wo die Filstars lebten: Promitour im Westen,
Wohnorte der Reichen und Berühmten, Führung
im Van mit Guide, auch Bezirkstouren möglich

Berlin von unten: Für Geschichtsinteressierte,
Führungen durch Bunkeranlagen und U-Bahn-
Schächte, z.B. Erkundung von größter noch
existierender Bunkeranlage am Humboldthain;
Unterwelt-Museum, kühle Temperatur, warme
Kleidung

Kapitel 10: Natürlich Natur!

Wortschatz

Ü1: der Umweltschutz, die Umweltorganisation, die
Umweltzerstörung, die Umweltkatastrophe, die
Umweltverschmutzung, die Umweltforschung;
umweltfreundlich, umweltfeindlich, umweltver-
träglich, umweltbewusst, umweltbedingt

Ü2: Klima: die Luft, die Trockenheit, die Sonne, der
Niederschlag, der Orkan, die Erwärmung, der
Sturm, die Wolke, das Wetter

Landschaft: der Wald, das Meer, die Wüste,
das Gebirge, der Fluss, der Strand, der See, die
Wiese

Pflanzen: die Blume, das Gras, das Getreide, der
Baum, die Rose

Tiere: der Hund, das Insekt, das Pferd, die Kuh,
das Vieh, der Vogel, die Katze, das Huhn

Ü3: Wasser sparen, Abfall trennen, ein schadstoff-
armes Auto fahren, Bäume pflanzen, öffentliche
Verkehrsmittel benutzen, Standby ausschalten,
Energiesparlampen benutzen, Ökostrom nutzen,
Fahrgemeinschaften bilden, umweltfreundlich
heizen

Ü4: 1. Müllabfuhr, 2. Hausmüll, 3. Mülltonne,
4. Sondermüll, 5. Waldsterben, 6. Abwasser,
7. Altpapier, 8. Glascontainer, 9. Recycling,
10. Biotonne, 11. Abgase

Ü5a: 1. verschmutzen, 2. zerstören, 3. schaden,
4. schützen, 5. produzieren, 6. protestieren,
7. retten, 8. verbieten, 9. verantworten, 10. gefährden

Ü5b: Musterlösung: 1. Abgase verschmutzen die Luft.
2. Die Menschen zerstören ihre Umwelt. 3. Auto-
abgase schaden dem Klima. 4. Viele Vereine
schützen die Natur. 5. Betriebe produzieren
große Mengen umweltschädlicher Stoffe.
6. Greenpeace protestiert gegen die Verschmutzung der Meere. 7. Wir müssen die Erde
vor einer Umweltkatastrophe retten. 8. Die
Regierung sollte schadstoffreiche Autos verbieten. 9. Wer will eine Umweltkatastrophe verantworten? 10. Industrieabgase gefährden die
Natur.

Modul 1 Umweltproblem Single

Ü1a: 91 Prozent → Handlung: Trennung von Ver-
packungsmüll → Ziel: Verkleinerung des Müll-
bergs

ca. 50 Prozent → Handlung: weniger Auto fahren, Stehenlassen von Auto → Ziel: Klimaschutz,
Senkung von Erdölverbrauch

mehr als 60 Prozent → Handlung: kürzer
duschen, weniger Wasser benutzen, Heizung
herunter drehen → Ziel: Wasser sparen, weniger
Energieverbrauch, Klima schonen

Ü1b: 2. Das Auto wird stehen gelassen und dadurch
wird das Klima geschützt. 3. Die Heizung wird
heruntergedreht und dadurch wird weniger
Energie verbraucht.

Lösungen

Ü2: Musterlösung: 2. Die öffentlichen Verkehrsmittel werden viel genutzt. 3. Müll wird nicht in den Wald geworfen. 4. Alte Medikamente werden in die Apotheke gebracht. 5. Alte Farbe wird zur Sondermüllsammelstelle gebracht. 6. Mehr Bäume werden gepflanzt.

Ü3: 2. Heutzutage wird ein großer Teil des Mülls recycelt. 3. Erst ab 1989 wurden in Deutschland alle Autos mit Katalysatoren gebaut. 4. Jetzt werden von vielen Automobilkonzernen umweltfreundlichere Autos entwickelt. 5. Früher wurden sogar von Kleingärtnern Pestizide verwendet. 6. In privaten Gärten wird heute auf Pestizide verzichtet.

Ü4: 2. Mehr Energiesparlampen sollten benutzt werden. 3. Mit Wasser muss sparsam umgegangen werden. 4. Plastiktüten sollten nicht verwendet werden, sondern lieber eine Einkaufstasche.

Ü5a: … diese Flüssigkeit wird die Wärme zum Solarspeicher im Keller transportiert. Dort wird das Wasser … erwärmt. … Im Winter, wenn …, wird das … Wasser „nachgeheizt" …

Verben im Infinitiv: aufnehmen, transportieren, erwärmen, nachheizen

Ü5b: 1. Sonnenstrahlen treffen auf den Sonnenkollektor.

2. Vom Sonnenkollektor wird die Sonnenwärme aufgenommen.

3. Die Sonnenwärme wird über Rohre an den Solarspeicher weitergeleitet.

4. Im Solarspeicher wird das Wasser zum Duschen und Abwaschen erhitzt.

5. Wenn wenig Sonne scheint, wird das Wasser nachgeheizt.

Ü5c: 2. Mit einer Solaranlage kann eine/die Wohnung geheizt/beheizt werden. 3. Mit einer Solaranlage können Energieverluste reduziert werden. 4. Mit einer Solaranlage kann Geld gespart werden. 5. Mit einer Solaranlage kann der CO_2-Ausstoß gesenkt werden.

Modul 2 Tierisches Stadtleben

Ü1a: 1. Schreiben Sie leserlich, 2. Notieren Sie Schlagwörter, 3. Notieren Sie „mit Luft", 4. Notieren Sie mit eigenen Worten, 5. Nutzen Sie nicht nur Wörter, 6. Das Gehirn mag es bunt

Ü2: 1. r, 2. f, 3. r, 4. r, 5. f, 6. f

Ü3b: Musterlösung (Tagesplan):

Vormittag:
– Besprechung des Tagesablaufs,
– entweder: im oberen Stock Medikamente für kranke Katzen vorbereiten und austeilen, Katzen füttern, Fressgeschirr und Katzenklos reinigen
– oder: im unteren Stock Nager und Ferientiere vorsorgen und Telefondienst
– Besprechung
– Mittagspause

Nachmittag:
– Post und E-Mails bearbeiten
– Büroarbeiten
– Organisatorisches
– spezielle Reinigungs- und Aufräumarbeiten
– 14.00–16.00 Beratungs- und Tiervermittlungsgespräche
– entweder: Einkäufe / Abfall entsorgen / Termine auf Bauernhöfen
– oder: Telefondienst und Tiere füttern
– Aufräumarbeiten

Modul 3 Projekt Umwelt

Ü1a: (1) Hotel-Umwelt-Checkliste, (2) Wassersparmaßnahmen umsetzen lässt, (3) Umweltbeauftragter ernannt, (4) regenerativen Quellen stammt, (5) Das Abwasser, (6) zur Abfallvermeidung

Ü2: 1. b/c, 2. a, 3. d

Ü3: 2. Man schützt die Gletscher vor der Sonneneinstrahlung. 3. Man kann (mit der Folie) das Schmelzen der Gletscher nur verlangsamen. 4. Man kann so (aus Kostengründen) nur kleine Flächen schützen. 5. Man kann (durch solche Maßnahmen) das Gletschersterben nicht verhindern.

Ü4: 2. Die Mülltrennung lässt sich noch verbessern. 3. Die Abfallmenge lässt sich durch weitere Maßnahmen verringern. 4. Durch die Verwendung von Energiesparlampen lässt sich einiges an Energie sparen.

Ü5: (2) man, (3) -bar, (4) man, (5) lässt sich, (6) man

Modul 4 Kostbares Nass

Ü1a: Text A: Foto 1, Text B: Foto 5, Text C: Foto 2, Text D: Foto 4, Text E: Foto 3

Ü2: Schreiben Sie in Ihrem Skript am besten keine ausformulierten Sätze/nur Stichwörter.

Lernen Sie Ihren Text nicht auswendig oder lesen Sie ihn nicht ab. Sprechen Sie möglichst frei.

Sprechen Sie so langsam und deutlich wie möglich und machen Sie auf jeden Fall kurze Sprechpausen.

Gut ist auch, wenn Sie ein wenig lauter als normal sprechen.

Schauen Sie Ihr Publikum an, Blickkontakt ist sehr wichtig.

Bei der Körperhaltung sollten Sie darauf achten, dass Sie aufrecht sitzen oder stehen. Halten Sie Ihren Kopf möglichst gerade. Halten Sie Ihre Arme nicht verschränkt oder stecken Sie Ihre Hände nicht in die Hosentasche.

Üben Sie Ihr Referat vorher, dadurch werden Sie nur sicherer.

Transkript

Kapitel 1

Aufgabe 3a

Gemeinsam durch dick und dünn – gute Freunde zu haben, ist sehr vielen Menschen wichtig, unabhängig vom Alter. Ein soziales Netz aus Freunden macht selbstbewusst, psychisch stabil, optimistisch und stärkt unser Herz-Kreislaufsystem und die Abwehrkräfte. Freundschaft ist individuell und kulturell verschieden. In einigen Kulturen werden Menschen, die man erst vor kurzem kennengelernt hat, sehr schnell als Freunde bezeichnet, in Deutschland dagegen differenziert man sehr genau. Wir haben eine Reihe von Ausdrücken, mit denen wir den Grad einer freundschaftlichen Beziehung abstufen, also sozusagen eine Werteskala erstellen. Die schwächste Form ist der „entfernte Bekannte". Wir wissen, was der andere beruflich macht, ob er Familie hat, allerdings würden wir uns nicht verabreden, um gemeinsam etwas zu unternehmen. Der „gute Bekannte" ist die nächste Stufe. Man verabredet sich eventuell auf einen Kaffee, spricht über dies und das, telefoniert gelegentlich. Unsere Probleme würden wir diesen Menschen jedoch nicht anvertrauen. Bei den Freunden differenzieren wir wiederum zwischen „Freund", „gutem Freund", „engem Freund" und „bestem Freund", abhängig jeweils von dem Grad der Intensität und der Vertrautheit. In der Umgangssprache nennen wir den „besten Freund" auch manchmal „Busenfreund", und „enge Freunde" bezeichnen wir als „dicke Freunde". Ein „Geschäftsfreund" dagegen ist jemand, zu dem man lediglich eine positive beruflich-geschäftliche Beziehung unterhält, den man jedoch nicht aus rein privaten Gründen trifft. In der Regel definiert man in Deutschland nur sehr wenige Mitmenschen als seine Freunde. Die meisten Menschen hier haben viele Bekannte, aber nur wenige Freunde.

Freunde fürs Leben werden heutzutage allerdings immer seltener. Im Trend unserer schnelllebigen Gesellschaft liegen die sogenannten Lebensabschnittsfreunde, eine eher neue Wortschöpfung. Den Kindergartenfreund, der einen das ganze Leben lang begleitet, gibt es nur noch selten. Stattdessen begleiten einen Freunde oft nur noch durch bestimmte Lebensphasen. Beim Übergang von einer in die nächste Phase kommt es auch oft zum Austausch der Freunde. So trennen sich die Wege von Freunden häufig nach dem Ende der Schulzeit, wenn unterschiedliche Ausbildungswege eingeschlagen werden oder wegen dem Studium ein Ortswechsel eine räumliche Trennung bringt. Auch die Familiengründung bringt oft einen Wechsel der Freundschaften, wenn bei dem einen der Schwerpunkt beispielsweise auf Beruf, Reisen und Ausgehen liegt und bei dem anderen die Familie und die damit verbundenen Aktivitäten im Zentrum stehen.

Viele Leute haben auch spezielle Freunde für bestimmte Aktivitäten. So treibt man mit dem einen Freund regelmäßig Sport, während man mit der anderen Freundin am liebsten ins Theater geht. Werden andere Interessen entwickelt, kommen meist auch andere Freunde hinzu. Unterschiede gibt es auch bei der Zeit, die man miteinander verbringt. Manche Freunde sieht man mehrmals in der Woche, andere trifft man nur alle sechs Monate.

Aufgabe 3c

○ Wir wollten wissen, welchen Stellenwert die Freundschaft heutzutage einnimmt und haben dazu drei Personen befragt. Hören Sie als Erstes die 28-jährige Monika, dann den 24-jährigen Bernd und am Ende die 32-jährige Julia:

● Meine beste Freundin kenne ich schon seit über zwanzig Jahren. Wir sind schon zusammen zur Grundschule gegangen. Nach dem Abitur haben wir mal für ein paar Jahre wenig Kontakt gehabt, weil wir unsere Ausbildungen in verschiedenen Städten gemacht haben. Jetzt wohnen wir wieder in demselben Ort und sehen uns oft, verbringen einen Großteil unserer Freizeit miteinander. Sabine kennt mich so gut, da kann ich einfach immer sein, wie ich bin. Wir können über alles sprechen, über unsere Wünsche, über unsere Ängste, oder einfach nur, wenn wir Ärger im Büro haben. Unsere Vorstellungen vom Leben sind ziemlich unterschiedlich, deshalb sind wir auch oft verschiedener Meinung. Aber mit einer guten Freundin sollte man auch streiten können, ohne dass die Freundschaft zerbricht. Wichtig ist, dass man hinterher wieder zusammen lachen kann.

☐ Ich hab drei wirklich enge Freunde. Udo kenne ich schon seit meiner Kindheit, er hat im Nachbarhaus gewohnt. Martin habe ich während des Studiums kennengelernt und Elias ist wie ich im Volleyballverein. Wichtig in einer Freundschaft ist, dass man gemeinsame Hobbys hat. Wenn man viel miteinander unternimmt, wird auch die Freundschaft intensiver. Man lernt sich besser kennen. Wir machen zum Beispiel oft Sport zusammen. Aber am wichtigsten ist, dass wir uns wirklich aufeinander verlassen können. Wenn ich Hilfe brauche, etwa beim Umzug oder bei meiner Diplomarbeit, ist immer einer von ihnen da. Umgekehrt helfe ich genauso, wenn ich kann. Das macht für mich eigentlich Freundschaft aus. Meine privaten Probleme bespreche ich aber lieber mit meiner Familie.

■ Im Gegensatz zur Familie kann man sich Freunde aussuchen. Zu meinen Freunden aus der Schulzeit habe ich leider keinen Kontakt mehr. Meine jetzigen Freunde habe ich fast alle im Job kennengelernt. Mein Bekanntenkreis ist sehr groß. Durch meinen Job lerne ich sehr viele Leute kennen, mit denen ich dann auch privat etwas unternehme, z.B. ausgehe, ins Kino oder auf Partys. Aber wirklich enge Freunde habe ich nur eine Handvoll. Das Wichtigste für mich ist, dass man sich respektiert, toleriert, auch wenn einer mal eine ganz andere Meinung hat, und sich grenzenlos vertrauen kann. Außerdem finde ich es wichtig, dass man immer ehrlich ist.

Modul 3 Aufgabe 2a

○ Das Nachmittagsmagazin BOULEVARD berichtet heute um 16:15 Uhr wieder über tragische Schicksale von Menschen, deren Kummer und Leid durch den persönlichen Einsatz von Mitbürgern auf unbürokratischem Weg gemindert werden konnte. Sie als Zuschauer haben wieder die Möglichkeit, Ihre Stimme für den „Helden der Woche" abzugeben, der mit unserem Publikumspreis ausgezeichnet wird. Heute Nachmittag, 16:15 Uhr, im Zweiten …

Modul 4 Aufgabe 5

○ Herr Weinberger, Sie sind seit vielen Jahren in der Lebensberatung als Psychologe tätig und befassen sich seit längerem mit der Frage, wie man glücklicher wird. Wieso beschäftigen Sie sich mit dieser Frage?

● Im Rahmen meiner beruflichen Tätigkeit lerne ich viele Menschen kennen, die in persönlichen Lebensfragen Hilfe von mir erwarten. Themen dieser Beratung sind zunehmend zwischenmenschliche Beziehungen und die immer wiederkehrenden Fragen, wie man glücklicher wird und was man tun muss, um glücklich zu sein.

○ Also sind Sie ein Glücksforscher?

● Das kann man so sagen. Die wissenschaftliche Richtung, die sich Glücksforschung nennt, stammt aus den USA. Denn dort ist das Recht auf Glückssuche jedem Bürger verfassungsmäßig garantiert. Glücksforscher untersuchen, warum manche Menschen fröhlicher, leichter und glücklicher leben – und wie andere davon profitieren können. Mittlerweile gibt es solche Untersuchungen weltweit. An der Erasmus Universität in Rotterdam wurde zum Beispiel eine Weltdatenbank des Glücks eingerichtet.

○ Eine Weltdatenbank des Glücks? Was ist das?

● In Rotterdam werden aus über 90 Ländern der Welt Daten darüber gesammelt, wie glücklich die Menschen sind. Dazu werden viele Leute befragt, die auf einer Skala von 1 bis 10 angeben, wie glücklich sie sind. Alle Daten werden an der Universität Rotterdam zentral auf einem Computer gespeichert.

○ Und was nützen diese Daten?

● In Abhängigkeit davon, wie alt die Menschen in dem jeweiligen Land werden, und ihren Ergebnissen auf der Glücksskala können Forscher den Glücksfaktor für dieses Land errechnen. Wenn man das dann für viele Länder der Welt macht, erhält man gute Aussagen darüber, wo auf unserem Planeten die glücklichsten Menschen leben.

○ Das ist ja interessant. Und wo leben die glücklichsten Menschen?

● Auf der zehnstufigen Skala stehen Schweiz, Dänemark und Malta mit jeweils 8 Punkten an der Spitze, die Schweiz hat sogar 8,1 Punkte.

○ In der Schweiz leben also die glücklichsten Menschen? Und wie begründen Sie das?

● In Demokratien, die gut funktionieren und in denen die Menschen bei Entscheidungen mitbestimmen können, sind die Menschen zufriedener. Deshalb befinden sich auch Island und Irland auf Platz 2 mit 7,8 Punkten.

○ Und die Deutschen belegen Platz 3?

● Nein, den Iren und Isländern folgen mit je 7,6 Punkten Schweden, Luxemburg, Kanada und die Niederlande. Mit nur 0,1 Punkten weniger erreicht Finnland Platz 4.

○ Das heißt, in Deutschland sind die Menschen weniger glücklich?

● Die Deutschen erreichen wie auch die Amerikaner, die Neuseeländer und die Norweger 7,4 Punkte und damit Platz 5. Kurz nach der Wiedervereinigung ist der Zahlenwert für die Zufriedenheit gesunken. So langsam steigt allerdings der Mittelwert für ganz Deutschland wieder.

○ Können Sie aus den Untersuchungen denn sagen, welche äußeren Bedingungen besonders gute Voraussetzungen für ein glückliches Leben sind?

● Wohlstand ist nicht das Wichtigste. Unsere Studien zeigen, dass es Menschen in Gesellschaften, in denen der Einzelne mitbestimmen kann, besser geht, als in autoritären Systemen.

○ Und das Alter der Menschen spielt keine Rolle?

● Die altersmäßigen Unterschiede beim Glücklichsein sind nicht groß, aber man kann sie messen. Als jungen Erwachsenen und als alten Menschen geht es uns offenbar am besten, wie unsere Untersuchungen zeigen. Zwischen 25 und 45 aber fällt uns das Glück besonders schwer. Vermutlich liegt das an den äußeren Bedingungen, die uns dann belasten: Familiengründung, Kredite, Karriere.

○ Herr Weinberger, vielen Dank für das Gespräch.

Transkript

Kapitel 2
Modul 2 Aufgabe 4

○ Ich begrüße Sie ganz herzlich zu unserer Sendung „Brisant", auch heute wieder mit einem aktuellen Thema: „Leben auf der Straße". Bei mir im Studio Klaus Mahlke und Andreas Huber. Klaus, wie lange leben Sie schon auf der Straße?

● Ja, so seit ungefähr fünf Jahren.

○ Wie kam es denn dazu?

● Na ja, also, früher habe ich eigentlich ein ganz normales Leben geführt. Ich habe über zwanzig Jahre als Speditionskaufmann bei einer großen Firma gearbeitet und war dort für die Kundenberatung verantwortlich. Aber dann wurde ich versetzt und musste nach München ziehen. Und mit dem Chef hier bin ich überhaupt nicht klargekommen. Wir hatten nur Probleme miteinander. Auch unter den Kollegen gab es viele Intrigen. Jeder hat nur an seinen Vorteil gedacht. Nachdem mir dann bei der Arbeit ein paar Fehler passiert sind, hat man mir gekündigt.

○ Und wie ging es dann weiter? Haben Sie nicht versucht, eine neue Arbeit zu finden?

● Doch natürlich, zuerst schon. Aber ich war damals schon 52. Und wer gibt einem denn noch einen Arbeitsplatz in dem Alter? Auf meine Bewerbungen kamen nur Absagen und irgendwann habe ich mich dann mit meiner Arbeitslosigkeit abgefunden.

○ Und warum haben Sie auch Ihre Wohnung verloren?

● Die Mieten hier sind ganz schön hoch und mit dem Arbeitslosengeld konnte ich meine Wohnung bald nicht mehr bezahlen. Ich habe eine kleinere, billigere Wohnung gesucht, aber wenn du keine Arbeit hast, bekommst du auch keine Wohnung. Ich war ja noch relativ neu hier in der Stadt und hatte auch keine Freunde, bei denen ich hätte wohnen können. Tja, und so bin ich auf der Straße gelandet.

○ Wie sieht Ihr Leben jetzt aus?

● Na ja, tagsüber versuche ich, Geld und Essen aufzutreiben. Manchmal esse ich auch in einer Suppenküche. Mein fester Schlafplatz ist mit zwei anderen Obdachlosen in der Nähe vom Bahnhof.

○ Welche Rolle spielt der Alkohol in Ihrem Leben?

● Früher habe ich gar nichts getrunken. Aber wenn du auf der Straße lebst, musst du deinen Frust einfach mit Alkohol runterspülen.

○ Andreas, Ihr Leben sah ja bis vor kurzem noch ganz ähnlich aus, oder?

□ Ja, stimmt. Aber ich habe echt Glück gehabt.

○ Erzählen Sie doch mal.

□ Ja, also, vor zwei Jahren bin ich plötzlich arbeitslos geworden. Meine Firma hat einfach 800 Mitarbeiter entlassen. Ich hatte nichts mehr zu tun, mit einem neuen Job hat es nicht geklappt und da habe ich mit dem Trinken angefangen. Und dann kamen noch Schulden dazu. Meine Frau wollte das bald nicht mehr mitmachen und hat irgendwann die Scheidung eingereicht. Ich musste aus unserer Wohnung ausziehen und wusste nicht, wohin. Durch den Alkohol hatte ich auch einfach wenig Motivation. Und wenn du dich den ganzen Tag in der Stadt aufhältst, dann triffst du auch ziemlich schnell Leute, denen es so geht wie dir. Im Winter habe ich es dann auf der Straße nicht mehr ausgehalten und bin in ein Obdachlosenheim gegangen. Und das war eigentlich mein Glück.

○ Warum?

□ Dort habe ich einen sehr engagierten Sozialarbeiter getroffen, der mir wirklich geholfen hat. Er hat mir erklärt, wie ich über das Sozialamt eine Wohnung bekommen kann, und mir mit den Anträgen und Formularen geholfen. Er hat mich wirklich motiviert.

○ Und mit der eigenen neuen Wohnung hat es dann auch bald geklappt?

□ Ja, ich habe jetzt eine 30-Quadratmeter-Wohnung. Klein, aber mein. Wenn ich es jetzt schaffe, wieder ein normales Leben zu führen, dann kann ich mich auch endlich wieder um meine Tochter kümmern. Aber dafür muss ich auch noch den Alkohol in Griff bekommen.

○ Wie finanzieren Sie die Wohnung?

□ Im Moment bezahlt das Sozialamt die Miete. Aber ich hoffe, dass ich auch bald eine Arbeit finde und wieder für mich selbst aufkommen kann.

○ Klaus, macht Ihnen Andreas´ Geschichte Mut?

● Ja, schon. Vielleicht sollte ich mich da auch mal erkundigen. Aber vielleicht bin ich auch schon zu lange auf der Straße. Ich glaube, so ein bürgerliches Leben ist auch nichts mehr für mich. Na ja, mal sehen, was noch kommt.

○ Ich danke Ihnen beiden für das Gespräch und wünsche Ihnen alles Gute.

Liebe Hörerinnen und Hörer, helfen – aber wie? In den Städten versuchen viele Initiativen wohnungslosen Menschen zu helfen. So sind z.B. die insgesamt rund 5.120 in München lebenden Wohnungslosen in Notunterkünften untergebracht, wie z.B. in kirchlich geführten und städtischen Wohnheimen, oder wohnen in den von der Stadt angemieteten Sozialwohnungen oder in Pensionen meist zu dritt oder viert auf einem Zimmer. Weitere rund 600 Personen leben wirklich auf der Straße, darunter auch 50 Frauen.

Inzwischen gibt es in ganz Deutschland mehr als 45 Straßenzeitungen, die auf die Situation von Wohnungslosen aufmerksam machen und Diskussionsforen, Informationen und Adressen von Hilfeeinrichtungen und Projekten bieten.

Modul 3 Aufgabe 1

○ Anna? Das ist aber eine Überraschung! Was machst du denn hier?

● Hallo Maria. Ich war gerade in der Nähe und dachte, ich schau mal kurz bei dir vorbei und sehe mir deine neue Wohnung an. Oder störe ich?

○ Nö, eigentlich nicht, aber wenn ich gewusst hätte, dass du kommst, dann hätte ich aufgeräumt. Hier stehen noch viele Kartons herum. Na ja, … jetzt komm erst mal rein!

● Soll ich meine Schuhe ausziehen?

○ Nee, brauchst du nicht. Komm, ich zeig dir die Wohnung. Schau, hier ist das Wohnzimmer.

● Wow, das ist ja wirklich schön und viel heller als dein altes, oder?

○ Ja, heller und auch größer. Und, was ich am schönsten finde: Endlich habe ich auch einen Balkon. Und hier ist die Küche und da drüben das Schlafzimmer. Und dort in das kleinste Zimmer habe ich meinen Schreibtisch gestellt.

● Toll, aber zahlst du jetzt nicht viel mehr Miete als früher?

○ Ja, die Wohnung ist ein bisschen teurer, aber dafür fühle ich mich hier richtig wohl. Hast du Lust auf einen Kaffee?

● Ja, gerne …

Modul 4 Aufgabe 3

Felix

Ich bin von zu Hause ausgezogen, als ich 18 Jahre alt war, also vor vier Jahren. Zuerst hatte ich eine kleine Einzimmerwohnung, aber da habe ich mich oft allein gefühlt. Also habe ich mir ein Zimmer in einer WG gesucht. Jetzt wohne ich in der Nähe der Universität und habe drei Mitbewohner. Natürlich gibt es manchmal Streit ums Putzen oder Einkaufen, aber im Großen und Ganzen verstehen wir uns wirklich gut und haben viel Spaß miteinander. Ich bin der Meinung, dass es wichtig ist, so früh wie möglich zu lernen, auf eigenen Beinen zu stehen, sein eigenes Leben zu leben und unabhängig zu sein. Außerdem kann ich endlich machen, was ich will, niemand kontrolliert mich und diese Freiheit bedeutet mir viel. Und bezahlbar ist so ein WG-Zimmer auch.

Claudia

Solange ich noch in der Ausbildung bin, bleibe ich bei meinen Eltern. Letztes Jahr habe ich eine Banklehre angefangen. Ich verdiene zwar nicht so schlecht, aber wenn ich ausziehen würde, müsste ich auf mein Auto verzichten, weil eine eigene Wohnung einfach zu teuer ist. Den Urlaub mit meinen Freunden könnte ich mir wahrscheinlich auch nicht mehr leisten. Und eigentlich finde ich es auch ganz praktisch, dass ich mich um nichts kümmern muss. So steht jeden Tag ein Essen auf dem Tisch und für saubere Wäsche ist auch gesorgt. Trotzdem versuche ich, ein bisschen Geld zu sparen für meine spätere Wohnung.

Simon

Bei meinen Eltern hat es mir ganz gut gefallen und ich hatte gar nicht vor auszuziehen. Aber als ich Christina kennengelernt habe, wollte ich am liebsten immer mit ihr zusammen sein. Also war sie ständig bei uns, was meine Eltern nach einer Weile ziemlich gestört hat. Die Konsequenz war, dass ich ausgezogen bin und wir uns zusammen eine Wohnung gesucht haben. Sie ist zwar klein, aber gemütlich. Und ich kann immer mit meiner Freundin zusammen sein, ohne dass meine Mutter uns kontrolliert. Aber wahrscheinlich sind meine Eltern auch ganz froh, dass endlich alle Kinder aus dem Haus sind und sie ihre Ruhe haben.

Kapitel 3

Modul 1 Aufgabe 4a

auslösen – anspannen – entspannen – ausschütten – untersuchen – erkranken – verordnen – absetzen – verbringen – vertreiben – anwenden – entwickeln – mitmachen – beginnen

Modul 1 Aufgabe 6a

Zwei Ratten sitzen vor dem Fenster. Da fliegt eine Fledermaus vorbei. Sagt die eine Ratte zu der anderen: „Schau, ein Engel!"

Warum summen die Bienen? – Weil sie den Text vergessen haben.

Modul 2 Aufgabe 2a

○ Hallo, Andreas.

● Hallo, Brigitte. Schön, dass du in meinem Restaurant vorbeischaust. Wie geht's dir denn?

○ Prima, danke. Jetzt habe ich es endlich mal geschafft, in dein Restaurant zu kommen, ich wollte doch schon lange Slow Food ausprobieren. Die Schnecke auf der Karte, das ist das allgemeine Symbol für Slow Food, oder?

Transkript

● Ja. Es geht um das Langsame, um das Genießen von gutem Essen und um die geschmackliche Vielfalt der lokalen Küche zu angemessenen Preisen. Und natürlich ist dabei auch die gute Qualität der Nahrungsmittel sehr wichtig.

Modul 2 Aufgabe 2b

○ Hallo, Andreas.

● Hallo, Brigitte. Schön, dass du in meinem Restaurant vorbeischaust. Wie geht's dir denn?

○ Prima, danke. Jetzt habe ich es endlich mal geschafft, in dein Restaurant zu kommen, ich wollte doch schon lange Slow Food ausprobieren. Die Schnecke auf der Karte, das ist das allgemeine Symbol für Slow Food, oder?

● Ja. Es geht um das Langsame, um das Genießen von gutem Essen und um die geschmackliche Vielfalt der lokalen Küche zu angemessenen Preisen. Und natürlich ist dabei auch die gute Qualität der Nahrungsmittel sehr wichtig.

○ Was versteht man eigentlich genau unter lokaler Küche?

● Jede Region hat ja ihre eigenen Spezialitäten und besonderen Gerichte. Außerdem sollte man auch darauf achten, was die Natur der jeweiligen Region und zur jeweiligen Jahreszeit hergibt. Erdbeeren im Januar gibt es normalerweise bei uns nicht, man sollte den Jahreszeiten entsprechend essen.

○ Ich hab gehört, dass das Ganze in Italien anfing, stimmt das?

● Ja, das ist ne nette Geschichte. Als 1986 in Rom eine McDonalds-Filiale eröffnet wurde, haben einige Liebhaber der guten Küche mit einem Festmahl vor der Filiale gegen das schnelle, vorgefertigte Einheitsessen demonstriert, und die Slow-Food-Bewegung gegründet.

○ Aber heute ist es doch eine internationale Bewegung?

● Ja, das Interesse breitete sich in kürzester Zeit auch in anderen Ländern aus. Heute gibt es in 35 Ländern mehr als 60.000 Mitglieder!

○ Könnte man dann allgemein behaupten, dass Fast Food out und Slow Food in ist?

● So einfach ist es nicht. Viele Menschen sind gestresst und haben einfach keine Zeit, in Ruhe ihr Essen zu genießen. Die Lösung heißt für viele Fast Food.

○ Aber es hat sich vieles getan … findest du nicht? Es gibt doch auch Salat oder Sandwiches.

● Ja, das stimmt. Fast Food galt lange als ungesund. Mittlerweile hat die Fast-Food-Branche darauf rea-

giert und bietet jetzt leichtere Snacks an, zum Beispiel Sushi oder leckere italienische Brötchen, mexikanische Tortillas oder zwischendurch Joghurt und Obst!

○ Bist du jetzt etwa Fast-Food-Fan geworden?

● Natürlich nicht, aber ich gebe ja zu, dass sich vieles geändert hat. Immer mehr Menschen essen bewusster, auch wenn sie schnell zwischendurch was essen. Aber ich bleibe bei meinem Slow Food.

○ Ich finde das Thema echt interessant. Wo kann ich mich denn noch weiter informieren?

● Schau mal, wir haben hier einen Flyer mit unseren nächsten Veranstaltungen. Vielleicht magst du ja mal kommen oder …

Modul 4 Aufgabe 3

○ Ticken Sie richtig, liebe Hörerinnen und Hörer? Ihre innere Uhr kennt die Antwort. Sie gibt den Takt an, mit dem wir am besten durch den Tag kommen. Alles hat seine Zeit. Auch im Job. Nach unserer „inneren Uhr" zu leben, gibt optimale Energie und hält uns auf Dauer gesund, denn es entsteht weniger Stress. Jetzt wurde der Biorhythmus von Menschen untersucht, die mehr mit dem Kopf als mit dem Körper arbeiten. Heraus kamen Empfehlungen für jede Stunde des Job- oder Unialltags, die für Frühaufsteher und Nachtmenschen gleichermaßen gelten. Bei mir im Studio ist Frau Dr. Baumann, eine Expertin in Sachen Biorhythmus. Frau Dr. Baumann, was ist denn die ideale Zeit, um den Tag zu beginnen?

● Die ideale Zeit zum Aufstehen ist um sieben Uhr. Der Körper wird wach, braucht aber noch eine Stunde, um in Schwung zu kommen. Duschen, frühstücken, zu Fuß zur Arbeit gehen. Aber immer schön langsam: Körperliche Höchstleistungen sollte man lieber auf den Feierabend verschieben.

○ Und wann beginne ich am besten meinen Arbeitstag?

● Ja, also, so ab acht Uhr wird dann auch der Kopf wach. Jetzt sollte man den Tag planen und Kleinigkeiten erledigen, die nicht viel Konzentration erfordern. Zwischen neun und zwölf Uhr läuft unser Kurzzeitgedächtnis wie geschmiert. Das ist die beste Zeit, um alle Kopfarbeiten zu erledigen, die volle Aufmerksamkeit erfordern: komplizierte Rechnungen, Konzepte, Planungen, Referate vorbereiten. Falls Ihr Kopf brummt, helfen Fünf-Minuten-Pausen – zum Beispiel Tee kochen oder mal die Augen schließen. Klassische Musik entspannt übrigens sehr schnell, weil sie dem ruhigen Herzschlag ähnelt. Für den Hunger zwischendrin sollten Sie ein Stück Obst essen.

○ Wann bin ich in dieser Zeit am leistungsfähigsten?

● Der Leistungshöhepunkt des Vormittags ist etwa um elf Uhr. Das sollte man bei der Arbeitsplanung berücksichtigen.

○ Wie geht es dann weiter?

● Ab zwölf Uhr lässt unser Kurzzeitgedächtnis nach, wir können uns nicht mehr so gut konzentrieren, warten auf die Mittagspause. Bis es soweit ist, können wir die Zeit zum Telefonieren und Organisieren nutzen. Körper und Geist brauchen um 13 Uhr eine Pause bei leichtem Essen, danach eventuell ein Spaziergang. Ideal ist, zehn Minuten zu ruhen oder schlafen. Danach widmen Sie sich leichten Aufgaben. Wenn Sie sich um diese Uhrzeit keine Auszeit gönnen, bekommen Sie am Nachmittag Probleme.

○ Wie sieht es am Nachmittag aus? Gibt es denn da auch noch mal einen Leistungshöhepunkt?

● Ja, natürlich. Das zweite Leistungshoch des Tages erwartet uns um 15 Uhr und inspiriert vor allem unsere Kommmunikation: Diskussionen, Besprechungen, Beratungsgespräche und Verhandlungen sind jetzt besonders erfolgreich. Um 16 Uhr ist das Langzeitgedächtnis in Höchstform. Schüler und Studenten sollten jetzt lernen oder Vorlesungen besuchen. Angestellte sollten ihre kommunikativen Aufgaben fortsetzen. Allerdings sollte man dabei kleine Pausen nicht vergessen: eine Kanne Tee kochen, Blumen gießen oder Ähnliches.

○ Ist es eigentlich sinnvoll, bis zum späten Abend zu arbeiten?

● Nein, ganz und gar nicht. Unsere geistige Leistungsfähigkeit lässt ab 17 Uhr nach. Lassen Sie jetzt die Arbeit langsam ausklingen. Wer kann, sollte jetzt Sport treiben, denn die Muskeldurchblutung ist optimal. Ab 18 Uhr braucht der Kopf endgültig eine Pause. Schließen Sie die Arbeit ab und dann ist Freizeit angesagt. Entspannung, Treffen mit Freunden und Sport haben jetzt ihre Zeit. Aber beenden Sie alle Fitness-Aktivitäten zwei Stunden vor dem Schlafengehen. Sonst ist zu viel Adrenalin im Blut und Sie können nicht einschlafen.

○ Vielen Dank, Frau Dr. Baumann, für all diese interessanten und nützlichen Informationen. Vielleicht kann ja der eine oder andere unserer Hörer seinen Arbeitstag in Zukunft ein wenig nach diesem Biorhythmus gestalten.

Kapitel 4

Modul 2 Aufgabe 2a

○ Heute haben die Menschen mehr Zeit für Freizeitaktivitäten als früher, durchschnittlich zwischen fünf und sechs Stunden täglich. Die Möglichkeiten der Freizeitgestaltung sind vielfältig. Frauen und Männer setzen dabei unterschiedliche Akzente. Männer verbringen mit der Nutzung von Medien (Lesen, Fernsehen, Radio und Computer) etwa drei Stunden täglich, und damit fast eine halbe Stunde mehr als Frauen. Frauen legen dagegen stärkeres Gewicht auf soziale Kontakte und Unterhaltung: Mit Besuchen, Gesprächen im Freundeskreis sowie mit kulturellen Aktivitäten, wie dem Besuch von Kino, Theater und Konzerten, verbringen Frauen rund zweieinhalb Stunden pro Tag, Männer nur etwa zwei Stunden.

Wir haben uns einmal umgehört und einige Menschen befragt, wie ihre Freizeitgestaltung aussieht und welche Rolle die Medien darin spielen.

Modul 2 Aufgabe 2b

● Mein Name ist Bernd Schneider und ich bin 28 Jahre alt. Meine Freundin und ich sind vor einem halben Jahr Eltern geworden. Da Beate im Moment nicht arbeitet, sondern sich um unseren Sohn kümmert, hab ich noch einen zweiten Job angenommen. Ich hab also so gut wie keine Freizeit. Meistens arbeite ich so bis um neun Uhr abends. Wenn ich dann endlich zu Hause bin, bin ich meistens zu müde, um noch sonderlich aktiv zu sein. Dann mache ich den Fernseher an. Wenn ein guter Film oder eine interessante Sendung kommt, ist das wirklich Entspannung pur für mich. Aber oft kommt ja auch nichts Interessantes und dann schalte ich hin und her und schaffe es einfach nicht, den Fernseher auszumachen. Hinterher ärgere ich mich, dass ich nicht etwas anderes gemacht habe. Auch im Internet verbringe ich definitiv zu viel Zeit. Oft surfe ich so rum und merke gar nicht, wie die Zeit vergeht. Die Wochenenden verbringe ich mit meiner Familie. Wir gehen spazieren oder besuchen die Großeltern. Ab Sommer wird Beate auch wieder halbtags ins Büro gehen und ich werd dann wahrscheinlich wieder weniger arbeiten. Ich hab mir ganz fest vorgenommen, mich dann auch wieder um mein altes Hobby, das Fotografieren, zu kümmern.

□ Ich heiße Uschi Falkner und bin 32 Jahre alt. Ich finde, Fernsehen gehört heute einfach zu unserem Leben dazu. Man hat ja nicht immer Lust, irgendetwas zu unternehmen, und durch Fernsehen kann man ja auch eine Menge lernen und erfährt, was im Rest der Welt passiert. Es gibt ja auch oft interessante Reportagen und Dokumentationen. Meine Kinder dürfen am Nachmittag ab und zu fernsehen, aber nie länger als eine Stunde. Wichtig ist, dass genug Zeit für andere Aktivitäten bleibt und man nicht unkontrolliert lange vor der Glotze sitzt. Das Internet nutze ich eigentlich nur, wenn ich wissen will, was los ist in der Stadt. Zum Beispiel, wenn wir am Wochenende ins Museum gehen wollen und ich nachschauen will, wo welche Ausstellung läuft und wie die Öffnungszeiten sind oder ob es irgendeine interessante Veranstaltung gibt. Aber nur so durchs Netz surfen, empfinde ich eher als Zeitverschwendung. Meine Kinder sehen das natürlich ganz anders und würden gerne oft surfen. Sie verbringen auch relativ viel Zeit mit ihren Computerspielen. Da muss ich schon aufpassen, dass andere Sachen nicht zu kurz kommen. Ansonsten mag ich Hörspiele und Hörbücher und habe mir da schon eine richtige Sammlung zugelegt. Zeitungen und Zeitschriften lese ich auch sehr viel. Äh, ich kaufe jede Woche „Die Zeit" und noch eine Frauenzeitschrift. Und ich gehe ziemlich regelmäßig in die Stadtbibliothek. Da gibt es alle möglichen Zeitschriften und ich kann stundenlang lesen. Außerdem sind wir viel an der frischen Luft, gehen spazieren, wandern oder gehen in den Biergarten.

■ Mein Name ist Lara Kirsch und ich bin 38 Jahre alt. Momentan habe ich ziemlich viel Freizeit. Leider. Ich habe vor acht Monaten meinen Job verloren und bis jetzt nichts Neues gefunden, obwohl ich eine Bewerbung nach der anderen schreibe. Früher habe ich mir immer mehr Freizeit gewünscht, aber jetzt kann ich es gar nicht genießen. Wenn man eigentlich immer frei hat und nicht weiß, wie die Zukunft aussieht, und nichts verdient, ist das wirklich nicht so toll. Ich sehe sehr selten fern, eigentlich nur die Nachrichten und am Sonntag immer den „Tatort". Meistens kommt ja auch nichts Tolles. Diese ganzen Casting-Shows und Talk-Shows finde ich schrecklich. Glücklicherweise haben mein Freund und ich einen DVD-Player und können da immer die Filme sehen, die wir wollen. Manchmal machen wir auch mit Freunden zusammen einen DVD-Abend. Das Internet ist wichtig für mich, besonders im Moment. Ich kann nach Stellenanzeigen suchen, Tipps für die Bewerbung finden und mit anderen Betroffenen chatten. Aber ich surfe auch ziemlich oft einfach so. Es macht mir Spaß, witzige Webseiten zu finden. Mein Hobby ist eigentlich Snowboarden und Skifahren und im Internet kann man sich immer informieren, welche neuen Boards es gibt und wo gerade der beste Schnee ist. Ich habe auch schon nette Leute über das Internet kennengelernt und zwei sogar dann beim Skifahren getroffen. Wegen meiner Arbeitslosigkeit kann ich mir dieses Hobby aber gerade nicht leisten.

▲ Ich bin der Tom Wagner und 26 Jahre alt. Meine Freundin und ich haben einen großen Teil unserer Freizeit vor dem Fernseher verbracht. Oft lief die Glotze auch beim Essen, ähm deshalb ham wir uns vor zwei Monaten entschieden, den Fernseher in den Keller zu stellen. Die Verlockung ist ja doch ziemlich groß, abends und am Wochenende einfach die Kiste anzumachen, anstatt zu lesen oder, oder etwas zu unternehmen, ja. Am Anfang ist uns das Leben ohne Fernseher auch ein wenig schwergefallen, aber mittlerweile genießen wir es total. Also, wir machen einfach viel mehr: Wir gehen mal ins Kino oder zum Schwimmen, treffen öfter Freunde, unterhalten uns auch viel mehr. Also, unser Leben hat echt an Qualität gewonnen. Im Internet bin ich relativ oft. Ich treffe mich mit alten Freunden, die ich selten sehe, zum Chatten. Das ist super, fast wie richtige Gespräche. Ich finde es auch interessant, in verschiedenen Foren über, über aktuelle Themen zu diskutieren. Ich hör viel Radio, natürlich die Nachrichten und die neueste Musik. Wenn ich zu Hause bin oder Auto fahre, läuft das Radio eigentlich immer. Wenn ich mal am Nachmittag Zeit habe, setze ich mich gerne in ein Café und lese ein paar Zeitschriften. Dabei kann ich so richtig die Zeit vergessen. Am Wochenende fahr ich oft durch die Gegend und besuch Flohmärkte. Das macht echt Spaß und man kann die tollsten Sachen entdecken.

Modul 3 Aufgabe 1d

Achtung, liebe Gäste in unserem Freizeitparadies, wir haben eine Durchsage für Sie. Der neunjährige Lukas wird von seinen Freunden gesucht. Lukas, wenn du diese Durchsage hörst, komm bitte zur Snack-Bar neben dem großen Schwimmbecken mit der Rutsche. Ich wiederhole: Lukas, komm bitte zur Snack-Bar, deine Freunde warten dort auf dich.

Modul 4 Aufgabe 5

Die Korruptionsfrage

Nein sagen ist nicht Geris Stärke. Sonst würde er nicht immer wieder in Situationen wie diese geraten:

Es ist kurz nach sechs. Zeit für den Apero in der SchampBar, bevor er ins Fisch & Vogel essen geht, um danach in der SchampBar den Abend ausklingen zu lassen. Ein Tag wie jeder andere, außer dass es stärker regnet als sonst.

Geri zirkelt seinen Schirm durch den Strom von Schirmen, der in der Gegenrichtung durch die Fußgängerzone fließt. Eine Aufgabe, die seine ganze Aufmerksamkeit in Anspruch nimmt und ihn daran hindert, Leute wie Esteban rechtzeitig zu erkennen und ihnen aus dem Weg zu gehen.

Esteban steht plötzlich vor ihm, in einem dünnen Regenmäntelchen, ohne Schirm und ohne Kopfbedeckung, jeder Zoll ein stummer Vorwurf. „Hallo, Geri", sagt er, „wie geht's?"

Hinter Esteban stauen sich kurz die Schirme und fließen dann links und rechts an ihm vorbei. Geri sagt: „So lala, und dir?" Esteban lächelt tapfer und gibt keine Antwort. Geri schämt sich sofort für die Frage. Wie soll es Esteban schon gehen? Natürlich schlecht. Und das haben alle zu verantworten, die das Mucho Gusto verraten und zum Fisch & Vogel übergelaufen sind. Also auch Geri.

„Hast du einen Moment Zeit?", fragt Esteban im Tonfall von einem, der im Voraus weiß, dass die Antwort nein sein wird.

„Ja", sagt Geri.

Die Antwort überrascht beide. Geri findet als erster die Sprache wieder: „Worum handelt es sich?"

„Nicht hier", sagt Esteban. „Ich dachte, wir könnten irgendwo in der Nähe ..."

In der Nähe sind die SchampBar, das Fisch & Vogel und das Mucho Gusto. Das einzige Lokal, in dem Geri sicher sein kann, nicht von seiner Clique mit dem Wirt des Mucho Gusto gesehen zu werden, ist das Mucho Gusto. Er sagt also: „Warum gehen wir nicht kurz zu dir?"

Esteban nickt nur. Er kann nicht sprechen, so sehr bewegt ihn der Vorschlag.

Geri möchte nicht mit Esteban unter einem Schirm gesehen werden. Aber es würde auch seltsam aussehen, wenn er unter dem Schirm und Esteban daneben gehen würde. Er löst das Problem, indem er den Schirm schließt und die fünfzig Meter bis zum Mucho Gusto im Regen zurücklegt.

Esteban öffnet Geri die Tür wie ein armer, aber ehrlicher Mann einem hohen Gast die Tür zu seiner bescheidenen, aber sauberen Hütte.

Früher war um diese Zeit das Mucho Gusto gerammelt voll gewesen. Es jetzt fast leer zu sehen gibt Geri einen Stich.

Esteban geleitet ihn zum Tisch, der früher ihr Stammtisch gewesen war. Er kommt kurz darauf mit zwei Coronas mit Zitronenschnitz im Flaschenhals zurück.

Corona mit Zitronenschnitz! 1999!

Geri lässt sich nichts anmerken. Er nuckelt an der Flasche, als ob er keine Ahnung hätte von den urbanen Getränke-Trends der Jahrtausendwende, und hört sich Estebans Anliegen an.

Esteban redet etwas um den Brei herum. Aber dann begreift Geri, was er von ihm will: Er soll als Schlepper für das Mucho Gusto arbeiten.

Das Angebot ist so unanständig, dass es Geri für einen Moment die Sprache verschlägt. Dass er nicht sogleich aufsteht und das Lokal verlässt, liegt an der Art, wie Esteban es formuliert. „Ich brauche die Trendwende, und die braucht die Trendsetter, und du bist der Einzige, der mir diese bringen kann."

Die Honorierung ist einfach: Alles, was Geri mit einem Trendsetter, den er bringt, isst und trinkt, wird ihm von Esteban diskret zurückerstattet.

Geri sagt nicht ja. Aber er sagt auch nicht so richtig nein.

Natürlich fällt es Geri Weibel nicht im Traum ein, für ein Gratisessen seinen Ruf als einigermaßen trendsicheres Mitglied der Szene aufs Spiel zu setzen. Im Gegenteil, als Robi Meili im Fisch & Vogel eines Tages sein Seafood-Taco mit der Bemerkung stehen lässt: „Da bekommt

man ja Heimweh nach dem Mucho Gusto", hakt Geri nicht nach.

Auch als ihn Meili auf dem Weg von der SchampBar ins Fisch & Vogel fragt: „Hast du auch manchmal Lust aufs Mucho Gusto?", hält es Geri für einen von Meilis gefürchteten Lifestyle-Tests und schüttelt den Kopf.

Aber als dann Carl Schnell, Susi Schläfli und Freddy Gut mit Robi Meili tatsächlich eines Tages spontan ins Mucho Gusto statt ins Fisch & Vogel gehen, schließt er sich an.

Als er später bei Esteban auftaucht, um seine Rückerstattung abzuholen, sieht er Robi Meili am Stammtisch an einer Corona nuckeln. Esteban schiebt ihm gerade ein Kuvert über den Tisch.

Kapitel 5

Modul 1 **Aufgabe 2a**

○ Guten Morgen, liebe Hörerinnen und Hörer. Wie Sie vielleicht schon wissen, hat an der Volkshochschule das neue Semester begonnen. Seit einer Woche kann man sich hier für viele interessante Kurse anmelden. Ich habe heute drei Gäste im Studio, die ihren Kurs bereits gefunden haben und ein- bzw. zweimal in der Woche die Schulbank drücken. Aber vielleicht stellen sich unsere Gäste erst einmal kurz selbst vor:

● Hm, tja, guten Tag, ich bin Anne, ich bin 15 und noch Schülerin.

□ Mein Name ist Else Werner. Ich bin schon Rentnerin, und 72 Jahre alt.

■ Und ich bin Jörg Schubert und von Beruf Kaufmann.

○ Herr Schubert, welchen Kurs besuchen Sie denn?

■ Ich habe mich für das Heimwerkerseminar entschieden, denn ich habe vor, mir eine eigene Wohnung zu suchen. Ich bin 24 und wohne noch immer bei meinen Eltern. Doch jetzt habe ich endlich ausgelernt und vor zwei Wochen habe ich begonnen, als Kaufmann zu arbeiten. Ich verdiene ganz gut und bin in der Lage, eine eigene Wohnung zu mieten.

○ Ihre neue Wohnung müssen Sie wohl selbst renovieren?

■ Natürlich, dadurch wird die Miete etwas billiger. Im Kurs erhalte ich dafür viele praktische Tipps und kann Fragen stellen, wenn mal bei mir zu Hause etwas nicht so klappt. Mittlerweile tapeziere ich ganz gern.

○ Na das ist ja wunderbar! Und Sie Frau Werner? Welchen Kurs haben Sie denn gewählt?

□ Ja, wissen Sie, ich habe drei Enkel. Die beiden größeren besitzen schon ein Handy und sie haben mich überredet, mir auch ein Handy zuzulegen. Sie wollen mir immer Nachrichten schicken, denn sie wohnen nicht in meiner Nähe. Leider habe ich davon überhaupt keine Ahnung. Deshalb habe ich mich entschieden, meinen Handyführerschein zu machen.

○ Einen Handyführerschein?

☐ Ja. Ich lerne im Kurs, wie man ein Handy bedient, wie man SMS liest und verschickt, wie man telefoniert und Nummern speichert und sogar wie man damit fotografiert.

○ Dann werden Sie ja ein richtiger Profi?

☐ Nun, ich hoffe es sehr. Ein Handy zu bedienen ist auch gar nicht so schwer und macht Spaß.

○ Und unsere Jüngste in der Runde ist Anne …

● Ja, ich gehe einmal wöchentlich in den Babysitterkurs.

○ Wieso denn das?

● Ich habe meinen Bekannten angeboten, an bestimmten Abenden, auf ihre Kinder aufzupassen, wenn sie zum Beispiel ins Kino oder zum Tanzen gehen wollen.

○ Und was lernt man in so einem Kurs?

● Man lernt dort, wie man Kinder beschäftigt, was man in Notfällen macht, wie man Erste Hilfe leistet. Und am Ende erhalte ich sogar einen Ausbildungsnachweis.

○ Na dann wird ja beim Babysitten nichts mehr schiefgehen.

● Das hoffe ich auch und mit dem Nachweis habe ich auch bessere Chancen, mir ein Taschengeld zu verdienen.

○ Dann drück ich dir die Daumen. So, liebe Hörerinnen und Hörer, vielleicht haben Sie Lust bekommen, auch einmal im Programmheft zu schmökern oder mal direkt in der Volkshochschule vorbeizukommen. Die Öffnungszeiten des Anmeldebüros sind: Dienstag und Donnerstag …

Modul 1 Aufgabe 3a

■ Ich habe mich für das Heimwerkerseminar entschieden, denn ich habe vor, mir eine eigene Wohnung zu suchen. Ich bin 24 und wohne noch immer bei meinen Eltern. Doch jetzt habe ich endlich ausgelernt und vor zwei Wochen habe ich begonnen, als Kaufmann zu arbeiten. Ich verdiene ganz gut und bin in der Lage, eine eigene Wohnung zu mieten.

Modul 4 Aufgabe 2a

○ Schreckliche Vorstellung: Man vergisst die Telefonnummer der besten Freundin oder hat seine Geheimzahl für die EC-Karte nicht mehr im Kopf.

Man kann sich den Namen des Nachbarn einfach nicht merken oder seinen Haustürschlüssel nicht mehr finden. Was tun? Tausenden von Menschen geht es so. Unsere Gedächtnisleistung lässt nach, sie muss trainiert werden. Der Bundesverband Gedächtnistraining widmet sich dieser Aufgabe. Wir haben mit Dr. Witt über die Ziele des Bundesverbandes gesprochen:

● Wir wollen den Menschen helfen, ihr Gedächtnis zu trainieren, damit es dauerhaft leistungsfähig bleibt. Dazu bieten wir in unseren Kursen ein ganzheitliches Gedächtnistraining an, das einer unserer Trainer durchführt. Dabei geht es immer um ein systematisches Training der grauen Zellen.

○ Marianne Kreuzer hat vor kurzem einen dieser Kurse besucht und berichtet begeistert davon:

☐ Im Kurs lernt man, Dinge im Leben einfach mal ein bisschen anders zu machen als sonst. Ziel ist es, gewohnte Denk- und Handlungsmuster zu verlassen, neue Nervenwege im Gehirn zu nutzen. Haben Sie schon mal versucht, mit der anderen Hand zu schreiben oder mit verbundenen Augen zu essen? Dadurch aktiviert man andere Sinne. Im Kurs wird viel mit Emotionen und Bildern gearbeitet, denn beim Memory-Spiel mit Kindern verlieren wir Erwachsene deswegen so oft, weil wir es verlernt haben, in Bildern zu sehen.

Modul 4 Aufgabe 2b

○ Und das logische Denken kommt im Kurs auch nicht zu kurz. Viele Logik- und Denksportaufgaben werden im Kurs angeboten. Dabei lernen die Teilnehmer nicht nur, wie man diese lösen kann, sondern beobachten sich selbst beim Lösen der Aufgaben. Dr. Witt mit einer Kostprobe:

● Ein schönes Beispiel für eine Logikaufgabe ist die Geschichte vom Fährmann: Ein Fährmann steht vor folgendem Problem: Er muss einen Fluss in einem kleinen Boot überqueren und dabei einen Wolf, ein Schaf und einen Kohlkopf mit zum anderen Ufer nehmen. Das Boot ist leider so klein, dass außer ihm immer nur ein Tier oder der Kohlkopf mit ins Boot passen. Dabei darf das Schaf nicht mit dem Kohlkopf allein bleiben, weil es ihn frisst. Ebenso frisst der Wolf das Schaf, wenn sie allein am Ufer zurückbleiben. Wie schafft der Fährmann es, alle auf die andere Seite zu bringen, ohne dass jemand dabei gefressen wird? Um diese Aufgabe zu lösen, muss man sich zuerst einmal verdeutlichen, was nicht zusammenpasst, also „Wolf" und „Schaf" auf der einen Seite sowie „Schaf" und „Kohl" auf der anderen. Viele scheitern bei der Aufgabe, weil sie nur in eine Richtung denken. Ich will das an der Lösung der

Aufgabe verdeutlichen: Bei seiner ersten Fahrt muss der Fährmann das Schaf mitnehmen, da sonst entweder das Schaf den Kohl oder der Wolf das Schaf fressen würde. Nachdem er das Schaf auf die andere Seite gebracht hat, kehrt er zurück und nimmt den Wolf oder den Kohlkopf mit. Es gibt also zwei Lösungen. Ich nehme zuerst den Wolf. Am Ufer B, an dem das Schaf bereits wartet, setzt der Fährmann den Wolf an Land und nimmt das Schaf wieder mit. An Ufer A wieder angekommen lässt er das Schaf an Land und nimmt den Kohl mit und fährt wieder zum Ufer B. Dort entleert er sein Boot und fährt allein zurück, um schließlich das Schaf zu holen. Um zu einer Lösung zu kommen, muss der Fährmann das Schaf also dreimal transportieren. Die meisten Leute kommen eben nicht auf diese Idee.

○ Falls Sie, liebe Hörerinnen und Hörer, mehr über den Bundesverband Gedächtnistraining und seine Kurse wissen möchten, rufen Sie uns an. Sie erreichen uns unter: …

Kapitel 6

Auftaktseiten **Aufgabe 1b**

Eins

Ich habe als Zimmermädchen und Küchenhilfe in dieser Pension auf der Nordseeinsel Juist angefangen. Das war wirklich harte Arbeit: Um sechs fing die Arbeit an, Frühstück vorbereiten, dann Zimmer putzen, danach die anderen Räume, dann Wäsche machen. Und abends habe ich in der Küche geholfen, meistens dreckiges Geschirr in die Spülmaschine einräumen und das saubere Geschirr raus und abtrocknen. Ich hatte mir vorgestellt, dass ich auf einer schönen Ferieninsel sein würde und auch mal am Strand liegen könnte. Aber das Wetter war nicht so gut und ich musste viel arbeiten. Aber es war trotzdem eine schöne Zeit, weil die Gäste sehr nett waren und ich viele andere junge Mädchen kennengelernt habe. Heute bin ich die Hausdame. Wir haben das ganze Jahr geöffnet und hier arbeiten zwei Zimmermädchen, die wirklich gute Arbeit leisten. Wenn ich sie sehe, muss ich oft an meine Anfangszeit denken.

Zwei

Während meines Studiums habe ich als Interviewer gearbeitet. Man hat eine Liste mit Adressen bekommen oder man hat an einem Stand in einer Einkaufsstraße gearbeitet. Dabei mussten die Leute zu unterschiedlichen Themen Fragebögen beantworten, z.B. zum Konsumverhalten oder welche Verkehrsmittel sie benutzen. Normalerweise dauert das ca. fünf Minuten. Aber die Leute haben oft eine halbe Stunde gebraucht, weil sie mir ihr halbes Leben erzählt haben, z.B. hat mir eine Oma ihre ganze Krankengeschichte mit Rücken, Füßen, Rheuma usw. detailliert beschrieben, nur um zu sagen, warum sie am liebsten mit der Bahn fährt. Da bekommst du Geschichten zu hören, da könnte man echt ein Buch drüber schreiben.

Drei

Ich habe mal als Erntehelferin bei der Weinlese gejobbt. Das war echt ein Knochenjob, den ganzen Tag im Weinberg stehen und die Trauben schneiden. Die ersten Tage fiel mir das echt schwer, aber mit der Zeit ging es immer besser. Die Winzer waren total nett und es gab jeden Tag ein super Essen für die Helfer. Das waren immer sehr schöne Abende. Und am Ende habe ich sehr viel über Wein gelernt. Das war richtig gut.

Vier

Ich habe nach meiner Ausbildung nicht gleich einen Arbeitsplatz in meinem Beruf gefunden. Da habe ich dann z.B. als Taxifahrer oder als Möbelpacker gearbeitet. Möbelpacker war anstrengender, aber auch interessanter. Man tritt in das Leben total fremder Menschen ein. Du siehst die alte und die neue Wohnung. Man kann erkennen, ob der Umzug eine Verbesserung oder eine Verschlechterung für die Personen und Familien sind. Ob sich Paare finden oder trennen. Und man begegnet Typen ... unglaublich. Das ist wie im Film. Ich hab echt viele lustige und tragische Geschichten erlebt. Da merkt man, dass andere Menschen noch ganz andere Probleme haben als man selbst.
Manchmal sind wir zu einem Umzug gekommen und die Leute schliefen noch. Nichts war eingepackt. Das war dann super nervig. Aber meistens war die Arbeit okay und das Geld stimmte auch.

Modul 1 **Aufgabe 2a**

○ Hallo, hätten Sie vielleicht einen Augenblick Zeit?

● Worum geht es denn?

○ Wir machen eine Umfrage zum Thema „berufliche Zukunft". Dürfte ich Ihnen zwei Fragen stellen?

● Klar, fragen Sie mal.

○ Ich würde gerne wissen, was Sie beruflich machen und wo Sie sich in zwei Jahren sehen. Was wünschen Sie sich für Ihre berufliche Zukunft?

● Also, ich bin Friseur. Ich bin eigentlich ganz zufrieden mit dem Job, nur leider verdiene ich nicht gut. Für die Zukunft habe ich einen großen Wunsch: Ich möchte irgendwann meinen eigenen Friseursalon haben, aber in zwei Jahren werde ich noch nicht so weit sein. Da muss ich erst noch länger sparen. Aber jetzt muss ich los, meine Freundin wird schon auf mich warten. Wir fahren nämlich morgen in Urlaub und da müssen wir noch viel vorbereiten.

○ Dann wünsche ich Ihnen viel Glück! Danke, dass Sie sich Zeit genommen haben.

● Bitte, gerne!

Transkript _____

□ Hallo, was macht ihr denn für eine Umfrage?

○ Hallo, es geht um die berufliche Zukunft. Darf ich Sie auch fragen, was Sie beruflich machen und was Sie in zwei Jahren machen wollen?

□ Ja, gern. Ich bin freiberuflicher Übersetzer. Im Moment übersetze ich vor allem Computerprogramme. Das macht mir aber keinen großen Spaß und die Firma, von der ich die meisten Aufträge bekomme, ist nicht sehr groß und kämpft ums Überleben. Ich hab also ständig Angst, dass ich keine Aufträge mehr bekomme, weil sie in Konkurs geht. Deswegen bin ich grade dabei, mir einen anderen Auftraggeber zu suchen. In zwei Jahren werde ich ganz sicher woanders arbeiten. Mein Traum ist, dass ich in dann nicht mehr so langweilige Dinge wie Computerprogramme übersetzen werde, sondern spannende und sprachlich anspruchsvolle Romane und Erzählungen. Es ist zwar sehr schwierig, einen guten Auftrag als Übersetzer zu bekommen, aber ich werd schon was finden.

○ Na dann, viel Glück und vielen Dank. Dürfte ich Sie auch noch fragen, was Sie beruflich machen und wie Sie sich Ihr berufliches Leben in zwei Jahren vorstellen?

■ Na ja, da haben Sie genau die Richtige erwischt. Ich habe im Moment sehr viel Ärger in meiner Arbeit und für die Zukunft wünsch ich mir alles Mögliche, bloß nicht länger diesen Job! Ich bin Teamassistentin in einer Bürogemeinschaft und habe einen Chef, der sehr schnell wütend wird und immer an mir rummeckert. Eigentlich wird von mir vor allem erwartet, dass ich Kaffee koche und das Mittagessen holen gehe. Und wenn dann mal ein Brief geschrieben werden soll, dann muss er immer in zwei Sekunden fertig sein. Das nervt mich, der Job ist einerseits langweilig und andererseits macht mein Chef ständig unnötigen Stress, wenn es mal was zu tun gibt. Ich bin gerade dabei, mir einen neuen Job zu suchen. In zwei Jahren werde ich hoffentlich einen Job haben, in dem ich auch gefordert bin und auch anspruchsvolle Aufgaben habe. Und das Arbeitsklima muss stimmen, so etwas wie jetzt will ich nicht noch mal erleben – ja, und mehr Geld möchte ich auch verdienen.

○ Entschuldigung, darf ich Ihnen zwei Fragen stellen?

▲ Ja gern.

○ Was machen Sie beruflich und wie sind Ihre Wünsche, was Ihre berufliche Zukunft betrifft? Wie soll Ihr Leben in zwei Jahren aussehen?

▲ Och, ich bin ja nun nicht mehr die Jüngste, da freue ich mich natürlich, dass Sie mir diese Frage noch stellen. Ich muss noch fünf Jahre arbeiten – oder besser: Ich darf noch fünf Jahre arbeiten. Ich arbeite als Kauffrau für eine große Firma und die Arbeit macht mir immer noch sehr viel Spaß. Wie ich mir

meine Arbeit in zwei Jahren vorstelle? Hm, eigentlich wünsche ich mir, dass in zwei Jahren alles so ist wie heute. Einen besseren Job und bessere Kollegen als ich jetzt habe, kann ich mir gar nicht vorstellen. Meine Aufgabe ist auch nach all den Jahren noch interessant und immer wieder eine Herausforderung. Das gefällt mir und mir gefällt, dass ich auch mit der Zeit gehen muss und mich ständig informieren muss, was es für neue Produkte und Techniken gibt – die Entwicklung geht ja heute in einem Tempo voran, das wir noch vor zwanzig Jahren niemals für möglich gehalten hätten. Manchmal ist das zwar sehr zeitintensiv, aber das ist mir viel lieber, als ein Job, in dem man sich langweilt.

Modul 1 Aufgabe 2b

● Also, ich bin Friseur. Ich bin eigentlich ganz zufrieden mit dem Job, nur leider verdiene ich nicht gut. Für die Zukunft habe ich einen großen Wunsch: Ich möchte irgendwann meinen eigenen Friseursalon haben, aber in zwei Jahren werde ich noch nicht so weit sein. Da muss ich erst noch länger sparen. Aber jetzt muss ich los, meine Freundin wird schon auf mich warten. Wir fahren nämlich morgen in Urlaub und da müssen wir noch viel vorbereiten.

Modul 4 Aufgabe 3

○ Wann hast du angefangen zu tauchen?

● Das war vor acht Jahren. Ich habe Urlaub mit einem Freund in Ägypten gemacht. Der hat mich eigentlich dazu überredet, einen Tauchkurs zu machen. Das hat mir dann auch echt gut gefallen – aber damals habe ich noch nicht geahnt, dass es einmal mein Beruf werden wird.

○ Tauchen war also nicht schon immer ein Traum von dir, sondern du bist eher zufällig dazu gekommen?

● Ja, genau, das war absoluter Zufall. Also, als Kind habe ich Unterwasserfilme geliebt. Aber vom Tauchen selber habe ich früher eigentlich nicht geträumt.

○ Und seit wann arbeitest du jetzt als Tauchlehrerin?

● Seit ungefähr drei Jahren. Ich habe in Kroatien angefangen, da habe ich fast ein Jahr gearbeitet, und dann war ich über zwei Jahre in Ägypten.

○ Wie und wann bist du denn darauf gekommen, als Tauchlehrerin zu arbeiten?

● Das Tauchen hat mir so viel Spaß gemacht, dass ich immer mehr Kurse besucht habe, und dann zum Beispiel auch eine Ausbildung zum „Dive Master" gemacht habe. Mit dieser Ausbildung kann man andere Taucher begleiten. Das Schlüsselerlebnis war dann ein Tauchurlaub in Indonesien, das war vor ungefähr vier Jahren. Da habe ich gemerkt, wie sehr mich das Tauchen fasziniert. In meinem alten Job als Online-Redakteurin war ich nicht mehr so zufrieden und habe mir dann vorgenommen, für eine bestimmte Zeit aus Deutschland wegzugehen und mein Geld als Tauchlehrerin zu verdienen.

○ Und wie ging das dann, wie hast du einen Job an einer Tauchbasis bekommen? Ich stelle mir das nicht so einfach vor.

● Am Anfang war es eigentlich sehr leicht, da habe ich an der Tauchschule, an der ich meine verschiedenen Tauchscheine gemacht habe, gearbeitet. Ich konnte dort meine Tauchlehrerausbildung fertig machen. Das hat mich nichts gekostet, dafür habe ich an der Tauchbasis mitgeholfen. Und dann habe ich natürlich bald angefangen, Tauchkurse zu geben. Danach war es dann schwieriger, eine andere Stelle zu bekommen. Da hängt es dann sehr davon ab, wie viel Erfahrung man als Tauchlehrer schon hat und auch davon, wie viele Sprachen man spricht. Ich habe dann eine Stelle in Ägypten angenommen, zuerst in Hurghada an einer Tauchbasis und dann habe ich auf einem Safariboot gearbeitet. Mit diesen Booten ist man eine oder zwei Wochen auf dem Meer unterwegs.

○ Was haben damals, als du weggegangen bist, deine Freunde und deine Familie gesagt?

● Die Reaktionen waren am Anfang eigentlich überraschend positiv, das hatte ich nicht so erwartet. Aber ich habe damals auch nicht gesagt, dass ich das jetzt für immer machen möchte. Ich habe damals, als ich gegangen bin, gesagt – und auch gedacht – ich probiere das jetzt einfach aus und schaue mal, wie es mir gefällt. Ich bin ich ja immer wieder mal in Deutschland. Zwischendrin habe ich eine etwas längere Tauchpause hier in Hannover gemacht. Da haben mich dann viele Leute doch eher kritisch gefragt, warum ich das weitermachen möchte und warum ich mir nicht wieder einen „normalen" Job in Deutschland suchen will. Aber inzwischen haben es alle akzeptiert, dass mein Beruf jetzt Tauchlehrerin ist. Und sie sehen auch, dass es durchaus langfristige Perspektiven in diesem Beruf gibt. Ich möchte später gerne eine Tauchbasis leiten oder selber eine Tauchbasis aufmachen – irgendwo auf der Welt, mal sehen.

○ Ist denn der Beruf so, wie du ihn dir vorgestellt hast?

● Hm, eigentlich habe ich das Berufsbild ja vorher schon ein bisschen gekannt, weil ich ja während meiner Ausbildung an einer Tauchschule gearbeitet habe. Ich habe gewusst, dass dieser Beruf mir Spaß macht, auch wenn er nichts mit Urlaub zu tun hat, sondern vor allem sehr anstrengend ist. Heute weiß ich, dass dieser Beruf viel mehr fordert als mein alter Beruf. Nicht nur körperlich, sondern auch seelisch. Man hat ständig mit Leuten zu tun und eine hohe Verantwortung, was insgesamt sehr schön, aber auch anstrengend ist.

○ Gab es Momente, in denen du den Beruf Tauchlehrerin aufgeben wolltest?

● Oh ja, gerade am Anfang gab es oft Situationen, in denen ich an meine Grenzen gestoßen bin. Tauchen ist anstrengend und man hat als Tauchlehrer sehr wenig Zeit für sich alleine und kaum Rückzugsmöglichkeiten. Man hat kaum Momente, in denen man sich entspannen kann und Ruhe findet. Am Anfang war das besonders schwer, inzwischen glaube ich, dass ich da eine gute Balance gefunden habe.

○ Was ist denn jetzt dein Hobby, nachdem Tauchen nun dein Beruf ist?

● Hm, das ist eine gute Frage ... nein, eigentlich ist es ganz klar: Unterwasserfotografie, das ist jetzt mein Hobby. Ich habe mir eine Kamera mit einem Unterwassergehäuse gekauft, und wenn ich damit beim Tauchen unterwegs bin, kann ich alles um mich herum vergessen. Die Bildbearbeitung später gehört dann auch dazu.

○ Was ist das Schönste an deinem Beruf?

● Das Schönste an meinem Beruf sind sicherlich die schönen Taucherlebnisse, vor allem wenn man Begegnungen mit Tieren hat, zum Beispiel mit einer Seekuh oder Haien. Aber auch die kleinen Dinge, wenn man in Ruhe das Leben in einer Koralle beobachten kann, das ist immer wieder wunderschön. Und wenn man dann einmal erleben durfte, 20 Minuten lang mit Delfinen zu schwimmen, dann ist das einfach der schönste Beruf der Welt!

○ Und wie geht es jetzt weiter bei dir?

● Ja, das wird spannend: In vier Wochen werde ich einen neuen Job auf den Malediven beginnen.

○ Das hört sich ja toll an! Eine letzte Frage habe ich noch: Würdest du in deinem nächsten Urlaub tauchen gehen?

● Hm, jein ... Es ist schon so, dass ich meinen Urlaub nutze, um meinem Körper eine Tauchpause zu gönnen. Andererseits gibt es noch so viele Tauchplätze auf der Welt, die ich noch sehen möchte ... Ich werde also bestimmt in dem einen oder anderen Urlaub auch tauchen gehen.

Kapitel 7
Modul 1 Aufgabe 2

○ „In guten wie in schlechten Zeiten, ... bis dass der Tod euch scheidet" ... das schaffen immer weniger Paare. Derzeit wird in Deutschland mehr als jede dritte Ehe geschieden. Die Gründe dafür sind vielfältig. Ein Grund ist sicher, dass immer weniger

Menschen dazu bereit sind, eine nicht funktionierende Beziehung hinzunehmen. Wenn sie unzufrieden sind, geben sie die Partnerschaft auf. Die ökonomische Unabhängigkeit vieler Frauen durch die eigene Berufstätigkeit ist dafür eine wichtige Voraussetzung. Die Doppelbelastung der Frauen, Beruf, Haushalt und Familie unter einen Hut zu bekommen, bedeutet allerdings auch oft eine zusätzliche Belastung für die Familie. Insbesondere auch deshalb, weil viele Männer nicht bereit sind, dabei ihren Anteil zu übernehmen, also Aufgaben im Haushalt oder bei der Alltagsorganisation. Die Familien- oder Beziehungssituation kann so schwierig werden, dass viele keinen anderen Ausweg mehr sehen als eine Trennung. Scheidungen bringen immer auch schmerzliche Erfahrungen und einschneidende Veränderungen mit sich, besonders für die betroffenen Kinder. Zwar wachsen 79% der Kinder auch heute noch mit den leiblichen und verheirateten Eltern auf, aber jedes Jahr werden mehr als 150.000 Kinder zu Scheidungskindern. 15% aller Kinder leben bei ihrer alleinerziehenden Mutter oder ihrem alleinerziehenden Vater, allerdings sind sechs von sieben Alleinerziehenden Mütter. Sechs Prozent der Kinder leben in einer sogenannten Patchworkfamilie. Wir haben mit zwei Elternteilen aus den zuletzt genannten Gruppen gesprochen.

Frau Schröder, Sie leben allein mit Ihrer sechsjährigen Tochter Lara.

● Ja, mein Ex-Mann und ich haben uns vor drei Jahren scheiden lassen und seitdem leben Lara und ich allein.

○ Wann sieht Lara ihren Vater?

● Die beiden sehen sich jedes zweite Wochenende und in den Ferien. Lara hat die Scheidung ganz gut verkraftet, aber ihr Vater fehlt ihr schon oft. Lara versteht sich sehr gut mit ihrem Vater und würde sich gerne öfter mit ihm treffen. Aber er ist beruflich viel unterwegs.

○ Was ist besonders schwierig als Alleinerziehende?

● Das Finanzielle ist natürlich ein Problem. Laras Vater zahlt uns zwar Unterhalt, aber das reicht hinten und vorne nicht. Deshalb habe ich mich dann ein Jahr nach der Trennung entschlossen, wieder zu arbeiten. Lara geht nach der Schule in den Hort und dort hole ich sie dann erst gegen 18 Uhr wieder ab. Ich wünsche mir manchmal einfach mehr Zeit mit meiner Tochter. Schwierig ist auch, dass ich eigentlich für alles allein verantwortlich bin und jedes kleine oder große Alltagsproblem allein lösen muss.

○ Herr Massmann, Sie haben eine sogenannte Patchworkfamilie.

☐ Ja, das ist richtig. Ich habe zwei Kinder aus erster Ehe. Als meine erste Frau und ich uns getrennt

haben, sind die Kinder bei mir geblieben. Zwei Jahre nach der Scheidung habe ich dann Maria kennengelernt und mich sofort in sie verliebt. Sie hatte auch schon eine Tochter. Zusammen haben wir jetzt noch ein Baby bekommen.

○ Beschreiben Sie das Leben in so einer zusammengewürfelten Familie.

☐ Bei so vielen Personen ist immer was los, es wird nie langweilig. Das ist wirklich schön. Aber es gibt natürlich auch eine Menge Konflikte. Marias Tochter war anfangs sehr eifersüchtig. Sie war ja ein Einzelkind und musste sich erst daran gewöhnen, die Aufmerksamkeit ihrer Mutter zu teilen. Und meine Söhne wollten sich erst von Maria nichts sagen lassen. Mittlerweile hat sich die Situation allerdings geändert. Wir haben uns ganz gut zusammengerauft und das neue Baby wird von allen verwöhnt. Und die Großen verstehen sich auch ziemlich gut.

Kapitel 8
Modul 2 **Aufgabe 3**

○ Guten Abend, meine Damen und Herren und herzlich willkommen zu unserer aktuellen Diskussionsrunde zum Thema „Wie viel Konsum braucht der Mensch?". Begrüßen möchte ich unsere heutigen Talk-Gäste: Frau Viola Zöller, Herrn Bodo Fritsche und Herrn David Kolonko. Herr Kolonko, beginnen wir doch gleich mit Ihnen. Sie sind ja ein sogenannter „Aussteiger". Erzählen Sie doch mal.

● Ja, das stimmt. Man könnte mich tatsächlich als Aussteiger bezeichnen. Ich habe lange in der Stadt gelebt und in einem Autohaus als Verkaufsleiter gearbeitet. Geld, Erfolg, Karriere, das war alles sehr wichtig für mich.

○ Und wie leben Sie jetzt?

● Jetzt lebe ich auf einem Einsiedlerhof in der Nähe von Freiburg.

○ Wie kam es denn zu dieser Entscheidung?

● Ich hatte vor ein paar Jahren einen leichten Herzinfarkt. Ja, das war eigentlich der Wendepunkt. Danach hatte ich genug von der Jagd nach noch mehr Geld, noch mehr Erfolg und wollte einfach nicht mehr so weiterleben. Es dreht sich doch heutzutage alles nur ums Haben, Haben, Haben. Davon hatte ich einfach die Nase voll und jetzt genieße ich das einfache Leben in der Natur.

○ Sie haben keinen Strom und kein fließendes Wasser, richtig?

● Das stimmt. Aber das macht nichts. Das Wasser hole ich aus dem Brunnen und zum Kochen und Heizen mache ich ein Feuer im Ofen. Man kann auf vieles verzichten, wenn man will. Es ist ein tolles Gefühl, zu merken, dass man nicht abhängig ist von einem Handy oder einem Geschirrspüler oder auch von einem Stromanschluss.

○ Wovon leben Sie?

● Nun, ich bin jetzt eigentlich Bauer. Ich baue Obst und Gemüse an. Einen Teil verbrauche ich selbst, einen Teil verkaufe ich. Außerdem habe ich ein paar Hühner. Ich lebe relativ unabhängig.

○ Frau Zöller, könnten Sie so leben wie Herr Kolonko?

□ Oh nein, auf gar keinen Fall. Ich liebe meine Arbeit und könnte auch auf meine schöne, gemütliche Stadtwohnung nicht verzichten. Und warum sollte man auf den Komfort, den unsere Zeit bietet, verzichten? Wir leben nun mal nicht mehr im 18. Jahrhundert. Man kann sich doch nicht dagegen wehren, dass die Welt sich weiterdreht.

○ Was machen Sie denn beruflich?

□ Ich arbeite im Bereich Kundenservice in einem großen Konzern. Haben Kunden Fragen zu unseren Produkten, wenden sie sich an mich. Und natürlich auch, wenn es irgendwelche Probleme gibt. Die Zufriedenheit der Kunden steht immer an erster Stelle. Sie sehen, es macht mir nicht nur in meinem Privatleben Spaß einzukaufen, ich habe auch noch beruflich damit zu tun.

○ Herr Fritsche, könnten Sie allem Konsum entsagen wie Herr Kolonko oder ist Konsum für Sie so wichtig wie für Frau Zöller?

■ Hm, tja, also weder noch. Ich könnte sicherlich nicht so leben wie Herr Kolonko. Andererseits stehe ich aber unserer Konsumgesellschaft auch eher kritisch gegenüber.

○ Der Einsiedlerhof reizt Sie aber nicht?

■ Nein, eher nicht. Ich teile mir ein kleines Häuschen, übrigens ein Energiesparhaus, mit zwei Freunden und da fühle ich mich sehr wohl. Mit anderen zusammen zu wohnen ist auch billiger als allein zu leben. Außerdem ist das Haus nicht weit weg von dem Altenheim, wo ich als Pfleger arbeite.

Modul 2 Aufgabe 4

○ Frau Zöller, können Sie nachvollziehen, dass Herr Kolonko sich freut, unabhängig von Konsumgütern wie einer Waschmaschine und einem Geschirrspüler zu leben?

□ Nun, das ist natürlich eine Frage der Zeit, die einem zur Verfügung steht. Ich habe einfach keine Zeit, mein Geschirr selbst zu spülen. Ich arbeite sehr viel und komme oft erst abends um acht oder neun aus dem Büro. Ich brauche einen Geschirrspüler und eine Waschmaschine. Das sind doch heutzutage ganz normale Gebrauchsgüter.

● Das ist aber auch Bequemlichkeit.

□ Mag sein, aber warum auch nicht. Für mich gibt es keinen einleuchtenden Grund, darauf zu verzichten. Ich möchte aber einen anderen wichtigen Punkt ansprechen: Unsere Wirtschaft hängt natürlich davon ab, dass die Leute Geld ausgeben und Produkte kaufen. Durch unsere Käufe kurbeln wir die Wirtschaft an. Und letztlich hängen davon unsere Arbeitsplätze ab. Und das Wohlergehen aller.

○ Herr Kolonko, was sagen Sie denn dazu?

● Das ist zum Teil sicher richtig. Aber es gibt doch auch andere wichtige Aspekte im Leben. Der Wert eines Menschen kann sich doch nicht darüber definieren, wie viel Geld er hat und ob er das neueste Auto fährt oder die teuersten Anzüge trägt. Wenn wir alle ein wenig unser Konsumverhalten ändern würden, bräuchten wir auch weniger Geld und müssten nicht so viel arbeiten. Und könnten uns dann auch noch auf andere Dinge konzentrieren.

□ Das ist doch eine völlig naive Sichtweise, die an der Realität vorbeigeht. Wenn eine Firma nicht mehr genug Produkte verkauft, werden die Arbeitsplätze schnell ziemlich drastisch reduziert. Und wenn die Leute keine Arbeit mehr haben, nützen ihnen auch irgendwelche anderen Werte nichts mehr.

● Also, so undifferenziert kann man das doch nicht sehen.

○ Herr Fritsche, was ist Ihre Meinung?

■ Frau Zöller hat teilweise sicher recht. Dennoch muss man unsere Konsumgesellschaft auch kritisch betrachten. Es ist einfach unglaublich, wie viel Müll wir produzieren, indem wir immer Neues kaufen. Kaufen, wegwerfen, kaufen, wegwerfen, so geht das in einem fort und unsere Müllberge wachsen und wachsen. Das hat natürlich immense Folgen für unsere Umwelt. Und da müssen wir ganz klar sagen: So kann es nicht weitergehen.

□ Ich bin da ganz anderer Meinung. Erst wenn es unserer Wirtschaft gut geht, können wir auch an unsere Umwelt denken. Erst mal müssen wir sehen, dass es allen Menschen gut geht, also, dass alle Arbeit haben. Und dafür müssen wir einfach auch Geld ausgeben, um unsere Wirtschaft immer wieder anzukurbeln. Außerdem können wir ja heute den größten Teil unseres Mülls recyclen.

● Aber unsere Umwelt ist doch unsere Lebensgrundlage. Wir müssen doch auch an unsere Kinder denken. Es ist sowieso schon schrecklich genug, dass sich schon Zehnjährige über die Turnschuhe, die sie

Transkript

tragen, definieren und das neueste Handy brauchen, um bei ihren Freunden beliebt zu sein. Das kann doch nicht richtig sein.

■ Da bin ich ganz Ihrer Meinung. Wir müssen unseren Kindern wieder andere Werte vermitteln. Kinder müssen lernen, dass es im Leben auf andere Dinge ankommt, zum Beispiel auf Rücksichtnahme und Hilfsbereitschaft, aber auch auf Ausdauer und Fleiß.

□ Ja, aber so ist das einfach heutzutage, das ist eben unsere Zeit. Natürlich wollen Kinder auch das haben, was sie bei den Erwachsenen sehen. Man sollte daraus kein Problem machen. Man kann die Zeit eben nicht zurückdrehen.

● Aber man kann doch nicht immer alles einfach so hinnehmen.

Modul 2 **Aufgabe 5b**

○ Herr Fritsche, was machen Sie denn, um weniger zu konsumieren?

■ Ich versuche, alle Dinge so lange wie möglich zu benutzen, bevor ich etwas Neues kaufe. Ich brauche nicht zehn Paar Schuhe. Ich trage ein Paar, und erst wenn das kaputt ist, kaufe ich neue Schuhe. Und dann kaufe ich oft auch gebrauchte Sachen. Es gibt schließlich genug Secondhandläden und Flohmärkte. Größere Dinge wie Waschmaschinen findet man über Kleinanzeigen. Man braucht nicht immer das Neueste. Und man braucht vor allem auch nicht immer teure Markenartikel.

○ Aber Sie machen ja noch etwas anderes, nicht wahr?

■ Ja, eine andere Möglichkeit, die ich ganz toll finde, ist das Tauschen. Dinge, die ich nicht mehr brauche, tausche ich mit Freunden oder Bekannten und bekomme dafür etwas anderes. Ich habe mir schon so einen richtigen kleinen Tauschring aufgebaut.

○ Interessant, wie funktioniert das?

■ Nun, zum einen kann man Produkte tauschen. Ich hatte zum Beispiel noch ein altes Sofa, das ich nicht mehr brauchte. Ich habe es bei einem Bekannten gegen einen Schreibtisch eingetauscht. Aber es geht auch anders. Ich bin handwerklich ziemlich begabt. Helfe ich zum Beispiel einer Nachbarin bei der Reparatur ihres Schrankes, schneidet sie mir dafür die Haare. Es gibt viele Möglichkeiten. Man kann sich darüber auch im Internet informieren und sich entweder an schon bestehende Tauschringe anschließen oder ein eigenes kleines Netz gründen.

□ Also, das wäre wirklich nichts für mich. Ich will nicht den alten Kram von anderen Leuten haben. Außerdem macht es ja auch Spaß, sich etwas Schönes zu kaufen.

Ich arbeite wirklich sehr viel und manchmal will ich mir einfach etwas gönnen, mir etwas Gutes tun.

● Dagegen ist ja auch nichts zu sagen. Wenn sich nicht alles nur ums Kaufen dreht. Man kann sich ja auch etwas Gutes tun, indem man einen schönen Spaziergang macht oder Freunde trifft.

□ Da haben Sie sicherlich recht. Aber manchmal ist es einfach eine schöne Abwechslung, wenn man sich etwas Neues kauft. Ich freue mich einfach über einen neuen Pulli oder eine tolle Vase. Und meine Freunde freuen sich auch, wenn ich mal was Schönes mitbringe.

● Ja, das stimmt schon. Wenn ich ehrlich bin, leiste ich mir auch ab und zu ein tolles Abendessen oder einen besonders guten Rotwein. Das ist ja auch eine Art von Konsum.

■ Ja, also dazu muss ich noch sagen, dass ich ...

Modul 3 **Aufgabe 1b**

○ Guten Tag, hier ist die Hotline von Multi-Media-Schnäppchen.de. Vielen Dank für Ihren Anruf, wir werden Sie schnellstmöglich mit dem nächsten freien Mitarbeiter verbinden. ... Bitte haben Sie noch einen Augenblick Geduld.

● Multi-Media-Schnäppchen.de, guten Tag, mein Name ist Thomas Müller, was kann ich für Sie tun?

□ Ja, guten Tag, Jakobsen ist mein Name, ich hab ein Problem mit einem mp3-Player, den ich bei Ihnen gekauft hab.

● Ja, hätten Sie da bitte mal die Rechnungsnummer für mich?

□ Äh, die Rechnungsnummer, äh ja, wo steht denn die?

● Oben rechts auf der Rechnung, eine achtstellige Zahl.

□ Hmmm, oben rechts, ... ah ja, hier. Äh, das ist die 8073472-1. Ist sie das?

● Ja, Frau Jakobsen, einen mp3-Player mit Kopfhörern haben Sie vor drei Wochen von uns bekommen. Was ist denn das Problem?

□ Ja, also, ich habe Lieder darauf gespeichert, aber leider funktioniert der Lautstärkeregler schon nicht mehr. Ich kann die Lieder nur ganz leise oder viel zu laut hören.

● Wie meinen Sie das bitte, heißt das, dass der Lautstärkeregler klemmt? Könnten Sie mir das bitte noch mal genauer beschreiben?

□ Ja. Also ich glaube nicht, dass der Regler klemmt – da könnte ein Wackelkontakt sein. Deswegen kann man die Lautstärke nicht genau einstellen. Also, wie machen wir das jetzt? Schicken Sie mir einen neuen Player?

● Ja, also das kann ich jetzt so nicht beantworten. Ich würde Sie bitten, dass Sie uns das Gerät zurückschicken und uns das Problem kurz schriftlich schildern, dann setzen wir uns wieder mit Ihnen in Verbindung.

□ Geht das nicht telefonisch? Ich bin hier nämlich nur zu Besuch und die Lieferadresse ist die Adresse von einem Freund von mir. In zwei Wochen bin ich wieder zu Hause bei mir in Dänemark. Ach, ich hätte mir das Gerät doch in einem Geschäft kaufen sollen. Klappt das denn noch rechtzeitig?

● Keine Sorge, das klappt schon. Ich bräuchte das aber trotzdem schriftlich von Ihnen. Sonst kann das hier nicht weiterbearbeitet werden. Wir haben ja noch zwei Wochen Zeit. Schreiben Sie bitte in Ihren Brief hinein, bis wann wir Sie unter der Adresse erreichen können.

□ Na gut, dann machen wir es so. Sagen Sie mir bitte noch mal Ihren Namen?

● Thomas Müller.

□ Gut Herr Müller, ich hoffe, dass ich den neuen mp3-Player noch rechtzeitig bekomme.

● Ja, Frau Jakobsen, wir kümmern uns darum und machen das alles so schnell wie möglich. Vielen Dank für Ihren Anruf und auf Wiederhören.

Modul 4 Aufgabe 6

Eins
Arbeiten Sie auch ständig für Ihren Computer? Dabei sollte Ihre EDV-Anlage doch für Sie arbeiten. Wir helfen bei Planung, Optimierung und Ausbau von IT-Systemen. Netec – Computerprobleme waren gestern. Weitere Informationen finden Sie unter www.netecfederation.de

Zwei
Neues aus Weihenstephan: „Ja, Grüß Gott Frau Huber. Fahren Sie eigentlich weg dieses Jahr?" „Ja, freilich, auf die Malediven." „Mei, da haben's bestimmt viel sparen müssen." „Na, viel Milch trinken müssen." Jetzt Weihenstephan-Alpenmilch trinken und Reisegutschein bis zu hundert Euro sichern. Mit Reisechecker und Weihenstephan. Alle weiteren Infos auf der Packung und im Internet.

Drei
Eine Million Fassungen bei Apollo-Optik, ich weiß. Ein Euro das Stück und das ist zum Glück ein echter Danke-Preis.
Deutschlands zufriedenster Optiker sagt Danke mit einer Million Fassungen für einen Euro. Gilt beim Kauf einer Brille in Sehstärke. Apollo-Optik – Wir haben nur Ihre Augen im Kopf.

Vier
Tchibo präsentiert: Das Angeboot!
„Knut, hast du was entdeckt?"
„Kapitän, es ist sensationell. Tchibo hat einen Mobilfunk-Vertrag, der monatlich kündbar ist."
„Was? Monatlich kündbar?"
„Ja, genau und trotzdem tchibogünstig rund um die Uhr telefonieren."
Jetzt bei Tchibo. Der neue Komfort-Tarif. Einfach und günstig tchibofonieren.

Kapitel 9
Modul 2 Aufgabe 2a

○ Urlaubszeit: Für viele heißt das: ab an den Strand und endlich einmal nichts tun. Für einige Menschen bedeutet es aber genau das Gegenteil. Gerade junge Menschen fahren gerne in sogenannte Workcamps. Eine junge Workcamperin haben wir heute als Studiogast und möchten sie fragen, was diese Art des Urlaubs für sie so attraktiv macht. Ich begrüße Britta Kühlmann, 21 Jahre alt. Hallo.

● Hallo, Tony.

○ Britta, du warst schon in einigen Workcamps, zuletzt in Indien.

● Stimmt ich war schon in mehreren, aber Indien hat mich am meisten beeindruckt.

○ Wo warst du da?

● In einem Dorf, ca. 60 Kilometer nördlich von Bombay.

○ Und was hast du dort konkret gemacht?

● Die Projekte sind ja immer gemeinnützig und in Indien habe ich beim Aufbau einer Schule geholfen. Also, richtig Material einkaufen, Steine und Holz tragen, Mauern bauen usw.

○ Und die Arbeit wird nicht bezahlt?

● Genau. Alles ist ehrenamtlich. Aber es geht auch nicht ums Geld, sondern darum, gemeinsam etwas zu erreichen. Das Kennenlernen von neuen Leuten ist dabei ganz wichtig.

○ Und was für Leute hast du kennengelernt?

● Natürlich viele andere Workcamper, ich habe mich z.B. mit einer Frau aus Italien angefreundet. Wir haben nach dem Workcamp auch noch eine Trekkingtour gemacht.

○ Und was ist mit den Einheimischen?

● Ja, das war besonders ... nett ist das falsche Wort ... herzlich vielleicht ... oder faszinierend. Wir haben in dem Dorf, wo die Schule gebaut wurde, in Hütten gewohnt. Ich hatte guten Kontakt mit einer Nachbarfamilie. Wir haben viele Abende zusammen verbracht. Da lernt man natürlich die Menschen und die Kultur auf ganz andere Weise kennen als im Liegestuhl am Hotelstrand.

○ Inwiefern „anders"?

● Wenn man da arbeitet, bekommt man den ganzen Alltag mit und der ist völlig anders als bei uns. Vieles ist faszinierend, manches schreckt dich echt ab oder du verstehst viele Dinge einfach nicht. Du bist dann auf einmal fremd. Ich fand das immer eine wichtige Erfahrung.

○ Sind das nur junge Leute, die an den Workcamps teilnehmen?

● Man muss mindestes 18 sein, die meisten sind zwischen 20 und 30 Jahre alt. Aber auch ältere Personen machen häufig mit, z.B. als Betreuer oder als Campleitung.

○ Junge Leute haben ja bekanntlich wenig Geld. Was hat das Workcamp denn gekostet?

● Neben Gebühren für die Vermittlung in Workcamps habe ich die Flüge, das Visum und die Impfungen selbst bezahlt. Essen und Unterkunft sind dann immer frei. Indien war für mich schon teuer, ich glaube, zusammen mit der Trekkingtour so ca. 1.000,– € für vier Wochen. Aber einen Monat lang ein Land so intensiv zu erleben, das war jeden Cent wert.

○ Mhm, wurdest du vorbereitet?

● Ja, für Indien war das wichtig. Zuerst gab es viel Informationsmaterial. Und dann noch ein Vorbereitungsseminar. Da werden dann die wichtigsten Fragen geklärt.

○ Was sollten Interessenten bedenken?

● Eigeninitiative ist wichtig. Man muss einiges selbst organisieren, schließlich ist das kein Pauschalurlaub. Und man sollte teamfähig sein.

○ Und steht die Schule jetzt?

● Ja. Wir hatten zwar zwischendurch Probleme, weil Material fehlte oder das Wetter nicht mitgespielt hat. Aber das Gebäude war so weit fertig, dass wir mit dem Dorf ein indisches Richtfest gefeiert haben.

○ Und wie viel Urlaub war dabei?

● Ich finde, dass trotz der Arbeit und eigener Kosten die Workcamps eine sehr gute Variante sind, andere Länder zu bereisen. Ich habe noch Trekkingtouren in den Norden in die Wüste und zu den großen Palästen gemacht und an meinen freien Tagen habe ich mir auch viel in der Umgebung angesehen.

○ Klingt alles sehr interessant. Wo kann man denn Informationen über Workcamps bekommen?

● Es gibt einige Organisationen, die Aufenthalte in Workcamps vermitteln, einfach „Workcamp" in die Suchmaschine eingeben.

○ Und der nächste Urlaub?

● Mal sehen, ich möchte mit meinem Freund wegfahren, aber er konnte sich noch nicht für ein Workcamp begeistern ...

Modul 4 Aufgabe 2b

○ Hotel Albatros, mein Name ist Kerstin Heinrichsen, was kann ich für Sie tun?

● Guten Tag, mein Name ist Stadler. Ich möchte ein Zimmer bei Ihnen reservieren.

○ Wann möchten Sie anreisen?

● Am 15. Mai. Am 18. Mai reise ich wieder ab.

○ Reisen Sie alleine?

● Ja, ich hätte gerne ein Einzelzimmer mit Bad.

○ Ja, gerne. Vom 15. bis 18. Mai wäre auch ein Zimmer frei.

● Was kostet das Zimmer denn?

○ Ein Einzelzimmer mit Bad, inkl. Frühstück kostet 75,– Euro.

● Gut, ich hätte noch eine Bitte. Ich schlafe nicht so gut. Mir ist wichtig, dass das Zimmer ruhig ist.

○ Das ist kein Problem, ich gebe Ihnen ein Zimmer nach hinten.

● Und haben Sie eine Klimaanlage? Ich vertrage Wärme nicht so gut.

○ Ja, alle Zimmer sind klimatisiert.

● Sehr gut. Dann nehme ich das Zimmer.

○ Wie kommen Sie nach Hamburg?

● Ich reise mit dem Zug an.

○ Gut, Herr Stadler. Dann brauche ich noch Ihren vollen Namen und Ihre Adresse. Ich schicke Ihnen dann eine Reservierungsbestätigung und eine Wegbeschreibung zu.

● Sehr gut. Mein Name ist Stadler, Vorname Beda. Und meine Adresse lautet Kornhausstraße 56, in 3013 Bern, Schweiz.

Modul 4 Aufgabe 3a

○ Guten Tag, was kann ich für Sie tun?

● Guten Tag. Können Sie mir sagen, wann und wo es morgen Stadtführungen gibt?

○ Gerne. Morgen starten Stadtführungen am Rathaus um 10.00 und um 14.00 Uhr.

● Wie lange dauert eine Führung?

○ Die um 10.00 Uhr dauert zwei Stunden, die um 14.00 Uhr ist schon um 15.00 Uhr zu Ende.

● Zwei Stunden ist ziemlich lang. Geht man zu Fuß?

○ Ja, beide Führungen sind zu Fuß. Es gibt aber auch Stadtrundfahrten mit dem Bus.

● Was würden Sie empfehlen?

○ Ich persönlich würde die Führung um 10.00 Uhr machen. Eine Stunde ist etwas kurz für die wichtigsten Sehenswürdigkeiten. Die Tour geht vom Jungfernstieg zum Fischmarkt. Aber keine Angst, es gibt auch einige Pausen.

● Gut, aber ich muss noch einmal überlegen. Wo könnte ich mich denn anmelden?

○ Hier in unserem Büro am Hauptbahnhof.

● Vielen Dank.

○ Bitte, gern geschehen. Tschüs.

● Auf Wiederhören.

Modul 4 Aufgabe 4

Tut mir leid, in der Preisklasse bis 50 Euro ist für morgen kein Einzelzimmer im Zentrum mehr frei. Aber vielleicht etwas außerhalb?

Im Moment läuft „König der Löwen" im Theater im Hafen Hamburg, „Mamma Mia" im Operettenhaus und „Dirty Dancing" in der Neuen Flora. Karten und Uhrzeiten können Sie in den Spielstätten für die Musicals erfragen.

Ab 19.00 Uhr fahren jede Stunde Regionalbahnen nach Bremen. Die letzte fährt um 23.30 Uhr.

Michel? Also: Der Michel ist das Kurzwort für St. Michaelis Kirche. Und dort ist der Treffpunkt für die Fahrradtour.

Ja, das klappt. Ein Tisch für zwei Personen um 19 Uhr für heute Abend. Auf welchen Namen, bitte?

Kapitel 10
Modul 2 Aufgabe 1b

○ Wussten Sie, dass die Chance, in Wien einem Igel, Dachs oder Steinmarder zu begegnen, durchaus groß ist? Wien bietet Lebensraum für viele Wildtiere, die hier ein gutes Nahrungsangebot finden. Sie haben gelernt, dass ihnen in der Stadt wenig Gefahren drohen und haben daher ihre Angst und Scheu vor dem Menschen weitgehend verloren. Nächtliches Rumoren und Poltern im Haus, angeknabberte Lebensmittel, durchgebissene Kabel oder ein abgefressenes Gemüsebeet sind manchmal die ärgerlichen Folgen. Andererseits freuen wir uns, wenn schon bei Tagesanbruch die Amsel ihr Morgenlied singt und uns Eichhörnchen auf dem Balkon besuchen kommen. Was macht eine Stadt mit ihren kleinen Innenhöfen, Dachböden, Straßen und Häuserschluchten so interessant für Tiere? Wir haben hier im Studio eine Expertin, Frau Claudia Krug, die in der städtischen Umweltberatungsstelle in Wien arbeitet.

Modul 2 Aufgabe 2b

○ Frau Krug, herzlich willkommen. Sagen Sie, warum ziehen denn so viele Tiere in die Stadt?

● Ja, das ist ganz einfach so, dass manche Tiere gelernt haben, von der Gegenwart des Menschen und dem Lebensraum „Stadt" Nutzen zu ziehen.

○ Welchen großen Nutzen können die Tiere denn aus dem Lebensraum Stadt ziehen?

● Für Allesfresser wie Haussperling, Tauben, Ratten oder Krähen sind menschliche Siedlungen ein wahres Schlaraffenland. Und hiermit meine ich nicht nur die Angewohnheit vieler Stadtmenschen, besonders im Winter die Tiere zu füttern. Vögel, wie der „freche Spatz", holen Brot- und Kuchenbrösel sogar von den Tischen der Straßencafés.
Und weil Lebensmittel im Verhältnis zu anderen Ausgaben immer billiger werden, landen Essensabfälle oft im Mistkübel oder auf der Straße. Die Straßen in den Städten sind also wie ein reich gedeckter Tisch für Tauben und Krähen. Aber nicht nur Vögel, auch viele andere Tiere haben sich als ausgesprochen anpassungsfähig und lernfähig erwiesen. Sie wissen genau, wann es was zu holen gibt.

○ Das heißt, die Tiere sind anpassungsfähiger und schlauer, als man oft denkt?

● O ja. Untersuchungen an Londoner Stadtfüchsen haben gezeigt, dass der schlaue Fuchs vielfältigste Essensreste vertilgt. Er frisst inzwischen Orangen- und Erdäpfelschalen ebenso wie Brot und sogar chinesische Gerichte. In der Vorstadt von Brasov – in Rumänien – durchstöbern Bären am Abend Mülltonnen nach Essensresten. Ja, und in Berlin-Wannsee z.B. warten Wildschweine vormittags vor den Schulen auf weggeworfene Pausenbrote, jedoch nur von Montag bis Freitag!

○ Das ist ja erstaunlich! Aber sagen Sie, welche anderen Vorteile, außer dem großen Futterangebot, bietet das Stadtleben den Tieren denn noch?

● Zum einen ist in Städten die Temperatur durchschnittlich höher als in umliegenden Gebieten. So bleibt z.B. im Winter der Schnee nicht so lange liegen und das ermöglicht es beispielsweise den Stadtamseln, eine zusätzliche Brut hochzuziehen. Straßentauben brüten sogar mitten im Winter. Und zum anderen ist es so, dass es in Städten und Siedlungsgebieten kaum Feinde für die Tiere gibt – mal abgesehen vom Straßenverkehr. Hier ist die Jagd verboten und vor 50 Jahren nutzten schlaue Füchse in der Umgebung Londons diesen Umstand. Sie zogen in die Stadt und führen dort ein angenehmes Leben, ohne Jagdhunde und Hetzjagden. Auch Kleinvögel und Tauben können in der Stadt ungestörter wohnen, weil es hier weniger Greifvögel gibt als auf dem Land. Und zu guter Letzt bietet die Stadt auch einen sehr guten Unterschlupf für viele Tiere. Häuser können zur „Wohnung" oder „Gaststube" zahlreicher Mitbewohner werden. Dachböden etwa sind mit sommerwarmen Höhlen aus Südeuropa vergleichbar und dienen z.B. als Brut- und Schlafplätze für Fledermäuse. Und Dächer und Hauswände mit ihren Nischen, Vorsprüngen und Spalten bieten für viele Vogelarten geeignete Schlupfwinkel und Nistmöglichkeiten.

○ Und wie klappt das Zusammenleben zwischen den Stadtmenschen und den Wildtieren, die zu Stadtbewohnern geworden sind. Freuen sich die Leute über ihre tierischen Nachbarn oder gibt es Probleme?

● Das hängt natürlich vor allem von der Tierart ab, um die es geht. Mir sind noch nie Probleme mit Singvögeln zu Ohren gekommen und über einen Igel im Garten freuen sich die Leute auch im Allgemeinen. Schwieriger wird es dann schon, wenn ein Waschbär nachts die Mülltonnen umschmeißt oder Marder die Kabel und Schläuche von Autos durchbeißen. Deswegen haben Naturschutz- und Tierexperten und -expertinnen der Stadt Wien eine neue Seite im Internet zu Wildtieren in der Großstadt eingerichtet. Dort werden die häufigsten Fragen der Wienerinnen und Wiener zum Umgang mit tierischen Mitbewohnern beantwortet. Man findet hier Ratschläge und Tipps von Expertinnen und Experten, um das friedliche Zusammenleben von Mensch und Tier in der Stadt zu fördern. Darüber hinaus bietet die Seite wertvolle Informationen für alle, die beispielsweise wissen wollen, ob Biber einen Winterschlaf halten.

○ Herzlichen Dank, Frau Krug, dass Sie sich die Zeit genommen haben, hier zu uns ins Studio zu kommen. Alle Informationen zu diesem Interview sind wie immer auf unserer Homepage nachzulesen.

Modul 4 Aufgabe 2

Meine sehr verehrten Damen und Herren, mein Name ist Dr. Simone Willinger und ich möchte Sie recht herzlich zu dem ersten Vortrag in unserer Reihe „Mensch und Natur" begrüßen. Der heutige Vortrag trägt den Titel „Leben durch Wasser".

Woher kommt dieser Titel? Nun, lassen Sie mich das kurz erklären: Alles auf der Erde steht oder stand in einer direkten Beziehung zu Wasser. Wasser ist das Element, das uns mit unserer Umwelt, mit allem Leben auf diesem Planeten verbindet. Ohne Wasser wäre die Erde ein genauso toter Himmelskörper wie der Mond.

Mein Vortrag besteht aus zwei Teilen. Im ersten Teil geht es um das Thema „Der Mensch und das Wasser" und im zweiten Teil spreche ich über die knappe Ressource Wasser und die damit verbundenen Probleme.

Der Mensch besteht zu zirka 63% aus Wasser. Unser Flüssigkeitshaushalt muss ständig ausgeglichen werden. Ohne Wasser-Nachschub kann ein Mensch nur wenige Tage überleben. Ohne Wasser würde sich der Körper selber vergiften, da er giftige Stoffe nicht mehr ausschwemmen könnte. Denn genau wie in der Umwelt gibt es auch im menschlichen Körper einen Wasserkreislauf. Alle Körperflüssigkeiten bestehen zu einem Großteil aus Wasser. Durch das Wasser werden die lebensnotwendigen Nährstoffe und der Sauerstoff in unsere Zellen transportiert. Auch für die Regulierung unserer Körpertemperatur benötigen wir Wasser in Form von Schweiß. Durch die Verdunstungskälte kühlt der Schweiß den Körper bei schweren Anstrengungen wieder ab. Im Schnitt benötigt der Mensch für all diese Aufgaben pro Tag 2,8 Liter Wasser.

Für uns Menschen und unsere Körper ist das Element Wasser also von größter Wichigkeit. Umso fataler, dass es immer knapper wird. Darüber möchte ich nun im zweiten Teil meines Vortrags sprechen.

Wie viel Wasser gibt es eigentlich auf der Erde? Schätzungen gehen von einer Gesamtwassermenge von 1,4 bis 1,6 Milliarden Kubikkilometern aus. Schließlich sind über 70% der Erde mit Wasser bedeckt. Doch nur ein kleiner Teil davon kann als Trinkwasser genutzt werden. Denn der größte Teil der Wassermenge ist Meerwasser und damit salzig. Nur gut 2,6% ist Süßwasser. Ein großer Teil des Süßwassers ist zudem als Eis fest in den Polarkappen gebunden, ein weiterer steckt so tief im Erdinneren, dass dieses Wasser nicht genutzt werden kann.

Obwohl es also Unmengen von Wasser auf der Erde gibt, reicht der Anteil, den Menschen wirklich nutzen können, kaum aus. Während die Weltbevölkerung weiter wächst, werden die Süßwasserreserven immer weniger. Mehr als 80 Länder der Erde haben schon heute Schwierigkeiten, ihre Bevölkerung mit Trinkwasser zu versorgen. Über eine Milliarde Menschen weltweit haben nicht einmal 20 Liter Wasser pro Tag zur Verfügung. Rund zwei Milliarden Menschen haben keinen Zugang zu sauberem Trinkwasser und sind auf Flüsse, Seen, Tümpel oder Wasserlöcher angewiesen. Bis zum Jahr 2050 wird voraussichtlich mindestens ein Viertel der Weltbevölkerung mit chronischem oder immer wiederkehrendem Süßwassermangel leben. Der größte Wasserverbraucher und -verschwender ist die Landwirtschaft, die knapp zwei Drittel aller Reserven verbraucht. Durch ineffiziente Bewässerung gehen weltweit rund 60% des Wassers verloren. Zudem verschärft die zunehmende Verschmutzung des Wassers durch Düngemittel, Pestizide, Salze, ungeklärte Abwässer, Giftmüll und Waschmittelrückstände die Wasserkrise. In den Metropolen des Südens landen bis zu 90% der Abfälle ungeklärt in Flüssen, Seen oder im Grundwasser. Vier Fünftel aller Krankheiten in den sogenannten Entwicklungsländern gehen auf verunreinigtes Wasser zurück.

Wasser ist ein sehr kostbares Gut, das es gerecht zu verteilen gilt. Immer häufiger ist diese gerechte Verteilung jedoch gefährdet, werden Flüsse umgeleitet, werden Dämme gebaut, die andere Regionen von der Lebensader Fluss abschneiden. Und Wasser macht bekanntlich nicht an politischen Grenzen Halt. Global existieren mehr als 240 grenzüberschreitende Flüsse, von deren Wasser etwa 40% der Erdbevölkerung leben. Ein riesiges Konfliktpotential, wollen doch alle Nationen ihre Versorgung mit dem immer rarer werdenden Nass gesichert wissen. In der Zukunft werden Wasserrechte und Konflikte um internationale Flüsse und Seen als politischer Zündstoff immer gefährlicher. „Der nächste Krieg in der Region des Nahen Ostens wird nicht um Öl, sondern um Wasser geführt werden", prophezeite der ehemalige UN-Generalsekretär Boutros Boutros-Ghali. Für uns ist es selbstverständlich, immer sauberes Wasser zur Verfügung zu haben.

Ich hoffe aber, ich konnte Ihnen hier einen Eindruck vermitteln, wie wertvoll Wasser ist und vielleicht konnte ich Sie ja auch dazu animieren, bewusster mit diesem kostbaren Gut umzugehen.

Ich würde mich sehr freuen, Sie auch nächste Woche wieder begrüßen zu dürfen, dann zu dem Thema „Luft und Luftverschmutzung".

Wortschatz _____

Kapitel 1: Leute heute

Modul 1 Gelebte Träume

ausfüllen	_____	rundum	_____
die Ernüchterung, -en	_____	der Traum, -"e	_____
erreichbar	_____	einen Traum ausleben	_____
erstklassig	_____	(sich) einen Traum erfüllen	_____
der Lebensunterhalt	_____	einen Traum verwirklichen	_____
mäßig	_____	der Wettbewerb, -e	_____

Modul 2 In aller Freundschaft

die Beziehung, -en	_____	verantwortungsbewusst	_____
ehrgeizig	_____	sich aufeinander verlassen können	_____
die Eigenschaft, -en	_____	verschwiegen	_____
gebildet	_____	witzig	_____
unternehmungslustig	_____		

Modul 3 Helden im Alltag

der Aufwand	_____	gelingen (gelingt, gelang, ist gelungen)	_____
behindertengerecht	_____	die Gleichstellung	_____
etwas/j-n bezeichnen als	_____	der/die Held/-in, -en/-nen	_____
etwas entdecken	_____	die Persönlichkeit, -en	_____
freiwillig	_____	stürzen	_____
gelähmt	_____		

Modul 4 Vom Glücklichsein

unter die Arme greifen (greift, greifen, griff, hat gegriffen)	_____	Hilfe erhalten (erhält, erhielt, hat erhalten)	_____
ausdrücken	_____	der Kreißsaal, -säle	_____
j-m/sich eine Auszeit gönnen	_____	in den Sinn kommen	_____
		auf einen Streich	_____
etwas erfahren (erfährt, erfuhr, hat erfahren)	_____	sich etwas/nichts vormachen	_____
erwartungsvoll	_____	unvermittelbar	_____
die Geburt, -en	_____	die Vorfreude	_____
gespannt	_____	auf die Welt kommen	_____
		der Wohlstand	_____

Wörter, die für mich wichtig sind:

_____ _____ _____ _____

_____ _____ _____ _____

Kapitel 2: Wohnwelten

Modul 1 Baumhaus = Traumhaus?

das Alltagsleben	_____	naturverbunden	_____
das Dach, -"er	_____	originell	_____
erfüllen	_____	die Ruhe	_____
sich erholen	_____	die Sehnsucht nach, -"e	_____
hektisch	_____	der Trend, -s	_____
der Internetanschluss, -"e	_____	übernachten	_____
die Klimaanlage, -n	_____	verwirklichen	_____
die Nachfrage	_____	verzichten (auf)	_____

Modul 2 Ohne Dach

die Alternative, -n	_____	die Hygiene	_____
die Angst, -"e	_____	die Intoleranz	_____
arbeitslos	_____	die Isolation	_____
die Armut	_____	die Notunterkunft, -"e	_____
die Ausgrenzung, -en	_____	obdachlos	_____
die Ausweglosigkeit	_____	die Perspektive, -n	_____
die Einsamkeit	_____	die Randgruppe, -n	_____
die Freiheit, -en	_____	die Schulden (Pl.)	_____
die Frustration, -en	_____	die Unabhängigkeit	_____

Modul 3 Eine Wohnung zum Wohlfühlen

sich wohl fühlen	_____	das Möbel, -	_____
günstig	_____	der/die Nachbar/-in, -/-nen	_____
die Lage, -n	_____	die Wohnsituation	_____

Modul 4 Hotel Mama

der Anspruch, -"e	_____	entwickeln	_____
die Ausbildungszeit, -en	_____	der/die Nesthocker/-in, -/-nen	_____
auf eigenen Beinen stehen (steht, stand, ist gestanden)	_____	partnerschaftlich	_____
die Bequemlichkeit, -en	_____	vielschichtig	_____
das Elternhaus, -"er	_____	die Wäsche	_____
		der Wehrdienst, -e	_____

Wörter, die für mich wichtig sind:

_____ _____ _____ _____
_____ _____ _____ _____
_____ _____ _____ _____

Wortschatz _____

Kapitel 3: Wie geht's denn so?

Lach mal wieder _____

absetzen	_____	das Immunsystem	_____
die Abwehrkraft, -"e	_____	lindern	_____
anspannen	_____	der Muskel, -n	_____
auslösen	_____	physisch	_____
ausschütten	_____	psychisch	_____
entspannen	_____	der Sauerstoff	_____
das Gehirn, -e	_____	die Therapie, -n	_____
heilen	_____	unheilbar	_____
das Hormon, -e	_____	verordnen	_____

Modul 2 Fast Food – Slow Food _____

die Anfrage, -n	_____	die Mitgliedschaft, -en	_____
aufmerksam machen auf	_____	sich an j-n wenden	_____
Kontakt aufnehmen mit	_____	etwas wissen von (weiß, wusste, hat gewusst)	_____

Modul 3 Eine süße Versuchung … _____

aromatisch	_____	herb	_____
bitter	_____	der Kakao, -s	_____
enthalten (enthält, enthielt, hat enthalten)	_____	köstlich	_____
		naschen	_____
der/die Feinschmecker/-in, -/-nen	_____	der Nerv, -en	_____
das Fett, -e	_____	scharf	_____
der Geschmack, -"e	_____	die Sorte, -n	_____
gewürzt	_____	die Zutat, -en	_____

Modul 4 Bloß kein Stress! _____

der Beitrag, -"e	_____	das Leistungshoch, -s	_____
der Biorhythmus, -en	_____	das Leistungstief, -s	_____
das Forum, -en	_____	der Mangel , "	_____
genetisch	_____	j-m etwas in die Schuhe schieben (schiebt, schob, hat geschoben)	_____
j-m das Leben schwer machen	_____		
		die Übermüdung	_____

Wörter, die für mich wichtig sind:

_____ _____ _____ _____

_____ _____ _____ _____

Kapitel 4: Freizeit und Unterhaltung

Modul 1 Spiel ohne Grenzen

analysieren	_____	simulieren	_____
die Geselligkeit	_____	der Skat	_____
die Motorik	_____	das Sozialverhalten	_____
das Puzzle, -s	_____	der Spieltrieb, -e	_____
das Schach	_____	die Wahrnehmung, -en	_____
j-n schulen	_____		

Modul 2 Endlich Freizeit

der Chat-Room, -s	_____	das Netz, -e	_____
der Durchschnitt, -e	_____	der Schaufensterbummel, -	_____
die DVD, -s	_____	der Schwerpunkt, -e	_____
der Gottesdienst, -e	_____	zappen	_____

Modul 3 Abenteuer im Paradies

aufbrechen (bricht auf, brach auf, ist aufgebrochen)	_____	das Geräusch, -e	_____
		die Panik	_____
erschrecken vor (erschrickt, erschrak, ist erschrocken)	_____	das Paradies, -e	_____
		stechen (sticht, stach, hat gestochen)	_____

Modul 4 Freizeit in Zürich

die Ankündigung, -en	_____	der Mittelpunkt, -e	_____
die Bühne, -n	_____	plaudern	_____
der Club, -s	_____	das Publikum	_____
die Dokumentation, -en	_____	der Regisseur, -e	_____
das Drama, -en	_____	die Romanze, -n	_____
das Geschehen, -	_____	der Schauspieler, -	_____
der Horrorfilm, -e	_____	der Science-Fiction, -	_____
die Komödie, -n	_____	die Spannung, -en	_____
die Lesung, -en	_____	die Wendung, -en	_____
Lust haben auf etw. (hat, hatte, hat gehabt)	_____	der Western, -	_____
		der Zeichentrickfilm, -e	_____

Wörter, die für mich wichtig sind:

_____ _____ _____ _____

_____ _____ _____ _____

_____ _____ _____ _____

Wortschatz _____

Kapitel 5: Alles will gelernt sein

Modul 1 Lebenslanges Lernen

keine Ahnung haben	_____	das Heimwerkerseminar, -e	_____
der Babysitterkurs, -e	_____	der Notfall, -"e	_____
der Einsteigerkurs, -e	_____	schiefgehen (geht schief, ging schief, ist schiefgegangen)	_____
das Entspannungstraining, -s	_____	überreden	_____
Erste Hilfe leisten	_____		

Modul 2 Besser lernen mit Computern?

(ein Gerät) bedienen	_____	die Qualität, -en	_____
etwas bedauerlich finden	_____	die Quantität, -en	_____
beobachten	_____	die Schulleistung, -en	_____
die Chancengleichheit	_____	sinnvoll	_____
effektiv	_____	die Studie, -n	_____
der Einsatz	_____	Teil werden von etwas	_____
Kompetenzen erwerben	_____	der Vorteil, -e	_____
das Lernprogramm, -e	_____	vorausgesetzt werden	_____
der Nachteil, -e	_____		

Modul 3 Können kann man lernen

die Absicht haben	_____	die Erlaubnis haben	_____
abwarten	_____	fähig	_____
bestehen (besteht, bestand, hat bestanden)	_____	notwendig	_____
einfallen (fällt, fiel ein, ist eingefallen)	_____	verpflichtet sein	_____

Modul 4 Lernen und Behalten

das Boot, -e	_____	der Lernstoff	_____
das Fach, -"er	_____	stecken	_____
fressen (frisst, fraß, hat gefressen)	_____	überqueren	_____
die Lernmethode, -n	_____	das Ufer, -	_____
		zusätzlich	_____

Wörter, die für mich wichtig sind:

_____ _____ _____ _____

_____ _____ _____ _____

_____ _____ _____ _____

_____ _____ _____ _____

Kapitel 6: Berufsbilder

Modul 1 Wünsche an den Beruf

abwechslungsreich _____   die Herausforderung, -en _____

das Arbeitsklima _____   die Kenntnisse (Pl.) _____

beruflich _____   die Voraussetzung, -en _____

das Einkommen, - _____   weiterentwickeln _____

Modul 2 Ideen gesucht

anbieten (bietet an, bot an, hat angeboten) _____   der Impuls, -e _____

das Angebot, -e _____   der Mut _____

die Dienstleistung, -en _____   persönlich _____

erreichen _____   die Pleite, -n _____

frei Haus _____   praktisch _____

handwerklich _____   das Talent, -e _____

die Idee, -n _____   zuverlässig _____

Modul 3 Darauf kommt's an

das Arbeitszeugnis, -se _____   lückenlos _____

sich bewerben um (bewirbt, bewarb, hat beworben) _____   die Motivation _____

die Branche, -n _____   der/die Personalchef/-in, -/-nen _____

das Engagement _____   der Ratgeber, - _____

erwähnen _____   das Unternehmen, - _____

das Fachwissen _____   der Verein, -e _____

die Kompetenz, -en _____   vertraut sein mit _____

der Lebenslauf, -"e _____   vollständig _____

das Vorstellungsgespräch, -e _____

Modul 4 Mehr als Beruf

der Aktenkoffer, - _____   die Konferenz, -en _____

sich auskennen mit _____   die Konkurrenz _____

behandeln _____   massieren _____

die Besprechung, -en _____   organisieren _____

einschätzen _____   der Stammgast, -"e _____

die Erfahrung, -en _____   das Standbein, -e _____

Wörter, die für mich wichtig sind:

_____   _____

_____   _____

165

Wortschatz

Kapitel 7: Für immer und ewig

Modul 1   Lebensformen

der/die Doppelver-diener/-in, -/-nen _____

sich gewöhnen an _____

der Hausmann, -"er

die Patchworkfamilie, -en _____

sich etw. sagen lassen _____

sich scheiden lassen _____

der Single, -s _____

die Wochenendbeziehung, -en _____

Modul 2   Partnerglück im Internet

der Boom, -s _____

erfreulich _____

erschreckend _____

der Leserbrief, -e _____

der Nutzer, - _____

online _____

das Schicksal, -e _____

veröffentlichen _____

zufällig _____

Modul 3   Die große Liebe

eine Familie gründen _____

die Lebensart, -en _____

die Mentalität, -en _____

zu j-m passen _____

Modul 4   Eine seltsame Geschichte

absurd _____

angemessen _____

anständig _____

etwas für sich behalten (behält, behielt, hat behalten) _____

durchdacht _____

eigenartig _____

sich irren _____

einen Irrtum aufdecken _____

etwas klarstellen _____

kurzweilig _____

merkwürdig _____

der Roman, -e _____

rücksichtsvoll _____

sachlich _____

sonderbar _____

spannend _____

sich täuschen _____

unehrlich _____

verkehrt _____

Wörter, die für mich wichtig sind:

_____ _____ _____ _____

_____ _____ _____ _____

_____ _____ _____ _____

_____ _____ _____ _____

_____ _____ _____ _____

Kapitel 8: Kaufen, kaufen, kaufen

Modul 1 Dinge, die die Welt (nicht) braucht

anlegen	____	die Klingel, -n	____
(den Tisch) decken	____	der Knie-/Ellenbogen-schützer, -	____
der Durchblick	____	die Lupe, -n	____
(ein Getränk) einschenken	____	der Ring, -e	____
das Fernglas, -"er	____	unterwegs	____
der Fleck, -en	____	die Wade, -n	____
der Helm, -e	____	winzig	____
in die Höhe/Weite springen	____	zusammenrollen	____

Modul 2 Konsum heute

der/die Aussteiger/-in, -/-nen	____	das Konsumverhalten	____
der Erfolg, -e	____	die Nase voll haben	____
der Flohmarkt, -"e	____	der Secondhandladen, -"	____
der Komfort	____	tauschen	____
		verbrauchen	____

Modul 3 Die Reklamation

der/die Angestellte, -n	____	offensichtlich	____
einstellen	____	der Reklamationsgrund, -"e	____
funktionieren	____	die Rechnungsnummer, -n	____
der/die Gesprächspartner/-in, -/-nen	____	schildern	____
der Lautstärkeregler, -	____	der Wackelkontakt, -e	____

Modul 4 Kauf mich!

die Beratung, -en	____	auf die Nerven gehen	____
die Distanz, -en	____	mit Rat und Tat zur Seite stehen	____
der Duft, -"e	____	das Schnäppchen, -	____
unter Druck setzten	____	das Sonderangebot, -e	____
die einmalige Gelegenheit	____	die Verkaufsstrategie, -n	____
der Jäger, -	____	das Vertrauen	____

Wörter, die für mich wichtig sind:

_____ _____
_____ _____
_____ _____

Wortschatz _____

Modul 1 Organisiertes Reisen

der Alltagstrott	_____	gründen	_____
der Beleg, -e	_____	etwas hinter sich lassen	_____
bevorzugen	_____	die Marke, -n	_____
einführen	_____	der Marktführer, -	_____
sich einigen	_____	die Pauschalreise, -n	_____
ersetzen	_____	die Region, -en	_____
das Gebiet, -e	_____	verbreiten	_____
gebräuchlich	_____	der Zweck, -e	_____

Modul 2 Urlaub mal anders

die Auffassung, -en	_____	reichen von ... bis	_____
begehrt	_____	schätzen	_____
ehrenamtlich	_____	die Sichtweise, -n	_____
die Gebühr, -en	_____	voranbringen (bringt voran, brachte voran, hat vorangebracht)	_____
gemeinnützig	_____		

Modul 3 Der schöne Schein trügt …

aufdringlich	_____	der Reiseveranstalter, -	_____
aufstrebend	_____	die Umgangssprache, -n	_____
berechtigt	_____	unaufdringlich	_____
die Beschwerde, -n	_____	verkehrsgünstig	_____
die Entschädigung, -en	_____	vermeiden (vermeidet, vermied, hat vermieden)	_____
vor Gericht landen	_____	zweckmäßig	_____
geringfügig	_____		

Modul 4 Eine Reise nach Hamburg

anführen	_____	die Rundfahrt, -en	_____
die Bestätigung, -en	_____	die Stadtführung, -en	_____
die Börse, -n	_____	das Volksfest, -e	_____
bummeln	_____	vornehm	_____
einst	_____		

Wörter, die für mich wichtig sind:

_____	_____
_____	_____
_____	_____
_____	_____

Kapitel 10: Natürlich Natur!

Modul 1 Umweltproblem Single

der Abfall, -"e	_____	produzieren	_____
die Abgabe, -n	_____	steuerlich	_____
alternativ	_____	das Umweltproblem, -e	_____
die Energie, -n	_____	verbrauchen	_____
der Haushalt, -e	_____	verbrennen (verbrennt, verbrannte, hat verbrannt)	_____
konsumieren	_____		
die Krise, -n	_____	der Verpackungsmüll	_____

Modul 2 Tierisches Stadtleben

die Behausung, -en	_____	die Krähe, -n	_____
die Ente, -n	_____	klettern	_____
die Feder, -n	_____	die Maus, -"e	_____
der/die Feind/-in, -e/-nen	_____	die Nahrung	_____
das Fell, -e	_____	die Taube, -n	_____
das Kaninchen, -	_____	der Tierschutzverein, -e	_____
die Kleingartenanlage, -n	_____		

Modul 3 Projekt Umwelt

achtlos	_____	der Papierkorb, -"e	_____
die Emission, -en	_____	das Treibhausgas, -e	_____
der Gletscher, -	_____	die Überschwemmung, -en	_____
die Grünfläche, -n	_____	der Umgang mit	_____
das Hochwasser	_____	verantwortungsvoll	_____
katastrophal	_____	die Verhaltensregel, -n	_____
die Klimaerwärmung	_____	verlangsamen	_____

Modul 4 Kostbares Nass

austrocknen	_____	verseucht	_____
die Dürre	_____	vertrocknen	_____
der Flüssigkeitshaushalt	_____	das Trinkwasser	_____
das Salzwasser	_____	die Wasserknappheit	_____
das Süßwasser	_____	der Wassermangel	_____
verschmutzen	_____	die Wüste, -n	_____

Wörter, die für mich wichtig sind:

_____   _____

_____   _____

Verben mit Präpositionen

Verben mit Präpositionen

Mit Akkusativ

achten	auf	Achte bei der Prüfung genau auf die Aufgabenstellung.
ankommen	auf	Bei einer Bewerbung kommt es nicht nur auf gute Noten an.
anpassen	an	Man muss sich nicht an jeden Trend anpassen.
antworten	auf	Hat die Firma schon auf deine Bewerbung geantwortet?
(sich) ärgern	über	Ich habe mich heute so über meine Kollegin geärgert.
aufpassen	auf	Könntest du heute Abend auf meine Kinder aufpassen?
berichten	über	Im Fernsehen wurde über das Ereignis kaum berichtet.
sich beschweren	über	Herr Müller hat sich gestern über den Lärm beschwert.
bitten	um	Könnte ich dich um einen Gefallen bitten?
danken	für	Ich möchte dir für deine Unterstützung danken.
denken	an	Denk doch mal an die Zukunft!
diskutieren	über	Ich will nicht schon wieder über dieses Thema diskutieren.
eingehen	auf	Dirk geht einfach nie auf die Meinung anderer ein.
einziehen	in	Wir sind erst vor kurzem in die neue Wohnung eingezogen.
sich engagieren	für	Viele Leute engagieren sich für einen guten Zweck.
sich entschuldigen	für	Kristina hat sich heute für ihren Fehler entschuldigt.
sich erinnern	an	Erinnerst du dich an unser Gespräch neulich?
sich freuen	auf	Ich freue mich auf unseren Ausflug am Wochenende.
sich freuen	über	Meine Eltern haben sich sehr über meinen Besuch gefreut.
sich gewöhnen	an	Ich kann mich einfach nicht an dieses Essen gewöhnen.
glauben	an	Seine Eltern glauben an ihn, das macht ihm Mut.
halten	für	Ich halte sie für eine sehr kompetente Fachkraft.
sich halten	an	Halte dich doch bitte an unsere Abmachung!
hinweisen	auf	Ich möchte Sie noch auf unsere Sonderangebote hinweisen.
sich interessieren	für	Maren interessiert sich sehr für Tiere und Naturschutz.
(sich) informieren	über	Vor seiner Bewerbung hat er sich über die Firma informiert.
investieren	in	Das Unternehmen hat viel Geld in dieses Projekt investiert.
sich konzentrieren	auf	Seid leiser! Ich muss mich auf die Aufgabe konzentrieren.
sich kümmern	um	Wer kümmert sich um den Hund, wenn wir weg sind?
lachen	über	Über diesen Witz könnte ich mich kaputtlachen.
nachdenken	über	Ich denke über dein Angebot nach und gebe dir Bescheid.
reagieren	auf	Wie hat dein Mann eigentlich auf deinen Vorschlag reagiert?
reden	über	Wir haben lange über das Problem geredet.
sorgen	für	Olaf will für seine kranken Eltern sorgen.
sich sorgen	um	Katja sorgt sich oft zu sehr um ihre berufliche Zukunft.
sich spezialisieren	auf	Er hat sich während des Studiums auf Chirurgie spezialisiert.
sprechen	über	Habt ihr auch über die Arbeitsbedingungen gesprochen?
sich streiten	über	Streitet ihr schon wieder über die gleiche Frage?
sich streiten	um	In Beziehungen wird oft um Geld gestritten.
sich unterhalten	über	Wir haben uns den ganzen Abend über Politik unterhalten.
sich verlassen	auf	Auf meinen besten Freund kann ich mich immer verlassen.
sich verlieben	in	Nina hat sich schon während der Schulzeit in Paul verliebt.
verzichten	auf	Ich kann am Morgen einfach nicht auf Kaffee verzichten.
sich vorbereiten	auf	Hast du dich gut auf das Vorstellungsgespräch vorbereitet?
warten	auf	Auf wen wartest du denn hier schon so lange?
werben	für	Die Firma wirbt für ihre Produkte.

Mit Dativ

abhängen	von	Der Klimawandel hängt auch von unserem Verhalten ab.
ändern	an	Bert sagt, dass er an der Situation nichts ändern kann.
sich austauschen	mit	Mit seinem Brieffreund kann sich Mike gut austauschen.
sich bedanken	bei	Ich muss mich unbedingt bei dir bedanken.
sich befinden	in	Wir befinden uns hier im Zentrum von Hamburg.
beitragen	zu	Möchtest du auch etwas zu dieser Diskussion beitragen?
berichten	von	Matthias berichtet immer sehr ausführlich von seinen Reisen.
sich beschweren	bei	Herr Müller hat sich bei der Hausverwaltung beschwert.
bestehen	aus	Diese Schokolade besteht hauptsächlich aus Kakao.
sich bewerben	bei	Susanne hat sich jetzt bei einer Software-Firma beworben.
einladen	zu	Ich würde dich gern zu meiner Party einladen.
sich entschuldigen	bei	Kristina hat sich heute bei mir entschuldigt.
sich erkundigen	bei	Ich habe mich bei der VHS erkundigt.
sich erkundigen	nach	Ich möchte mich nach den Kursangeboten erkundigen.
erwarten	von	Was erwartest du von diesem Kurs?
erzählen	von	Erzähl doch mal etwas von deiner Familie!
fragen	nach	Wo warst du? Max hat schon dreimal nach dir gefragt.
führen	zu	Der Klimawandel führt zu immer mehr Unwettern.
gehören	zu	Zu welcher Projektgruppe gehörst du?
gratulieren	zu	Ich möchte dir zu dem guten Prüfungsergebnis gratulieren.
hören	von	Hast du mal etwas von Tina und Moritz gehört?
liegen	an	Es liegt an seinem Ehrgeiz, dass er so weit gekommen ist.
schmecken	nach	Die Schokolade schmeckt nach Nougat.
speichern	auf	Du solltest die Datei auf der Festplatte und auf CD speichern.
sprechen	mit	Kann ich mal kurz mit dir sprechen?
sprechen	von	Adrian hat den ganzen Abend nur von dir gesprochen.
sterben	an	Mein Opa ist letztes Jahr an Krebs gestorben.
sich streiten	mit	Ich habe mich gestern mit meinem Freund gestritten.
teilnehmen	an	Nimmst du auch an dem nächsten Kurs teil?
telefonieren	mit	Ich habe schon mit der Personalabteilung telefoniert.
sich treffen	mit	Nach dem Kurs treffe ich mich noch mit Rosalie.
überzeugen	von	Versuch nicht, mich vom Gegenteil zu überzeugen.
sich unterhalten	mit	Gestern habe ich mich lange mit meinem Chef unterhalten.
sich verabreden	mit	Ich würde mich gern mal mit ihr verabreden.
verbinden	mit	Was verbindest du mit dem Begriff „Freundschaft"?
vergleichen	mit	Man kann Äpfel nicht mit Birnen vergleichen.
sich verstehen	mit	Valentin versteht sich sehr gut mit seinen Eltern.
zählen	zu	Walter zählt zu den besten Studenten der Universität.
zweifeln	an	Zweifelst du an seiner Ehrlichkeit?

Unregelmäßige Verben

Wichtige unregelmäßige Verben

Infinitiv	Präsens	Präteritum	Perfekt
backen	backt/bäckt	backte	hat gebacken
sich befinden	befindet	befand	hat befunden
beginnen	beginnt	begann	hat begonnen
begreifen	begreift	begriff	hat begriffen
behalten	behält	behielt	hat behalten
bekommen	bekommt	bekam	hat bekommen
beraten	berät	beriet	hat beraten
beschließen	beschließt	beschloss	hat beschlossen
besprechen	bespricht	besprach	hat besprochen
bestehen	besteht	bestand	hat bestanden
betragen	beträgt	betrug	hat betragen
betreten	betritt	betrat	hat betreten
sich bewerben	bewirbt	bewarb	hat beworben
bieten	bietet	bot	hat geboten
bitten	bittet	bat	hat gebeten
bleiben	bleibt	blieb	ist geblieben
braten	brät/bratet	briet	hat gebraten
brechen	bricht	brach	hat gebrochen
brennen	brennt	brannte	hat gebrannt
bringen	bringt	brachte	hat gebracht
denken	denkt	dachte	hat gedacht
dürfen	darf	durfte	hat gedurft
empfangen	empfängt	empfing	hat empfangen
empfehlen	empfiehlt	empfahl	hat empfohlen
empfinden	empfindet	empfand	hat empfunden
entlassen	entlässt	entließ	hat entlassen
entscheiden	entscheidet	entschied	hat entschieden
sich entschließen	entschließt	entschloss	hat entschlossen
entstehen	entsteht	entstand	ist entstanden
erfahren	erfährt	erfuhr	hat erfahren
erfinden	erfindet	erfand	hat erfunden
erschrecken	erschrickt	erschrak	ist erschrocken

Infinitiv	Präsens	Präteritum	Perfekt
erziehen	erzieht	erzog	hat erzogen
essen	isst	aß	hat gegessen
fahren	fährt	fuhr	ist gefahren
fallen	fällt	fiel	ist gefallen
fangen	fängt	fing	hat gefangen
finden	findet	fand	hat gefunden
fliegen	fliegt	flog	ist geflogen
fliehen	flieht	floh	ist geflohen
fließen	fließt	floss	ist geflossen
frieren	friert	fror	hat gefroren
geben	gibt	gab	hat gegeben
gefallen	gefällt	gefiel	hat gefallen
gehen	geht	ging	ist gegangen
gelingen	(etwas) gelingt	gelang	ist gelungen
gelten	gilt	galt	hat gegolten
genießen	genießt	genoss	hat genossen
geschehen	geschieht	geschah	ist geschehen
gewinnen	gewinnt	gewann	hat gewonnen
greifen	greift	griff	hat gegriffen
haben	hat	hatte	hat gehabt
halten	hält	hielt	hat gehalten
hängen	hängt	hing	hat gehangen
heben	hebt	hob	hat gehoben
heißen	heißt	hieß	hat geheißen
helfen	hilft	half	hat geholfen
kennen	kennt	kannte	hat gekannt
klingen	klingt	klang	hat geklungen
kommen	kommt	kam	ist gekommen
können	kann	konnte	hat gekonnt
laden	lädt	lud	hat geladen
lassen	lässt	ließ	hat gelassen
laufen	läuft	lief	ist gelaufen

Unregelmäßige Verben

Infinitiv	Präsens	Präteritum	Perfekt
leiden	leidet	litt	hat gelitten
leihen	leiht	lieh	hat geliehen
lesen	liest	las	hat gelesen
liegen	liegt	lag	hat gelegen
lügen	lügt	log	hat gelogen
messen	misst	maß	hat gemessen
mögen	mag	mochte	hat gemocht
müssen	muss	musste	hat gemusst
nehmen	nimmt	nahm	hat genommen
nennen	nennt	nannte	hat genannt
raten	rät	riet	hat geraten
reiten	reitet	ritt	ist geritten
rennen	rennt	rannte	ist gerannt
riechen	riecht	roch	hat gerochen
rufen	ruft	rief	hat gerufen
scheinen	scheint	schien	hat geschienen
schieben	schiebt	schob	hat geschoben
schlafen	schläft	schlief	hat geschlafen
schlagen	schlägt	schlug	hat geschlagen
schließen	schließt	schloss	hat geschlossen
schneiden	schneidet	schnitt	hat geschnitten
schreiben	schreibt	schrieb	hat geschrieben
schreien	schreit	schrie	hat geschrien
schweigen	schweigt	schwieg	hat geschwiegen
schwimmen	schwimmt	schwamm	hat/ist geschwommen
sehen	sieht	sah	hat gesehen
sein	ist	war	ist gewesen
senden	sendet	sandte/sendete	hat gesandt/gesendet
singen	singt	sang	hat gesungen
sitzen	sitzt	saß	hat gesessen
sprechen	spricht	sprach	hat gesprochen
springen	springt	sprang	ist gesprungen
stehen	steht	stand	hat gestanden